P9-AQE-933

За чужими
окнами

Читайте в серии книги

Ариадны Борисовой

Манечка,
или Не спешите похудеть

Когда
вырастают дети

Весь апрель
никому не верь

Хлеба ***и чуда***

Повторите, пожалуйста,
марш Мендельсона!

Ариадна Борисова

Повторите, пожалуйста, *марш Мендельсона!*

сборник

Москва
2016

УДК 821.161.1-32
ББК 84(2Рос=Рус)6-44
Б82

Оформление серии
и иллюстрация на переплете *П. Петрова*

Борисова, Ариадна.

Б82 Повторите, пожалуйста, марш Мендельсона : сборник / Ариадна Борисова. – Москва : Издательство «Э», 2016. – 352 с. – (За чужими окнами. Проза М. Метлицкой и А. Борисовой).

ISBN 978-5-699-90255-2

«Бабуль, а после сорока лет любовь точно заканчивается?» – спросила двенадцатилетняя внучка Веру Георгиевну. И бабушке было что рассказать на данную тему. Она вышла замуж за идеального мужчину, которому можно простить всё, даже легкие влюбленности и измены. Но вот беда – с некоторого времени Верочка стала замечать, что идеальный мужчина все чаще смотрит в сторону ее же лучшей подруги, а страсти не затихают с годами, напротив, разгораются с новой силой, достигнув своего пика как раз годам к сорока...

В авторский сборник Ариадны Борисовой вошли рассказы и повести. Все они – о внутренней свободе, человеческих страхах и, конечно, о любви.

УДК 821.161.1-32
ББК 84(2Рос=Рус)6-44

ISBN 978-5-699-90255-2

Рассказы

Черкашины

Филиал городской детской библиотеки, в которой Даша проработала четырнадцать лет (с пятью декретными отпусками), неожиданно закрылся, а другого места в централизованной библиотечной системе ей не нашлось. Два месяца Даша получала выходное пособие, затем, вопреки уговорам мужа, устроилась фасовщицей на молокозавод.

Монотонный труд невыносимо ее утомлял. Послеобеденные часы она выстаивала у конвейера на грани беспамятства, с онемелой поясницей и горючим клубком тошноты в горле, страшась вот-вот рухнуть на движущуюся ленту. И кто, скажите пожалуйста, придумал закон подлости — судьба или случай, или эта милая парочка действует заодно?

Впрочем, неважно. Важно, что по закону подлости Даша хлопнулась в обморок под ноги директору, когда он удостоил цех своим посещением.

На следующий день директор вызвал маломощную работницу в кабинет и предложил по-хорошему уволиться, поскольку производство терпит убыток из-за ее частых бюллетеней.

– А тут еще обнаруживаются ваши форс-мажорные обстоятельства, – укоризненно дополнил прозорливый руководитель.

Краснея от сознания собственного обмана, Даша беспрекословно написала заявление – ведь при найме она на самом деле скрыла и многодетность, и «форс-мажор», теперь уже рвущий пуговицы рабочего халата.

Уплыли надежды на причитающиеся по закону (не подлости) деньги. «Перетерпим», – утешал муж, но «бог-изобретатель», очевидно, вошел в экспериментальный раж и решил испытать выдержку Черкашиных на всю катушку: в воскресенье Кирилл повел детей на горку, поскользнулся с санками и умудрился сломать ногу. А вскоре начался бурсит локтя – выяснилось, что ушиб при падении. Накрылись, таким образом, благие намерения выполнять проектные заказы на дому.

Долгие больничные листы оплачиваются не в срок и не предполагают премиальных. Кирилл увещевал жену не бросаться в крайности, но Даша, залив уши воском упрямства, отправилась в Центр занятости.

Сочувствующая девушка выдала список приемлемых вакантных мест и предупредила:

– Вряд ли получится... Ну, попытка не пытка.

Пытка оправдалась в полной мере, будто сам рок неудачи расставлял впереди невидимые шлагбаумы. Дашу не взяли ни вахтером, ни почтальоном, а уборщицей ей не удалось стать аж в четырех конторах. По неписаным правилам начальство лгало, не отказывая прямо, места оказывались либо уже заняты, либо вот только на днях сокращены по оптимизации штатов.

Меньшую, не вычеркнутую часть списка Даша отложила на завтра. «Не озлобляться, не озлобляться», – приказывала себе, чеканя шаг. Пора бы привыкнуть, что беременные не вызывают умиления у боссов, а многодетность считается синонимом неблагополучия даже у друзей.

Иногда Даше позванивали две бездетные подруги юности, не вылезавшие из заграничных круизов. Разговор неизбежно заканчивался порицанием: «Кругом столько всего интересного, мир бесподобный, а ты засела в четырех стенах!» Понимая, что главной целью звонка было плохо завуалированное туристическими восторгами превосходство чайлдфри, Даша думала: между собой подруги, конечно, перетирают ее чадолюбивый выбор до мозга костей. Примерно так: «Жаль Дашку, погрязла в безденежье, торчит дома как прокаженная, но это же ни в какие ворота, чтобы в наше время без конца плодить и плодить нищету!»

Даша не кидалась в обидчивую патетику, не растрачивала на мелочи дорогие сердцу события, происходящие в «четырех стенах» ее трехкомнатной квартиры и несравнимые, разумеется, с богатыми на приключения странствиями. Приятельницы просто не поверили бы в реальность неослабного интереса Даши к жизням, которые она сама произвела на свет, – интереса, пятикратно превзошедшего все ее альфы и омеги. Дети были для нее свыше и свойственного любому человеку эгоизма, и архаически устойчивой привязанности к единственному мужчине.

Порой Дашу, конечно, тоже обуревала жажда путешествий, по настроению хотелось личного праздника, двух-трех часов одиночества, но никогда, ни одного дня не желала она свободы от детей. Ни за какие посулы не приняла бы Даша такой свободы ради египтов-кипров-гаван. Напротив, свободно и комфортно она чувствовала себя только тогда, когда весь народ маленького мирка Черкашиных собирался вместе после работы, школы и детского сада вокруг нее, как вокруг оси Вселенной.

Безденежье? Да ладно! У них все есть. Квартиру они сами приобрели, на четверть с помощью архитектурного акционерного общества, в котором работает Кирилл. У них есть машина «Тойота Суксид» с вместительным багажником, а в позапрошлом году повезло купить шесть дачных соток со старым, но вполне добротным домом. Это первые годы супружества, пока усиленно расплачивались с долгами, спали на полу и сидели вместо стульев на ведрах возле покрытого клеенкой ящика-стола. Гости приходили, Кирилл укладывал на ведра доску – получалась скамейка.

Маринка помнит, как выстраивала книжные «города» в пустом зале. Высокие стопки книг стояли рядком у стен в ожидании стеллажей, недаром же мама была специалистом по библиотечной комплектации (вот именно – была)... Роскошные застекленные стеллажи «под дуб» украсили собой зал через два года к появлению Владика. Спустя четыре из-за нашествия погодков Кости и Никиты мама с папой переехали из спальни в гостиную, повесили на стены детские рисунки и фотографии в рамках, а полки с книгами разместились по комнатам и заняли коридор.

С самого начала Черкашины договорились родить дочь и нескольких сыновей. Вышло как задумывалось, по поговорке «Один сын – не сын, два сына – полсына, три сына – сын». Кирилл называл Маринку «приставочкой к сыну», баловал больше всех. Потом добавилась вторая «приставочка»...

Даша боялась известить сестру Алину, что счет на Сонечке не завершился.

...Студентке Алине исполнилось двадцать пять лет, Даше – пятнадцать, брату Тиме – двенадцать (как сейчас Владику), когда мамы не стало. Отец внезапно загулял с неприлично юной девицей и через год, измученный стыдом и страстью, рванул с достигшей совершеннолетия женой подальше от детей-подростков.

По-другому можно сказать и так, что отца выгнала из дома старшая дочь. Красный диплом как раз помог ей возглавить отдел на энергетическом предприятии, Алина безоговорочно взяла патронат над младшими и велела им забыть об отце. Запретила звонки и переписку, отказалась от алиментов...

Надо отдать Алине должное: она вырастила и выучила сестру и брата. Алина контролировала каждое их действие. Запрещала Тиме дружить со «спекулянтами», Даше – стричь косы и ходить в лосинах по тогдашней моде. Увидев однажды рядом с сестрой неизвестного охламона в китайских штанах «Montana Sport» с лампасами, от злости была вне себя и не постеснялась при нем в выражениях этой злости. Помня, как испугалась тогда, хотя была почти взрослой, Даша потом запретила себе резкие слова в разговорах с детьми, даже если они провинятся.

Алина долго препятствовала Дашиному замужеству, смирилась лишь по окончании «охламоном» архитектурного института. Отстав наконец от Даши, обрушила всю сестринско-материнскую любовь на Тимофея. С удвоенной энергией принялась выдавливать из него тягу к презренной коммерции. Однако, захаживая изредка к Черкашиным, Алина по старой привычке вмешивалась во все дела — от воспитания до штопки. Не лезла разве что в интимные супружеские отношения, высокомерно соглашаясь со своим в этой сфере невежеством. Называла Дашу неумехой и тем не менее пеняла Кириллу: пора бы твоей половине поставить при жизни памятник в виде Шивы, как в одном лице повару, швее, медсестре, педагогу и психологу.

«Прачку забыла, — смеялась Даша, — носков — килограммы!» Смеялась, а сама потихоньку начинала себя жалеть. Наверное, она и впрямь одна из последних весталок, что находили счастье в раздувании очага в честь плодовитой богини.

Жалость к себе похожа на комариный укус — зудит нестерпимо, и чешешь, и чешешь... приятно... Но даже от умственных расчесов возникают плохо заживающие болячки, и Даша гнала вон надрывные мысли о многоруком индийском боге с ее, Дашиным, истомленным лицом.

Она не знала, чем так сильно притягивали Алину Соединенные Штаты. А та не могла понять, на кой черт Даше большая семья, с которой где угодно хлопот не оберешься, да и не сбежишь никуда из вечно турбулентной России. Теперь Алина с Тимой живут в Кливленде, штат Огайо. Жена у брата испанка, в семье растет дочь, Тима торгует подержанными автомобилями и доволен. В общем, мечты сбылись у обеих сестер и брата.

Даша, честно говоря, рада больше не слышать напористого голоса сестры. Переписываются по Интернету, скайпа нет и не надо. Родственников отделяет друг от друга огромная дистанция, а также непонимание величиной в жизнь. Точнее, в пять детских жизней плюс шестая в чреве.

Как родится эта новая жизнь, ее сразу поставят в очередь на детский сад. Три года назад Черкашины припозднились с заявлением на место для Сонечки и присматривают за ней кто свободен или соседка тетя Фаида. Костя с Никитой в подготовительной группе, одному семь, второму без двух месяцев шесть, но пойдут в школу вместе.

Сонечка не знает тетю Алину, а мальчики уже и не помнят. Даша показала им Америку на глобусе.

– А где мы сейчас на планете стоим? – спросил Никитка.

– Примерно здесь. – Даша вдруг почувствовала мизерность своей семьи на планете.

Сонечка сосредоточенно разглядывала нижнюю часть глобуса:

– Где тут сидит пластилин колец?

«Властелин колец», – сообразила Даша.

Вымысел и реальность перепутались в головенках младших детей из-за фильмов, а Сонечка постоянно чудит со словами. Вчера попросила почитать сказку о гомиках. Чуть не плакала: «Гомики, гомики!» Впавшая в легкий ступор Даша кое-как догадалась, что девочка хочет послушать сказку о гномиках и Белоснежке.

...Кстати, в тему о «гомиках». В классе Владика началась борьба с гомосексуальной пропагандой. Родители желают видеть в детях отчетливую гендерную идентификацию. Одна из мам с пафосом вспомнила на собрании, что человек – это звучит гордо (в смысле человек – не гей). От слова «гей» у детей должен выработаться рвотный рефлекс. Дурные книги – в топку, и «голубых-розовых» хорошо бы туда же!

О, как мы умеем... Все возбудились, заговорили, перекрикивая друг друга. Ничто не сплачивает народ крепче ненависти. Есть на чью кровь натаскивать мальчишек, и оправдание, в случае чего, есть: человек – это звучит гордо! «Не зарекайтесь, – хотелось сказать Даше, – а если ваш сын когда-нибудь признается: «Мама, я гей»?» и холодела: «А если один из моих?..»

Воинственная родительница спросила, что она думает по этому поводу. Даша пожала плечом. Промолчала.

Кто устанавливает границу, отделяющую подозрение в пропаганде гомосексуализма от права личности на человеческое достоинство? Нет таких определителей. Вот Алина, старая дева, возвела асексуальность в ранг добродетельной аскезы – и гордится. Ущерб принесла лишь собственному норову, но ведь и эта «непохожесть» опасна подражанием. Движение чайлдфри тоже не улучшает демографическую обстановку. Правда, население страны в геометрической прогрессии увеличивается за счет гастарбайтеров и беженцев... Кого еще в топку?

Интересно, а мать, многодетная мать – это звучит гордо?

Даша не может купить старшим детям хорошие телефоны, не до айпадов, какая тут гордость. Сложно объяснить, что наличие крутых гаджетов у одноклассников – возможно, мерило успешности их родителей, однако не всегда, – свидетельство счастья. Даша часто беседует с детьми о ценностях мнимых и настоящих, и в какую-то минуту ей самой кажется жалким ее романтический лепет на фоне все новых и новых реклам, новых лозунгов... новой ненависти и бессрочной нехватки денег.

Маринка отличница, в школе с ней нет проблем. Но Дашу беспокоит болезненная надменность, мелькающая на круглом по-детски лице дочери, когда та говорит «Я буду», «Я добьюсь», «Я знаю, что такое счастье». Гордость или гордыня? Или тревожные звоночки – предупреждение о родственной близости к неоднозначному характеру тети Алины?

Маринка начала задавать неприятные вопросы:

– Мама, как ты относишься к богатству?

– Положительно, – поосторожничала Даша, слыша в словах Маринки укор себе. – А почему ты об этом спросила?

– Если б мы были богатыми...

– Тогда что? Были бы счастливее?..

В детстве Даша не задумывалась о счастье, просто была счастливой, просто любила мать и отца. Тимофей вроде бы тоже. Он потом часто вспоминал, как однажды отец протянул через комнату леску с бумажными птичками: дернешь за ниточку, и птички махали крылышками – летели... Даша, между прочим, тогда и подумала впервые: вырасту, нарожаю детей и смастерю им таких птичек.

Черкашины стараются удержать детское счастье на любви и уважении по старинке, но, видимо, без «бонуса» нынче этого все же мало. Тут бы к самим себе уважение сохранить. Маринка говорит, что Владик хвастает перед ребятами дворцами, построенными по папиным проектам, и Даша вздыхает: выходит, ее-то профессиональные способности помахали крылышками и, не востребованные, улетели.

Никитку интересовало, хотел ли раньше папа стать, как он, трубочистом. Папа Кирилл сказал, что мечтал быть пиратом, а когда постареет – Дедом Морозом. К Новому году он оклеил старый почтовый ящик пестрой бумагой, приладил к нему ремешок, чтобы носить на шее, и ручку от сломанной швейной машинки – получилась шарманка. На домашнюю елку явился Дед Мороз! Дети водили с ним хоровод, бросали по очереди в щель «шарманки» доллары, и гость пел веселые частушки про каждого, включая кота Огонька. При всех усилиях поменять голос, папу в костюме Деда Мороза узнала даже Сонечка и слегка опечалилась, что он уже постарел. Напечатанные на ксероксе доллары она потом собрала и подарила соседям: «Тетя Фаида, дядя Наиль, возьмите, позалуста, деньги себе на подалки, мой папа мосенник, это он деньги сделал!»

Кирилл был смущен, но выяснилось, что дочь вовсе не собиралась изобличить в нем фальшивомонетчика, а просто вместо «волшебник» произнесла «мошенник».

Скоро 8 Марта, и Даша переживает за мужа: трудно ему будет с Владиком придумать без денег целых три подарка. Скрепя сердце отдала она сыну на праздничные сборы в классе деньги из тех, что отложила на садик. Кирилл предложил сэкономить: пока он на больничном, дети могут посидеть с ним.

Владик тоже рад бы посидеть с отцом дома из-за деления в школе ребят на умников, середняков и слабых. Отношение педагогов к ученикам стало соответствовать этой сортировке, дети обзывают друг друга «ботанами», «серостью» и «дерибасами». Владик вообще вне классификации, дневник у него – отражение интереса к темам.

Родительский комитет возмутило внедрение среди школьников неравноправия – а толку? На собрании было сказано: «Нанимайте своим двоечникам репетиторов».

Кирилл считает, что вера в справедливость слепа, а гордыня предпочтительнее чувства неполноценности. Даша, вероятно, во многом заблуждается, но ей хочется, чтобы, несмотря на знание о несправедливости в мире, дети не потеряли к миру доверие.

Школьное напряжение снимают с Владика летние каникулы. Он наслаждается общением с отцом, яркими днями возраста со всей полнотой мальчишеских радостей и неудач. На зорьке старшие спешат с папой на речку рыбачить. Костя с Никиткой пока еще ближе к матери.

Прошлым летом дачу облюбовали мыши, и Костя по утрам находил в своей постели подарок Огонька. Рыжего разбойника любят все Черкашины, и он всех любит, но Костю почему-то особенно. Огонек приносил задавленную мышь на подушку лучшему, по его, кошачьему, мнению, человеку. Даша приходила в тихий ужас, Кирилл смеялся, а Сонечку одолевали ревность и частнособственнический инстинкт. От расстройства дочка путала слова: «Почему мой кот не кладет мне подуску на мыску?!»

На даче время умножено солнцем, там Даша чаще шьет одежки Сонечкиным куклам и записывает Никиткины песни.

Никитка шустрый, вскакивает чуть свет и, пока остальные досматривают сны, тихонько ноет в кухне: «Скучно... Неинтересно... Никто не спрашивает, зачем я такой грустный...»

Он всегда жаждет быть услышанным. Рожица у Никитки лукавая, ростом он меньше Кости почти на голову – тормошит медлительного брата, тянет босиком во двор. Болтает без умолку: маленькие тайны, открытия, впечатления сыплются как горох из дырявого мешка. Прислушаешься: а горох-то – драгоценный! Успевай снимать на телефон. За ночь в Никитке вызревают новые сказки и песни, удивительно складные, хотя сам он еще не умеет читать и не знает нот.

Чумазые, загорелые, прибегают мальчишки с речки в обед. Никитка хватает горячие пирожки с противня, кусает на ходу, подпрыгивая и обжигаясь, Костя подставляет подол майки: «Мам, дай пирожков для папы с Владиком!» И снова вперед – изучать жизнь обитателей луга и рощи, купаться, барахтаться на берегу: куча-мала в речке, куча-мала на песке! Допоздна во дворе игры, смех, крик, хохот Кирилла, скороговорки Никитки...

В мальчике рано проснулся дар то ли скомороха, то ли менестреля, а поразительная память, кажется, родилась вместе с ним. Едва прибыв из роддома, он уставился на настольную лампу и так долго, осмысленно ее разглядывал, что встревожил родителей. Через три года кроватку Никиты заняла Сонечка, и он вспомнил: «Когда меня сюда в первый раз положили, горел круглый свет. Потом пришли люди, стало немножко темно, но я все-таки увидел лицо хорошего человека. Я сразу понял: это ты, папа!»

Никитка публичен, гостеприимно открыт и говорит всем своим видом: смотрите, какой я славный! С веселой улыбкой, рубаха-парень – нравлюсь я вам?

Костя обычно стоит рядом, как нянька, и наблюдает. Глаза следят за рассеянным Никиткой: не поранит ли ладонь о спинку стула, взмахивая рукой слишком резко? Внимательный Костя отодвигает стул. Даша мягко урезонивает «артиста» и силится (с редким успехом) разговорить Костю, в чьей молчаливой душе брату отведено больше места, чем ему самому.

– Никитка уже не писает в кровать, – сообщает Костя с застенчивой гордостью.

Ох, этот энурез! Главный ночной враг Даши в случае с младшим сыном, кроме других врагов, частных и общих – гриппов, ангин, аллергий, не считая синяков и ссадин. А ведь действительно несколько дней не писает...

Летом перед сном Костя водил малыша за руку в уличный туалет. Никита, спотыкаясь, шагал с зажмуренными глазами. Выяснилось, что боялся бабайку, о котором рассказали дети на деревенском пляже.

– Бабаек давно нет, – успокаивал братишку Владик.

– А куда они делись?

– Наверное, динозавры прогнали...

Динозавров Никитка любит, в мультиках они совсем не страшные. Наутро у него была готова сказка:

– Однажды жили динозавры. И вдруг они родили динозаврика и остальных родили. Этот динозаврик вылез из гнезда, открыл двери в джунгли и пошел гулять поздно вечером. Он не боялся бабаек, его папа давно прогнал бабаек и всех плохих. Динозаврик убежал из дома и знал, что все равно станет большим! Папа подсчитал динозавриков и видит:

одного нет. Тогда папа рассердился и сказал: «Вы мне достаточно испортили настроение!» Но он был джентльменом, поэтому пошел искать сына. Листья храпели, а все думали, что они шелестят. В небе танцевала луна, и звезды кружились, как будто их завели ключиком. Динозаврик сказал: «Какая красивая ночь!», лег и уснул. Джунгли вместе с ним захрапели, и даже цветы. А потом настал день красивый, проснулось пестрое солнце. Папа нашел динозаврика, и все в мире стало совсем хорошо!

Слушатели хлопали в ладоши, Никитка кланялся и ликовал. Костя, все еще в восторге, стоял с полуоткрытым ртом. Вечный страж, вечный зритель... Костин сознательный отход на второй план – одна из печалей Даши.

Сонечка по младости лет пытается подражать манерам старших. Примеривается к повадкам серьезного Кости, к замашкам человека-праздника Никитки, вертится возле Владика. Но кумир у нее, безусловно, Марина. Сонечка потешно и точно копирует ее походку и выражение лица – образ, созданный сестрой для себя: я красивая, умная и привередливая. Потому привередливая, что много требую и от своей персоны!

...Даша думала обо всем этом, чистя картошку для ужина. В кухню пришкандыбал на костылях Кирилл. Рассказал о домашних событиях дня, и Даша ему – о сегодняшнем походе. Муж молчит. Знает, что Даша не жалуется на начальников, а без затей констатирует факт их фарисейства, однако в глазах Кирилла вспыхивают виновато-сердитые искры: говорил тебе, упрямица, не гони лошадей, не всю же оставшуюся жизнь мне валяться на диване...

Один за другим Черкашины собираются в кухне – соскучились по маме. Владик одолжил у соседа старую гитару и, дребезжа струнами, прилежно напевает:

– Во по-ле бе-рез-ка стоя-ла...

Наиль, взрослый сын тети Фаиды, музицирует вечерами в ресторане и получает, по его словам, неплохо. Вручил мальчишке самоучитель – попробуй.

Со слухом у Владика неважно, огорчилась Даша. Никитка не выдержал и пропел чисто-чисто:

– Во поле березка стояла!

Отдать бы мальчика в музыкальную школу... Жаль, что школа платная.

Владик оскорбленно сопит, отставил инструмент:

– Я все равно научусь играть, а в ресторане не буду.

– Будешь сидеть там с гитарой просто так? – удивился Никитка. – А зачем?

Маринка засмеялась:

– Люди станут платить ему за то, чтобы он не играл!

– И тебе – чтоб ты не ехидничала, – огрызнулся Владик и дернул братишку за подол свитера: – Нука, не трогай грязными руками чужую вещь!

Не обижаясь, Никитка показал Владику ладони:

– Видишь, чистые! Я только одну струнку погладил, – и солнечный мальчик первым уселся за стол. Расправился со своей порцией быстрее всех, в знак благодарности чмокнул Дашу в запястье, еще дожевывая, и ускакал. Она остановила рванувшего за ним Костю:

– Доешь пюре.

Все подозрительно спешили. Маринка мгновенно мыла тарелки, как только они освобождались. Еле дождалась мамину посуду – Даша-то никуда не торопилась. Сонечка принесла ей журналы:

– Мамочка, побудь, позалуста, немноско на кухне! Жулналы почитай, ладно?

Лицо взволнованное и заговорщицкое – ясно, секретничают насчет подарка. Никитка примчался налить воды в пузырек с засохшим клеем... Ну что ж, и мама проведет время с пользой – расставит по полкам остатки продуктов из полупустых коробок.

Под осень кризис в стране заставил Черкашиных запастись продовольствием, и к перечню умений многорукого Шивы добавился грузчицкий навык. Кирилл ругался: мы бы с Владиком набрали потом, в выходные! Здоровья не жалко, или ты это нарочно – меня позлить?!

Ничего не нарочно. Во-первых, цены взлетали ежедневно, а Даша лучше разбиралась, где, что и почем в оптовых магазинах. Во-вторых, сдав на права, сама водила «Суксид» и домой возвращалась раньше мужа. А в-третьих, она тогда еще безмятежно работала в библиотеке и не была беременной.

Чертов кризис, как призрак коммунизма, бродит не только по Европе и Азии, но и по благополучным Штатам. Даша выкладывала бутылки растительного масла за холодильник и думала: затаривает ли братец Тимофей квартиру продуктами? Алина ест как пташка, а у Тимы все-таки семья. И поесть он любит. Раньше мог умять за раз три тарелки пельменей. Наверняка научил их лепить жену-испанку. На праздничном столе Черкашиных пельмени тоже традиционно главное блюдо.

Даша высыпала из кошелька на стол бумажные деньги и мелочь: да-а... жидковато. Разложила привычными стопочками: на бензин, хлеб, молоко, отдельно – на возможный расход. Этот незапланированный расход называется «всякий случай» и на поверку всегда оказывается чем-нибудь самым необходимым. Надо быть просто волшебником, чтоб изловчиться выкроить из этих горсток сумму, равную двум кило фарша. Проверенный для пельменей объем на весь праздничный день – отсутствием аппетита в дражайшем Дашином семействе никто не страдает.

Как бы ни хотелось опять клянчить в долг у соседки – очевидно, придется. Фаида человек понятливый, денег, конечно, даст, но жутко неловко, ведь Кирилл явно намеревается просить о том же Наиля. Причем по-крупному...

Даша догадалась, о чем муж шептался с Маринкой, и досадовала на нее. Они говорили о платье – о нарядном праздничном платье, которое продается в ближнем магазине одежды. Чудесное платье стоит столько же, сколько работнице молокозавода выдавалось аванса за полмесяца фасовки творожных брикетов.

Как-то после зимних каникул Даша с дочерью зашли в этот магазин купить белую блузку. Прошлогодние стали Маринке малы, девочка почти уже догнала мать в росте. Начала пользоваться ее духами: «Можно, мам? Я капельку». Встает на цыпочки и плывет, на глазах превращаясь из гадкого утенка в лебедь...

Ну так вот. Платье.

Маринка прямо-таки застыла перед шеренгой с вечерними нарядами, где в авангарде на плечиках с бюстом красовалось платье в стиле «туника». Глубокого чайного цвета, с тонко вышитой, чуть светлее, вставкой на лифе и вырезом на груди ниже Дашиного обычного – Кирилл бы не одобрил...

– Мама, примерь!

Даша без слов кивнула на ценник.

– Мамочка, ну пожалуйста, за примерку же денег не берут! – дочь сложила ладони в умоляющем жесте.

Платье не показалось Даше столь уж элегантным, но, взглянув на себя в зеркало в кабинке, ахнула: вот у Маринки глаз-алмаз! Платье совпало с Дашей, будто заказывали, по длине и цветовой гамме, и благородный фасон мягко скрывал «положение». Вырез в начале полукружий был одновременно сдержанным и соблазнительным, с иллюзией большей открытости за счет вставки, с плавным переходом от ненавязчиво «смуглеющего» оттенка к основному. Легко и ласково облегала Дашу приятная на ощупь ткань.

– Ты такая красивая! – выдохнула в восхищении Маринка. – Мамочка, давай купим? Займи денег у тети Фаиды и купим, а?!

– Когда-нибудь потом, – Даша не без сожаления повесила платье обратно на плечики и благополуч-

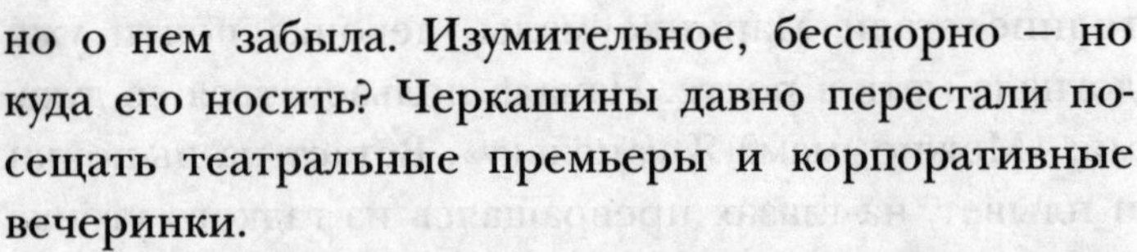

но о нем забыла. Изумительное, бесспорно – но куда его носить? Черкашины давно перестали посещать театральные премьеры и корпоративные вечеринки.

...А Маринка не забыла. Время от времени наведывалась в магазин проверить, не исчезло ли «мамино» платье. Однажды завернула туда с малышами – показать: Никитка проболтался.

Ни к чему неподъемные траты, волновалась Даша, хоть бы Кирилл внял голосу благоразумия...

Вынув шпильки из узла прически, она мотнула головой, и туго крученные пряди упали на плечи. Как хорошо! Затылок радуется свободе – шутка ли, ниже бедер опускаются тяжелые волосы. Даша рада бы срезать, но то Алина не позволяла, теперь Кирилл...

А вот и он – встал с костылем в дверях, прикрыл глаза ладонью, делая вид, что ослеплен. Притормозил любопытствующую толпу:

– Золотая у нас мама!

Буквальность расхожей фразы понятна даже Сонечке: волны цвета темного золота струятся с маминых плеч на грудь и вниз – грузно, густо, как пролитый мед.

Поздним вечером к Кириллу зашел сосед.

– В ресторан сходим, – пошутил муж, смешно подскочив к Даше на одной ноге. – Ты спи, не жди меня, не скоро приду.

Наверное, собрались посмотреть какой-нибудь новый боевик с Наилем.

Ох, наконец-то ночь! Роскошь Дашиного отдыха, провал в мягкое беззвездное небо без грез и мыслей. Тому, кто знает сытые дневные сны, не понять.

Но только прикорнула, как ухо овеяло теплом детского дыхания:

– Ма-ам...

– Что, динозаврик?

– Мне страшно...

– Чего ты боишься?

– Чупакабру.

– Что за чепуха!

– Не чепуха, а чупакабра, Андрюша сказал. Он всем в саду сказал, что чупакабры залезают в дом через щели и щекочут пятки, если высунешь из одеяла.

– Такой большой, а боишься каких-то несуществующих чупакабр. – Даша сонно подумала: чупакабра – это он или она и кто это вообще?

– Мам, я трус? – вздохнул Никитка.

– Не трус. Я в детстве тоже боялась всяких бабаек.

– Правда?! – мальчик потрясен.

– Правда. А теперь ничего не боюсь.

По коридору зашлепали еще чьи-то босые ножки.

– Мам, я тебя люблю, – шепнул Никитка, придвигаясь ближе.

Костя, потерявший и нашедший братишку, молча притулился с краю. Обнял его, робкими пальцами коснулся маминой щеки.

– Минута – и марш спать, неженки, – проворчала Даша.

Утром она и не вспомнила, когда мальчишки ушли к себе. Будто не было ночи, – вильнула хвостом, оставив яблочно сладкий огрызок дремы, и сгинула.

За окном медленно рассеивался серый сумрак, перечеркнутый голой березовой веткой в стеклянных серьгах сосулек.

– Поднимите мне ве-е-еки, – сипло со сна пропел за спиной Кирилл, а в мальчишеской комнате уже раздается звонкий голос Никитки.

Даша нашарила на столике телефон, накинула халат и побрела записывать новую песню сына.

Беззвучно шевеля губами, весь внимание и восторг, Костя, как всегда, стоял рядом с братом, и Даша, как всегда, расстроилась – откуда такое самоуничижение? И Никиткина песенка была почему-то грустной:

Я летал на крылатом коне
и видел весь мир.
Небо склонялось к нам ниже,
а мы к нему приближались,
мы видели сверху ветер,
деревья и рыбаков.
Мы летели все дальше,
за очень большие горы,
но вдруг повернули обратно,
и вот я уже на земле,
а конь улетел.
Навсегда.

...Завтрак, легкая уборка – и, незаметно одевшись, Даша выскользнула из дома. Если не найдет работу, по крайней мере купит фарш, пока деньги еще не сказали «гуд-бай».

По обочинам дорог скопилась темная снежная кашица. Ошметки грязи летели из-под колес машин, заставляя прохожих жаться к другой стороне тротуаров подальше от брызг. Несло оттаявшей помойкой и мартовскими котами. Витрины цветочных киосков расцветились яркими красками. Над деревьями парила младенческая дымка весны, но настроение Даши не было ни весенним, ни праздничным.

Она вспомнила, как Кирилл посмеивался над забавным словом «пендельтюр» из Строительного словаря, означающим дверь, которая открывается в обе стороны. Даша теперь почти не сомневалась, из какого действия оно произошло. Все тот же двуликий Янус ждал ее в организациях входов и выходов. Уклончивые отказы – потаенные пендели, вальяжные ухмылки: «Киндер-сюрприз?» – и вычеркнутые надежды в убывающем списке. Самое противное – искательные нотки Кисы Воробьянинова, неожиданно уловленные в собственном голосе. Все это неотвратимо приближало Дашу к тихой истерике. Приливы нервного смеха подстрекали сфиглярствовать с порога: «Мсье, жё не манж па сис жюр...» Поэтому в следующую приемную – директора картинной галереи – Даша зашла с непроницаемым лицом. Отдав долг приветствию, сообщила:

– Я беременна и многодетна, но мне необходима работа. Я по объявлению.

Дерзкое откровение претендентки на должность технички повергло мужчину в шок встречной искренности, и он по инерции не соврал:

– Беременные и многодетные нам не нужны.

– Вы знаете, что вы сволочь? – вежливо сказала Даша, нечеловеческим усилием сдерживая порыв плюнуть ему в лицо.

Начальник словно почувствовал – откинулся на спинку кресла, хотя сидел достаточно далеко... И захохотал.

Даша опустилась на не предложенный ей стул. Сил осталось ровно столько, чтобы подавить клокочущее у горла рыдание.

– Хорошо, – придушенно кашлянул мужчина, вытирая платком глаза. Его потряхивало от спазмов смеха. – Хорошо! Я, разумеется, порядочная сволочь, но, пожалуй, возьму вас на работу... правда, махать тряпкой вам будет тяжело... А гардеробщицей согласны? Разница в зарплате небольшая.

– Да, конечно, – пробормотала Даша.

– Ну вот и прекрасно, – директор ободряюще кивнул. – Идите оформляйтесь.

– Спасибо.

Он спохватился:

– С праздником вас!

Даша мысленно возблагодарила девушку из Центра занятости и предыдущий список пендельтюров. А также Януса и Кису, тайными тропами судьбы (случая?) приведших-таки ее не в какое-нибудь беспорядочное заведение, а в спокойную, возвышенную обитель искусства. Сюда она выйдет после праздника на работу с законным правом получить через полтора месяца декретные.

Взглянув на часы, Даша тронулась в школу – как раз заканчивались уроки.

— Мам, ты будешь работать в музее?! — вскричал Владик, еще мчась по школьной дорожке. — Ура-а-а!

Даша с улыбкой повернулась к дочери:

— Успела сказать?

— Ага, по телефону. Что, нельзя?

— Папе пока не говорите.

Падая на заднее сиденье, Владик выдохнул:

— Там живопись?

— И графика.

— Круто!

— Сядь смирно, — скомандовала Маринка, — пристегнись. Сейчас заедем на базар.

— Подождете в машине, хорошо? Я недолго, — Даша притормозила на удобной стоянке, где как по волшебству освободилось место. Везучий день.

Цена приглянувшегося на крестьянском рынке говяжьего фарша была не высокой, а просто возмутительно высокой.

Торговка в нечистом белом халате с вопросительным интересом приподняла бровь в сторону вероятной покупательницы. Мощную шею тетки охватывал выбившийся из-под халата край сине-зеленого, как павлиньи перья, шарфа.

— Свеженький, только что накрутили, — елейно прорекламировала она.

Скроив простецкую мину, Даша разглядывала полоску переливчатой ткани.

— Скажите, пожалуйста, где вы брали такой симпатичный шарф?

— Скажу, — польщенная продавщица доверительно понизила голос. — Знаете центр «Адмирал»? На третьем этаже справа от лестницы в «Адмирале» киоск небольшой, вот там продается. Поторопитесь, а то расхватают к празднику. Это палантин вообще-то.

– Палантин!.. – Даша издала легкий стон восхищения. – Прямо глаз отвести невозможно, и как раз бы мне живот на корпоративе прикрыл! Хотела фарш купить на пельмени, мужа побаловать... он у меня домашние любит... но, боюсь, тогда денег на палантин не хватит. Мясо-то везде продается, а такую красоту просто обидно проворонить!

– Да не больно-то он дорогой, – задумалась продавщица. – А сколько вам фарша надо?

– Два кило.

– Два кило?.. Хороший аппетит у вашего мужа.

– Ой, не говорите, – осуждающе закачала головой Даша. – Слопает полную миску пельменей – и, представляете, добавки просит. Ну, работа у него тяжелая...

Продавщица вздохнула:

– Мой такой же. Ладно, скину вам цену в честь нашего праздника, и бегите скорей в «Адмирал»...

Два килограмма отличного фарша Даша купила за деньги даже меньшие, чем в магазине. Шагала, удивляясь себе, вспышке нечаянного на волне удачи актерского вдохновения. Каялась в непредумышленном жульничестве и смеялась. Воистину недалек волшебник от мошенника... дай бог счастья доброй женщине!

Прикинула по курсу, сколько долларов и центов сейчас потратила. Может ли Тима в своей Америке взять на рынке хотя бы один кг экологически чистой говядины на эту сумму? С внезапной нежностью к Алине подумала, что сестра любит ее, младшую, со всеми детьми и проблемами. Любит такую, какая она есть. Впрочем, разве родные люди любят за что-то?

...Навстречу шла Маринка, и по ее сжатым плечам, по горестному лицу Даша сразу сообразила: случилась беда.

– Мама, ты только не волнуйся, – сказала дочь деревянным голосом: – Папа звонил... Мальчики пропали.

– Как это – пропали?!

– Отпросились на улицу поиграть, папа посматривал на них в окно. И вдруг они исчезли.

– Когда?

– Недавно, всего час назад... или два...

Чувствуя, как земля уходит из-под ног, Даша машинально набрала номер Кирилла:

– Почему ты не позвонил мне?

– Я позвонил в полицию.

– И что?

– Их найдут.

– А если...

– Их обязательно найдут, Даша! Езжай домой. Тихо езжай, не торопись...

Стало трудно дышать: какой-то звериный, животный ужас перехватил горло. Проклиная свою склонность к преувеличению опасности, когда это касалось детей, Даша прислонилась к грязной машине. Закрыла глаза. Замелькали страшные видения. Ослабшая до неспособности шевельнуться, она полулежала на капоте и, несмотря на грохот в висках, с абсолютной ясностью слышала все, что происходит извне и внутри. Слышала многоязыкий говор, людское коловращение и шарканье сотен ног, а в ней ворочался, сердито пинаясь, ребенок. Ему недоставало дыхания.

Даша всей грудью вдохнула резкий воздух. Нельзя поддаваться панике, она у себя не одна.

– Мама! – почудился тонкий голос далеко-далеко, и сердце затрепыхалось в тисках кричащей боли. Ну вот, не хватало галлюцинаций в ошпаренном страхом мозгу...

Но нет, это была не галлюцинация. Обостренный надеждой слух превратился в устремившиеся во все стороны бумеранги. Даша теперь почти не сомневалась, Никиткин голос продолжал взывать к ней: «Мама, мама!»

Протянув руки, как слепая, она пошла на зов сына.

Толпа у лестницы, колышась, меняясь, всходя и топчась на месте, слушала песню. Даша еле протиснулась в толпу спиной вперед, чтобы защитить живот, и повернулась.

«Имеющий глаза да вылупит», – говорит лысый телевизионный Дима в черных очках. Не веря собственным глазам и ушам, Даша уставилась на привычное зрелище, неуместное здесь, как изысканный палантин над испачканным говяжьей кровью халатом.

Никитка пел, по обыкновению взмахивая руками. Пушистые варежки на резинках, пришитых к обшлагам куртки, синими птахами летали вокруг. Костя с невозмутимым лицом стоял в шаге от Никитки с новогодней «шарманкой» на шее и крутил ручку от швейной машинки. Зрители бросали горсти денег в открытую щель. Монеты звякали глухо – ящичек был полон не только копеечной мелочью. Вместо картинки с Дедом Морозом на нем желтело солнце и цвели ромашки, нарисованные не очень умелой Костиной рукой. А поперек старательно было выведено большими красными буквами: «На падарк маме».

Тихо охнув, Даша спряталась за чью-то спину. Прижала ладонь к животу: угомонись, маленький, слышишь – брат твой поет...

– Я плыву по морю,

– пел Никитка.

Я плыву по морю,
чтобы попасть на свою родину,
где мой дом, где моя семья.
В доме живет моя мама.
Она меня ждет,
она стряпает пирожки.

Я плыву по морю,
а в нем ползают крабы,
и плавают злые акулы,
и живет там король
с хвостом как у рыбы.
А я все плыву по морю,
я плыву туда,
где моя семья, где мой дом.
Мама, мама! Я люблю тебя,
я привезу тебе подарок –
красивое платье,
я скоро к тебе вернусь!

– Мама, – прошептала в ухо вынырнувшая из толпы Маринка, – я позвонила папе, все хорошо.

Даша с трудом выдавила:

– Марина, прекрати, пожалуйста, этот концерт.

Глаза у дочери страдальческие, на щеках раскраснелись пятна нервного румянца:

– Да, люди на телефоны снимают, выложат в Интернет, вот будет позорище...

– Не напугай мальчиков, – опомнилась Даша. – Ни о каком позорище чтобы речи не было. И ни в коем случае не говори, что я их видела. Привезешь на автобусе.

– Давай лучше я, – высунулся из-под локтя Владик, – а то Маринка разревется и все испортит.

– С чего это я разревусь?

– Ты уже ревешь – вон щеки мокрые.

– Это от стыда, дурак!

– Сама такая... А давай вместе на автобусе? Только пусть мама сначала уедет домой, а я схожу в туалет.

– Иди в свой туалет и езжай домой с мамой. Я сама малышей отвезу.

Даша побрела к машине.

Она шла и плакала, и ей становилось легче. Со слезами из нее вытекали страх и боль. Потом Даша плакала, сидя в «Суксиде». Безымянный мальчик все еще дрыгался в животе.

Даша припудрила нос и подкрасила губы: ну все, все, успокоились. Твои братья нашлись, а скоро в мире появишься ты и увидишь свою семью... свой дом, где живет твоя мама и стряпает пирожки.

– Поехали, мам! – возбужденным шепотом закричал прибежавший Владик. – Они тоже поехали! Я проводил их на остановку, они меня даже не заметили! Маринка мне за остановкой сказала – это Костя все придумал и сам написал!

– Да уж понятно, что сам...

– Они просто не знали, что папа заработал деньги в ресторане.

– В каком ресторане? – опешила Даша. – Когда?!

Мальчик замер с непристегнутым ремнем безопасности в руке.

– Владик, – ласково сказала она, – я тебе обещаю: папа ничего не узнает до тех пор, пока все всем не станет известно.

– Я думал, что ты... что тебе... – забормотал сын. – Я думал, ты знаешь...

– Очень хочу узнать.

– Ну... в общем, папа вчера пел в ресторане, где играет дядя Наиль. Папа же хорошо поет, почти как Никитка... Там какая-то большая организация Восьмое марта справляла. Они договорились, и дядя Наиль повез папу. Ему на сцене специально стул поставили, чтоб он без костылей пел. Папа много денег заработал, даже больше, чем дядя Наиль...

– Владик, поправь, пожалуйста, пакет, из него сейчас фарш выпадет, – попросила Даша, заводя машину.

– Мы сегодня будем делать пельмени?!

– Завтра. А послезавтра как следует уберемся дома, ведь через два дня уже праздник.

– Я Маринке и Сонечке кое-что интересное на 8 Марта придумал, – не вытерпел Владик. – И тебе... Но пока не скажу, ладно?

– Ладно, – засмеялась Даша, и Черкашины поехали домой.

Повторите, пожалуйста, марш Мендельсона

Осенью Женька, двенадцатилетняя внучка Веры Георгиевны, нашла на улице коричневого щенка неопределенной породы, низенького и ушастого. Семья сына наслаждалась общением с песиком, пока не обнаружилось, что у невестки Марии аллергический ринит от собачьей шерсти. Переселение Тугрика к Вере Георгиевне в другой конец города устроило всех: определили малыша в добрые руки, бабушка теперь не одна, и у внучки появилась причина чаще к ней наведываться.

Честно сказать, поначалу Вера Георгиевна не больно-то радовалась – никогда не держала в доме животных. Но вынужденные ежедневные прогулки хорошо повлияли на суставы ее больных ног, а необходимость захаживать в магазин за ливерной колбасой для питомца приучила хозяйку и себе брать свежие продукты. Скоро ей стало трудно представить, как она могла есть размоченные сухари, ленясь сходить за хлебом, и как вообще жила раньше без собаки.

Перед майскими праздниками Женька пришла с пакетом домашних круассанов с ежевичным вареньем – невестка была стряпуха не чета Вере Георгиевне. Свекровь знала: кулинарными изысками Мария пытается привязать к дому Олега, такого же ловеласа, как его отец. Впрочем, небезуспешно.

За чаем разговорчивая внучка выболтала свои маленькие секреты – бабушка была у нее вроде подружки, которой можно вывалить все, что гнетет и волнует, а она никому и никогда. Пересыпая речь словечками молодежного сленга, рассказала о мальчике, который ее «доставал»:

– Прямо жесть, бабуль, еле-как от него после школы удираю.

– «Кое-как», – поправила Вера Георгиевна. Ее, бывшую учительницу, коробило словотворчество малограмотной эпохи. – Он что, по улице гонится за тобой?

– Не-ет, – замотала головой внучка, – издалека провожает.

– Так это же хорошо.

– А в школе дергает за волосы! Надоел. Следит за мной, совсем как мама за папой... Бабуль, можешь не верить – мама до сих пор в папу влюблена.

– Почему не верю? Верю.

– Ей почти тридцать восемь! Папа, конечно, хороший, его все уважают, но ведь он... – Женька замялась.

– ...дамский угодник, – подсказала Вера Георгиевна.

Внучка захлопала ресницами:

– Откуда знаешь?

– Твой папа все-таки мой сын.

– В Новый год у нас были гости, и папа поцеловал в прихожей тетю Дину. Я нечаянно увидела и чуть с ума не сошла, – призналась Женька. – Еле-как... то есть кое-как успокоилась.

– Паршивец...

– Бабуль, а после сорока лет любовь точно заканчивается?

Полстолетия назад Вера Георгиевна тоже предполагала, что после сорока лет интенсивной любви и жизни человек начинает невыносимо долго и эгоистично умирать. Только Вере Георгиевне, в отличие от Женьки, было тогда девятнадцать. Такое соображение заронили в юной Вере мамины беседы с подругами. Она поклялась себе, что даже если ей удастся дожить до пенсии, ничто не заставит ее заводить разговоры о проблемах с сердцем, нервами и бесстыдном геморрое. (Заводит! По часу муссируют по телефону с Ириной Алексеевной те же нескромные темы между обсуждением непрофессионализма нынешних учителей.)

Вера Георгиевна принялась потихоньку убирать со стола:

– У мамы про любовь спроси.

– Ой, ее спросишь! Бабуль, а дедушка тоже был дамским угодником?

– Дедушка был большим ученым, – веско сказала Вера Георгиевна и, подумав, добавила: – Талантливым людям можно простить слабости характера.

– Измена – слабость характера? – фыркнула Женька. – Да ладно, бабуль!

Измена?.. Вера Георгиевна растерялась. Неужели так серьезно? То-то Олежка глаз не кажет.

– Женя, один поцелуй еще не называется изменой. Папа, наверное, чуть переборщил с вином.

– Он больше не любит маму.

Глаза у девочки цвета маренго, внимательные и блестящие. Вот в ком выстрелил броский колер деда. Вере Георгиевне стало не по себе: показалось, что на мгновение сквозь Женьку проглянул Максим.

Внучка поиграла с Тугриком и ушла, оставив тревожный осадок в душе. Пробежала по двору, завернула за угол к остановке и махнула рукой. Сидя у окна, бабушка тоже помахала ладонью – это был их с Женькой ритуал.

Вера Георгиевна не причисляла себя к бабкам-обожательницам, чьи внуки самые-самые, свет не видывал более гениальных внуков, но думала о Женьке с гордостью. Слава богу, девчонка любит действовать самостоятельно, не собьешь с панталыку вариантами подсказок, как в ЕГЭ, и репетиторов ей не нанимают. Сама записалась в театральную студию, сама и ездит туда со второго класса. Мозги крепкие, другая бы из-за разлада в семье нос повесила, а Женька сделала выводы и не раскисает. Вот Мария, должно быть, замучилась оправдывать перед собой Олега во всех его неблаговидных поступках...

Невестка досталась Вере Георгиевне сродни ей. Словно в мужском роду Дудинцевых на протяжении нескольких поколений развился нюх на терпеливых неудачниц, и брали Дудинцевы в жены исключительно таких.

Сегодняшний выразительный Женькин взгляд напомнил того Максима, с которым Вера познакомилась на вечеринке коллеги Ирины.

Девушки работали в одной школе, Вера Георгиевна преподавала русский язык и литературу, Ирина Алексеевна – физику и математику. В то время все их подруги, как заведенные, выскакивали замуж и рожали, или в обратном порядке и не по разу, а они все ходили свободными и отшучивались: «Принцев ждем».

Вере исполнилось двадцать шесть, Ирина собиралась справить тридцатый день рождения. Но матримониальных возможностей у первой было больше не только из-за разницы в возрасте. Прозрачные серые глаза, смуглый румянец и платиновые волосы Веры опасно притягивали взоры пап ее учеников. Бледная Ирина рядом с ней, со своим куцым гороховым хвостиком на затылке, становилась малозаметной, как полуденная тень.

Мало кто из приглашенных на вечеринку знал, что старая дева празднует свой юбилей. Непосвященных гостей приятно удивил богато накрытый стол в зале трехкомнатной квартиры. Пожилые родители Ирины дружно наготовили уйму еды и до осени убрались на дачу. Так они делали третий год в надежде через энный срок отправить единственную дочь в роддом хотя бы без шансов на замужество.

Молодого ученого Максима Дудинцева Ирина случайно подцепила то ли на какой-то конференции, то ли в библиотеке. Он явился не один, с сослуживцем. Сослуживец был по-своему симпатичным, но выглядел на эффектном фоне старшего товарища адъютантом его превосходительства. Подтолкнутый Максимом вперед, он покраснел и скромно представился:

– Андрей.

Скромность проистекала из того, что Андрей Порядин был младшим научным сотрудником в НИИ, где Дудинцев руководил отделом.

– Физик, лирик и бабник, – в такой последовательности весело отрекомендовал себя Максим и только после назвал имя. (Поэтом, между прочим, оказался слабеньким даже для физика, вот бабником...)

Ирина посмотрела на него, на Веру и визуально отдалилась в такую тень, откуда извлечь ее, очевидно, сумело бы дневное солнце, а рассеянный люстрой электрический свет не мог при всем желании. Вера и Дудинцев сияли вне всякого соперничества, прекрасно сознавая свою среди других избранность. Поэтому то, что м.н.с. Порядин сразу на Веру запал (дурацкое, кстати, словечко из ее молодости), почудилось ей досадным вокруг нее комариным жужжанием. Максим же возвышался над танцующей толпой почти на голову, и эта голова была великолепна. Снизу вверх толпа любовалась художественной бородкой, переходящей в изящные скобочки усов под крыльями орлиного носа, яркие глаза метали на девушек огненные стрелы, как в одном из сентиментальных романов. Правда, телосложение будущего светила науки несколько разочаровало Веру: мужественный силуэт неожиданно завершился кривоватыми ногами. Нервные, гибкие пальцы тоже не очень складно сочетались с мощью мускулистых рук. Такие пальцы называют музыкальными; такими, подумалось с уколом невнятного страха, душить легко... Словом, широкоплечий Максим напоминал бы невероятно рослого, чертовски обаятельного неандертальца, если б не лицо отборной мужской модели Homo sapiens... А может, Mephistopheles, о чем Вера подумала позже. Гораздо позже.

В танце фигура Максима преображалась, вкрадчивые скользящие движения делали ее почти грациозной. От него исходили горячие волны, ароматизированные дорогим лосьоном. В танго с Дудинцевым Вера с изумлением почувствовала, что невольно откликается на его эротические позывы. Опытные руки обнимали и ощупывали ее легко, осторожно, как тонкостенный, еще не обожженный в печи кувшин.

За столом Максим поднял рюмку со словами:

– Все то же солнце ходит надо мной, но и оно не блещет новизной!

Ирина радостно захлопала в ладоши, будто в жизни не слышала этого шекспировского сонета.

– «Изобрести» что-то свежее в поэзии после классиков невозможно, как и в изобразительном искусстве и в музыке, – прервал Максим ее рукоплескания. – Нашу жизнь ведет к новым знаниям только наука, чему мы получаем ежедневное подтверждение на грамм, на секунду, на метр – все с приставкой «микро», но невидимый масштаб работы неуклонно поднимает человечество «через тернии к звездам». Выпьем же за науку, взрывающую темноту нашего невежества!

Вера нашла тост пафосным. Позже Ирина сообщила, что Дудинцев – один из соавторов изобретения секретного прибора, изучающего вариации солнечного излучения. Прибор был принят к участию в международном проекте, его собирались запустить в космос на искусственном спутнике с запрещением публикации об этом в открытой печати.

Любую тему затронь – Максим оказывался сведущим в ней больше остальных. Изъяснялся со снисходительным юморком, но без самодовольства, просто как старший. Старше даже Ирины на целых пять лет. Она восторженно внимала каждому его слову и, улучив паузу, шепнула Вере на ухо:

– Так многослойно и вкусно, правда?

Вера не сразу сообразила, что Ирина говорит о Дудинцеве, а не о селедке под шубой.

После чая, вернее вина с пирожными, удалось незаметно прошмыгнуть из прихожей в коридорчик с нужным отсеком. Но рано Вера радовалась: мужчины вслед за ней вышли в прихожую покурить, отворив дверь на лестничную площадку. В шаге от обмершей Веры кто-то возбужденным шепотом болтал о физиологических особенностях неких резиновых кукол.

– Рот у них для того и открыт, – со знанием дела произнес Дудинцев. Его голос Вера уже узнала бы из десятков других. – Чего вы ржете? С женщиной это вполне естественный акт.

Она слышала про такое еще в общаге института и с гадливостью подумала о чудовищной развратности Максима. А еще ученый! Чуть не стошнило.

– Извините, есть тут кто? – раздался стук в дверь.

– Не работает туалет, что ли?

– Свет вроде горит...

Нечаянная затворница задержала дыхание.

– Наглухо забили, – констатировал приятный басок Андрея Порядина.

Щелкнул выключатель, и Вера осталась в темноте. Донесся приглушенный смех. В ванной за стенкой клацнул шпингалет, сильно зашумела пущенная из крана вода. Поленились на улицу сбегать...

Проигрыватель в зале разразился бравурными аккордами, и курильщики потянулись к музыке. Вера наконец вышла из заточения. Народ танцевал и перешучивался: вальс был свадебным. На последней ноте Дудинцев крикнул:

– Повторите, пожалуйста, марш Мендельсона! – и вдруг, подхватив Веру на руки, как ребенка, закружил с нею по танцевальному пятачку.

Хрустальное солнце сверкало над ее головой. Искры вспыхивали в висюльках люстры и глазах Максима. Энергичные частицы в Верином теле неизвестным образом воспламенились и начали генерировать. Когда мягкая ударная волна приземлила ее на стул, Вера поняла: с Дудинцевым она готова на все. Даже на то, что отдельно способный мужчина делает с резиновой куклой.

Спустя два месяца они расписались.

Его коллеги, ребята сплошь бородатые и озорные, прибыли на торжество в обтягивающих трико телесного цвета, прикрытых кокетливыми фартучками в виде фиговых листков. Шеренга «адамов» шокировала работников загса и патриархальную часть гостей. Об интересной свадьбе проведали в «Вечерке», и физики еле отделались от журналистов.

В театральном смокинге с атласными отворотами Максим выглядел как эсквайр, перенесенный в зал бракосочетания прямиком из лондонского клуба. Удачно сшитые брюки скрывали несовершенство брутальных ног. Андрей Порядин был во фраке, также взятом где-то напрокат, свидетельница Ирина – в белом кримпленовом платье. Друзья посмеивались, что этим двоим не сходя с места следовало бы зарегистрировать будущие отношения ради экономии времени и денег. Но Андрей не понимал шуток или не слышал. Он не сводил глаз с новобрачной, чем немало ее раздражал.

Мать после со значением сказала о нем Вере:

– Хороший мальчик, видно по лицу. – А по лицу матери было видно, как сильно ей хочется добавить «Не то что...» и фамилию зятя, с первого дня знакомства ставшую олицетворением надменности и самолюбования.

– Что ты, мама, – удивилась Вера, – Порядин пока даже кандидатскую не защитил!

Результаты измерительных приборов в лаборатории Максима казались ей тогда чуть ли не потаенным контактом с внеземными цивилизациями, а движения в пространстве между космическими телами будоражили не меньше тех, что возникали между нею и Максимом.

– Всякое может случиться, – уклончиво вздохнула мать.

– Только не со мной, – гордо бросила Вера.

Она была уверена в избраннике как в лучшем мужчине, доставшемся ей по праву внешнего соответствия и единства увлечений, которое непременно их ждет. Вера уже любила силу его рук и длинные пальцы, в одну неистовую ночь талантливо овладевшие клавиатурой ее тела, а красивую умную голову полюбила еще в начале Ирининой вечеринки.

Мать ободряюще улыбнулась и больше ничего не сказала.

Первые два года с Максимом действительно убедили Веру в истине затрепанной поговорки «с милым рай и в шалаше». Несколько месяцев Дудинцевы жили в квартире Раисы Павловны, матери Максима. Но свекровь оказалась таким существенным препятствием к ощущению полного счастья, что роль райского шалаша вначале взяла на себя съемная однушка, затем комната в общежитии.

С Верой Раиса Павловна была величественна и холодна, как сфинкс. Не одобряла выбор сына, почему-то считая невестку «безнадежной».

Вера не могла понять, в чем, по мнению свекрови, выражается ее безнадежность, а спросить не осмеливалась. Готовит плохо? Но Максим, вовсе не склонный к гурманству, поглощал расползшиеся Верины котлеты с тем же аппетитом, что и «правильные» бифштексы матери. Не умеет содержать дом в порядке? Но ведь и сама Раиса Павловна, с утра до ночи занятая переводами с английского какой-то технической документации, не убиралась и не стирала. Все это раз в неделю делала нанятая женщина. Выпивать Вера мужу позволяет? Но в пору совместного житья Раиса Павловна ничего не имела против сборищ Максима с приятелями в кухне. Разве что курить просила в открытую форточку.

Вера ни в чем не отказывала мужу и прощала ему легкие влюбленности. С дружно сколоченной компанией Дудинцевы отмечали праздники и защиты. Ходили на театральные премьеры и нашумевшие фильмы, читали одни и те же книги, каждый любил свою работу. Что еще надо? Ребенка? Вера родила Олежку.

Раиса Павловна вроде бы смягчилась, соизволила явиться в общежитие и подарила чудесную складную коляску, привезенную кем-то по ее заказу из Англии. Через год помогла с последним паевым взносом на кооперативную квартиру...

А новоселья не получилось. У Веры умерла мама.

Теща с зятем представляли собой классический образец родственной неприязни. Вера ездила к матери в поселок всего дважды – во время командировок мужа. И вот дочерний долг превратился в хроническую вину: не сумела проводить маму в последний путь. Попытки уговорить Раису Павловну присмотреть за ребенком были столь же бессмысленны, как и просить мужа о переводе денег семье старой тетки, чтобы покойницу погребли достойно. Похороны тещи совпали с днями, когда Максим едва ли не ночевал в лаборатории, обеспокоенный регистрацией небывалого выброса на Солнце.

– Горячая плазма в полярных шапках! – кричал он. – Магнитное поле скинуло избыток энергии, понимаешь? Нет, ты понимаешь хоть что-нибудь?!

Исследуя глобальные явления, способные навредить человечеству, Максим, разумеется, не мог отвлекаться на мелочи чьей-то частной жизни... то есть смерти.

Надо сказать, что с рождением сына муж самоустранился от домашних забот, предоставив Вере разбираться с ними единолично. Внешние раздражители воздействовали на его настроение, как протонные вспышки на ранимую структуру магнитосферы. Он стал часто гневаться по пустякам и, утомленный пробами и ошибками монотонной работы, уже не стеснялся обнаруживать свой буйный нрав. Мог из-за плача ребенка выйти из себя, из кабинета, из дома, хлопнув дверью. Олежка рос хилым, растерянная Вера металась от малыша к мужу, стараясь угадать прихоти одного, желания второго, лишь бы не капризничали, не кричали...

К сороковинам в выходные мальчика согласилась забрать к себе Ирина. Вера вырвалась в поселок, справила хорошие поминки и оплатила скромное надгробие с оградкой. Тетка получила деньги за похороны, что успокоило ее негодование по затратному поводу, но с племянницей не примирило. Раздав мамины вещи старушкам, Вера взяла с собой два запыленных фотоальбома и в воскресенье вечером вернулась домой.

Максим отворил дверь, кивнул без слов, будто она бегала в ближний магазин за хлебом, и удалился в кабинет. Вера посидела в прихожей, не раздеваясь, с гудящими от усталости ногами. Положила сумку с альбомами на столик трюмо и отправилась за сыном.

Олежка уже спал. Ирина усадила Веру за столик в зале перед телевизором:

– Чаю попьем, все равно на такси ехать.

Принялась рассказывать, как хорошо себя мальчик вел, как солнце нарисовал и сказал: «Папино». А в Вере происходила безудержная деформация ее вселенной. Горячая плазма, лава и пепел заполняли ее мысли, полярные умильному щебету Ирины.

В шкафу под стеклом на краю полки блестел распечатанный флакон черного стекла. Духи «Только ты». Вера помнила их аромат в коробочке, обитой изнутри белым шелком, – смесь цветочной пудры с запахом продымленного леденца. Эти духи муж подарил Вере на 8 Марта. Ошибки быть не могло – те самые: длинная капля колпачка и флакон с намеком на стройную женскую фигурку. Позади стояла коробочка «под парчу» цвета беж. С выпуклыми цветами. Каждый цветок на передней части тонюсенько очерчен красным. Разговаривая после праздника по телефону с мамой, Вера бездумно обводила цветы ручкой с красной пастой. Аккуратная, учительская у Веры рука. Ирина, очевидно, не заметила «нововведения» на рисунке.

«Только ты». Черная капля-слеза. Последний разговор с мамой.

Вера примерно знала, какие женщины нравятся Максиму, и всегда считала Ирину безопасной. Не было в ней ничего привлекательного: чахлые светлые волосы уложены в короткую прическу, беспощадные грабельки возраста успели провести полоски морщин под незначительными карими глазами, несмотря на усиленные маски и кремы. Типичная училка, измученная педсоветами, второгодниками и стародевичьей половой неудовлетворенностью.

Но...

Но, взглянув под другим углом, Вера поняла, что нашел в ней Максим. В миниатюрной и живой, как ртуть, Ирине билась энергия – ошеломляюще женственная энергия неуловимо притягательных движений. За Ириной, оказывается, интересно было наблюдать. Сколько лет знакомы, пусть не задушевные подруги, но достаточно близкие приятельницы, а не сумела Вера распознать под внешней невзрачностью искусницу амурных интриг. Слепая...

От предположения, что именно Максим лишил эту перестарку невинности, Веру затрясло. Давно приключилось сие глобальное действие или вчера, когда Олежка спал в соседней комнате?

Впрочем, разницы нет. В любом случае муж «передарил» духи на днях...

Ирина разлила чай в неглубокие чашки, принесла из кухни курагу в конфетнице и ополовиненную бутылку коньяка:

– Будешь? Нет? А я себе капну.

Продолжая чирикать о чем-то, не прекращала двигаться. Домашние бриджи сидели на крутых в меру ягодицах так плотно, что вырисовывались все соблазнительные ямочки в дополнение к вырезу плавок.

– Подожди, – прервала Вера медоточивое словоизвержение и поднялась.

– Тебе нехорошо? – засуетилась Ирина.

– Мне нормально. Извини, надо кое-что выяснить.

Не отвечая на всполошенные вопросы, Вера стремительно оделась, сунула ноги в сапоги и полетела по лестнице вниз. Обернулась на последней ступени: дверь квартиры была распахнута, в проеме стояла Ирина. Молча.

Вера выскочила на необитаемое шоссе в порыве пасть под первые же колеса.

Плетью обуха не перешибить... боль болью... как там было? Развернувшись, саданула ребром ладони о каменную стену остановки. Жуликоватый молодой человек, ошивавшийся поблизости, шарахнулся в тень, и тотчас перед Верой остановилось такси. «Адрес скажите, девушка» – «Да, адрес...» – «Вечером тариф другой» – «Сколько?» – все машинально.

Открытие Ирининого потаенного жара и пыла совершило жестокую, но, кажется, своевременную коррекцию памяти и зрения. Даже слуха. Вера вспомнила, как Максим якобы по-дружески тискал Ирину при встречах. Как стремился подсесть к ней на вечеринках, «нечаянно» касаясь коленей, норовил покурить наедине в кухне, и сложно было пропустить мимо ушей свойское, почти интимное обращение к посторонней вообще-то женщине: «Иринка... Иришка». А вот жена пропустила.

Легко называть мелких и хрупких уменьшительными именами, не то что высокую, под стать мужу, Веру. Верочкой звала ее мама...

Дома все повторилось: Максим открыл дверь, кивнул с невозмутимым лицом и ушел в кабинет. Не спросил, где ребенок.

Вера, не снимая сапог, лихорадочно забегала по дому.

– Могла бы потише стучать каблуками! – сердито крикнул муж и не выдержал, вышел: – Ты что, с цепи сорвалась?

«Ага, сорвалась... и точно – с цепи».

Она этого не сказала. Вывалила из шкафа одежду, пошвыряла в чемодан джинсы, свитер, белье. Забрала деньги, какие нашлись.

– Да что с тобой?

– Ничего.

– Ясно, – осклабился Максим, помедлив. – Женщине срочно потребовалась ночь одиночества.

– Угадал, – огрызнулась Вера, – мне – ночь одиночества, ей – «Только ты».

– Во-он оно что! – протянул он и рассмеялся беззаботно, будто с издевкой (или не будто). – Видишь ли, с пустыми руками идти к Иришке было как-то неприлично, а магазины уже не работали. Собирался взять тебе те же духи вчера – и забыл. Прости.

«Во-он оно что, – злобно подумала Вера. – Значит, дефлорация состоялась в ту же ночь, как я уехала на поминки... Либо все-таки случилась давно, а та ночь по-семейному (сын же за стенкой) прошла в антураже с коньяком. И, для приличия, с духами, предварительно подаренными мне любящим мужем».

Хотелось крикнуть: а твой отказ попрощаться с тещей по-человечески – это прилично? Вся наша жизнь коту под хвост – прилично?!

Будь жива мама, Вера уехала бы к ней, но мама находилась уже где-то вне планеты Земля. Вера переночевала в гостинице, повезло хоть в том, что освободилось место. Не спала, естественно. Давила плач в подушку. В горячую голову лезли дикие мысли, вплоть до ножа в грудь изменнику. Представлялось, как расправляется с Максимом, наводит на лицо боевую раскраску его кровью и убивает «Иришку». Следом – себя. Газеты пестрят шокирующими заголовками, Раиса Павловна в трансе, Олега определяют в детдом...

Не выходило из головы празднование старого Нового года у Ирины несколько лет назад. Вот когда следовало уйти от Максима.

Кроме «своих» Ирина водилась с сомнительными поэтами и непризнанными художниками. Один из этих друзей притащил с собой двух искательниц приключений – юную и постарше, с деревенским именем Дуня. Максим нагрузился как цуцик и пристал к юной. Вера оцепенела в углу дивана, чувствуя себя третьей лишней. Даже четвертой. Не вызвав встречной симпатии у юниорки, муж начал клеиться к Дуне. Та брезгливо отбросила ухватистые пальцы со своего локтя: «Оставьте нас, пожалуйста, мы лесбиянки».

Слово было редкое, стыдное и на публике не произносимое. Тем более в личном ключе. Опешивший Максим покачнулся, взмахнув руками, и под руку удачно подвернулась грудь Ирины. До Веры донеслись пошлейшие его слова: «Как яблочки грудки», на что Ирина с необычной для нее неприязнью ответила: «Дуня тоже так сказала». Он громко захохотал, запрокинув красивую голову...

Девицы были, конечно, никакие не лесбиянки. Просто им было по барабану – к. ф.-м. н. Максим или сантехник. Они видели в нем пьяного навязчивого кобеля, кем он и был в тот момент.

Вера тогда перестала с ним разговаривать. Муж ушел в общагу к Андрею Порядину, а среди ночи заявился под окно. Долго пел романсы в клубах сигаретного дыма, и жильцы накатали жалобу в милицию. Один сосед особенно негодовал по поводу скверного исполнения романсов. Сотрудники правопорядка не углядели состава преступления в пении под окнами, однако участковый предупредил Максима, чтобы серенады он впредь исполнял по возможности музыкально, не во весь голос и до одиннадцати вечера.

Это был период проживания Дудинцевых в съемной однушке, после чего они переехали в общежитие.

Память подсказывала Вере все новые и новые подробности прошлого. Кровоподтек на плече мужа, похожий на засос, – поверила, дура, что в лаборатории на драгоценное плечо упал с полки какой-то предмет. Приходы пахнущего чужими духами Максима подшофе с неизвестных тусовок. На упреки он со временем стал огрызаться – я весь в работе, а ты лезешь с идиотскими домыслами. Объяснил, что изредка ему необходимо проветривать мозги, иначе взорвутся. При чем тут мозги, Вера не поняла, ведь «проветривать» Максим желал явно совсем другую часть тела. Но смолчала.

...Вера уснула, так и не зная, что делать со своей перевернутой жизнью. Утром, пометавшись без толку по городу, позвонила мужу на работу и спросила об Олежке.

– Ребенок у мамы, – сказал он и положил трубку.

Меньше всего Вере в этот день хотелось видеть свекровь. Невольно сжалась, еще только входя в подъезд, и была удивлена благосклонностью Раисы Павловны: свекровь пригласила в кухню, где Олег, с подвязанной на шее салфеткой, ел манную кашу.

Вера отметила и сваренную специально для него кашу, и расчесанные на пробор волосы, и поставленную на табурет шкатулку для рукоделия, чтобы мальчик удобно сидел за столом. Раиса Павловна не любила лишней ответственности, но если соглашалась на что-то, человека добросовестнее трудно было найти.

– Вы, наверное, не завтракали. Может, вместе? – предложила она. Невестку Раиса Павловна всегда называла на «вы».

Вера не посмела отказаться и, хотя кусок не шел в горло, заставила себя запить чаем половинку песочного кольца.

Свекровь сама помыла испачканные кашей щеки Олежки. Дала ему в комнате пакет с оловянными солдатиками, захваченный из сыновнего дома:

– Поиграй, малыш.

Женщины вернулись в кухню.

Странно было видеть волнение Раисы Павловны. Она нервно мяла и складывала Олежкину салфетку длинными, как у Максима, пальцами, унизанными кольцами с крупными камнями. Очевидно, готовилась к серьезному разговору.

Выслушав дежурное соболезнование: «Ах, как жаль, так жаль, ведь ваша мама моложе меня», Вера наконец узнала, почему свекровь считает ее безнадежной.

– Вы безвольны, – сказала Раиса Павловна. – Вы готовы сдаться и пустить все на самотек...

Она рассказала об отце Максима, известном в своем кругу техническом эксперте, альпинисте и ловеласе. Супруг Раисы Павловны погиб в горах Алатау за год до окончания Максимом школы.

– Честно скажу: я хотела видеть рядом с сыном женщину сильную, умную, способную противостоять его недостаткам без скандалов и побегов. До вас я с большим трудом предотвратила четыре негодных союза. В истории с вами Максим повел себя строптиво и сумел выйти из-под контроля... Теперь он признался, что любит другую. Я знаю – это ненадолго. Если сын пойдет на поводу своих вожделений, он не ограничится одним разрушенным браком. Надеюсь, вы понимаете, Вера, насколько важны для мира исследования вашего мужа? В своей области он гений. Неполадки в личной жизни не должны сказаться на работе Максима. Они искалечат его талант, распылят, погубят, поэтому ваша задача – не мешать гению делать гениево...

«Она хочет, чтобы я ушла от ее сына?»

– ...и в то же время научиться с хирургической осторожностью устранять его мужские слабости.

«Боже мой, что или кого я обязана устранять с хирургической...»

– Увлечение Максима этой опасной женщиной надо остановить, Вера. В этот раз я вам помогу.

«Раиса Павловна надумала убить Ирину?!»

Речь свекрови была спокойна, лицо хладнокровно, но глаза жили отдельной яростной жизнью и пугали Веру, вызывая в голове кровавые видения ее вчерашних фантазий.

– Дальше вам придется действовать самой. В свое время и мне довелось помучиться из-за адюльтеров мужа, но я нашла способы их предупреждения. Мужчины полигамны, к этому нужно привыкнуть не опуская рук. Будьте выше обид. Попробуйте изменить свой облик, включите творчество, женскую интуицию. Не избегайте лицедейства, вертитесь, хитрите. Каждая ситуация индивидуальна...

Вера вздохнула с облегчением: чего не почудится от недосыпа и расстройства.

– Сделайте все возможное, чтобы сохранить семью. Ради вашего ребенка. Ради науки, в конце концов...

Не представляла Вера, как Раиса Павловна собирается ей помочь. Оказалось, просто: свекровь поговорила с Ириной по телефону, о чем после сама же невестке и сказала. Но не сказала о беседах, проведенных с сыном. Вера догадалась по его поведению. Муж перестал грубить и, хотя оставался немногословным, заметно подобрел. Выкроил из вечно занятого вечернего времени полчаса для общения с Олежкой, за что Вера была особенно свекрови благодарна. Нисколько та не потеряла на сына влияния. Максим любил мать и, гениальный, слабодушный, с поседевшими к сорока годам висками, продолжал ее слушаться.

Летом Дудинцевы отдохнули на море. Максим учил Олежку плавать, увлеченно строил с ним дворцы из песка. Кажется, начал к нему привязываться. Вера дала себе слово посвятить жизнь великой женской цели под кодовой аббревиатурой ОСС – Очень Счастливая Семья и готовилась во всеоружии встретить охотниц за чужими мужьями.

Мужчины пялились на Веру, похудевшую, с белозубой улыбкой на загорелом лице. Максим читал шутливые стихи о фривольных сероглазых одалисках. Скрывал за иронией ревность...

Андрей Порядин, обмолвился он, выбрал другой курорт.

– Один поехал?

– С Иринкой.

К осени Андрей объявил о женитьбе и попросил Дудинцевых выступить свидетелями на регистрации.

– Нельзя нам, – возразила Вера.

– Почему?

– Говорят, муж с женой рискуют подарить молодым свое счастье...

– А я и не знал, что ты веришь в глупые приметы, – недобро усмехнулся Максим.

...Когда сотрудница загса обратилась к молодоженам с сакраментальным вопросом «Согласны ли вы...», Андрей, к всеобщему смущению, уставился на Веру. Покашливая от неловкости, пособница Гименея дважды попросила рассеянного жениха дать ответ.

– Да, – встрепенулся он и опустил взгляд от высокой свидетельницы к невесте. Все вздохнули свободнее, Ирина откликнулась эхом: «Да». Новая ячейка советского общества прошагала к выходу под триумфальный марш...

На свадьбе Вера несколько раз сопровождала Ирину в туалет: от громкой музыки у невесты разболелась голова и подругу замутило. Напряжение между ними не исчезло, они едва обменивались односложными репликами. Вышли на улицу немного подышать свежим воздухом, а крыльцо в табачном дыму. Повернув обратно, Вера поймала конец чьей-то фразы:

– ...не промах, женился на квартире с довеском, – и на говорившего зашикали.

Ирине снова стало дурно, снова побежали в туалет. Только тут невнимательная Вера увидела, что невестино платье подозрительно широко в талии. Не успела ни о чем подумать, кинулась утешать – Ирина расплакалась...

Они помирились, хотя вроде бы и не ссорились.

В ту ночь Максим не давал уснуть Вере до утра, словно это была их свадьба. Вера предполагала, что к возвращению страсти его вдохновили воспоминания грешной совести. Артистично подыгрывая (по совету Раисы Павловны не бежать лицедейства), холодным умом подсчитала примерные сроки Ирининого «довеска». Сроки сходились со временем смерти мамы и женского праздника. (С тех пор Вера возненавидела Восьмое марта, и Максим больше не дарил ей духов.)

Знает ли он?.. Вера внезапно испытала странную жалость к мужу. Ко всем мужчинам в его лице, так остро зависимым от непреходящей жажды, от вечного гона, который люди прикрыли человеческим чувством как фиговым листком. Приписали любовь к похоти из ханжеского стыда, нежелания равняться в этом с животными... Минут через пять Вера уже не размышляла о людском лицемерии. Максим, казалось, только что нашел ее, когда-то потерянную, и любил, и боялся вновь потерять. Любовь подтверждалась шепотом, слиянием, движением, и свет фонаря в щели не до конца задернутых штор вспыхивал сильнее...

В начале декабря Дудинцевы поздравили Порядиных с рождением сына, а перед Рождеством Раису Павловну разбил инсульт.

Она была чистюлей. Вера считала ее чересчур требовательной к приходящим уборщицам, теперь же у свекрови не стало переводных заказов, не стало и денег за чистоту платить. Максим нанял сиделку, но мыть полы в квартире Раисы Павловны, готовить, стирать Вере пришлось самой. Не потому, что муж не смог бы оплачивать труд домработницы – он мог, однако видеть в этом качестве больная пожелала невестку.

– Ве-ра, ты пусть уби-рай дом, ва-ри ты, – велела она.

Обращение на «вы» было забыто. К Раисе Павловне сложно возвращалось построение фраз, слова она произносила отрывисто, раздельными слогами. Инсульт нанес ощутимый удар по интеллекту, но властность и высокомерие не пострадали нисколько.

Дудинцевы сдали сына в детский сад. Канитель со свекровью не оставляла Вере надежд на скорый выход в школу. Речи не могло идти о переселении Раисы Павловны к себе и уж тем более – в дом инвалидов, Максим не потерпел бы ни того, ни другого. К матери он приезжал редко, отбояривался срочными делами. Что-то не складывалось у него то ли в лаборатории, то ли в отношениях с сотрудниками. Уж Вера-то знала манеру мужа говорить с людьми так, будто его мнение обсуждению не подлежит. Точка всех преткновений, конечная инстанция... В коллективе имелись роптавшие.

Максим привык сопротивляться навязанным жизнью обязательствам, но от других ждал неукоснительного выполнения долгов и обещаний. Поездки жены к Раисе Павловне были несомненно долгом. Носясь с вениками и пылесосом по ее дому, Вера и впрямь чувствовала мазохическое удовлетворение, словно каялась перед собственной матерью, о которой не позаботилась в ее последние дни. Свекровь тоже была старой женщиной и нуждалась в опеке...

Летом лечение в элитном пансионате и усилия медицинских авторитетов возымели действие: Раиса Павловна встала на ноги. Вера прогуливалась с ней по больничной аллее. Утром пятнадцать минут, днем двадцать, перед ужином десять. После выписки прогулки продолжились в сквере у дома Раисы Павловны. Она быстро шла на поправку. Однажды, сидя на скамейке в березовой тени, ткнула тростью в носок невесткиной туфли:

– Ве-ра. Мой сын тебе изме-няет?

Напрасно Вера считала, что свекровь забыла об этой стороне ее жизни с Максимом.

– Не изменяет.

– А я думаю – да, – спокойно сказала Раиса Павловна.

...Она была, как всегда, права. На празднования мелких открытий, юбилеи и прочие увеселения Максим начал ходить один. Исполняя свой полудочерний долг, Вера не располагала свободным временем и вечера старалась отдать Олежке.

Иногда муж приходил под утро, выпивший или пьяный. По всей вероятности, «проветривал мозги». Как-то раз, открыв Максиму дверь ночью, Вера заметила на его щеке не до конца стертую перламутрово-красную печать, подтвердившую подозрения. Попросила носить с собой ключи. Потом он явился из ванной смущенный, противно заискивающий... прилежно старался доказать супружескую верность.

Скоро по его поведению Вера научилась определять градации связей с неизвестными пассиями: подъем, ровный цикл, спад. Как следствие – чувство вины. Любой мужчина, говорила Раиса Павловна (до инсульта), бессознательно ищет новых ощущений. Гению – гениево, мужчине – женщины.

Вера убедила себя не предпринимать шагов к разоблачению мужнего предательства, не то чтобы не желая, а не находя больше ни способов, ни сил с ним бороться. Скрученное в тяжкий узел молчание жертвовалось ради сохранности семьи. Игра в ОСС превратилась в негласное SOS. Вдобавок ко всему кожа Вериного лица с пугающей быстротой стала терять молодую гладкость, и тело неуклонно брюзгло. Вера пристрастилась к горькому шоколаду, посасывала черные квадратики почти беспрерывно.

Когда Максим в одно утро не вернулся домой и, как ни в чем не бывало, явился вечером, будто с работы (а из лаборатории вызванивали весь день: где Максим Эдуардович... где, где, где?!), в Вере до предела натянулась какая-то адская струна. В апогее обиды, лжи мужа, от которой он сам краснел, в его виноватых и порочных руках, Вера пережила непостижимое по своей абсурдности возбуждение. Не сексуальное. Она вдруг поняла, что чувствует в последнюю минуту самоубийца с обоюдоострой бритвой в напрягшихся пальцах, с блаженной обреченностью оттягивая решительный взмах. И струна словно лопнула, выпустив отчаяние, как кровь из вены.

Исподволь установился долговременный режим, подчиненный расписанию свекрови и аритмичному воспитанию Олежки. Только Максим и вносил разнообразие в распорядок будней редким запросом внимания к себе.

Веру поражала способность его матери считать обмельчавшие события своей жизни значительными. Раиса Павловна продолжала записи в дневнике, который вела с юности. Усаживая ее в кресло за письменный стол, Вера тихо ужасалась: в толстой общей тетради стояли кривые палочки, галочки, цифры вразброс. Раиса Павловна напрочь забыла буквы родного и английского алфавитов, но не изменила многолетней привычке. А еще она обязательно читала полчаса в день. Протирала бархоткой очки и через две минуты перелистывала страницу. Часто – в перевернутой книге.

Иногда на Раису Павловну находило великодушие, она соглашалась остаться одна (с вызванной сиделкой). Дудинцевы побывали на торжестве в ресторане по случаю защиты кандидатской диссертации Андрея Порядина. На следующий день – у Порядиных дома, и Олега с собой взяли. Вера чуть не ахнула громко, увидев сына Ирины Марика, похожего на Олежку как младший брат. Никто, кроме нее, не удивлялся. Деликатная причина поразительного сходства мальчиков была, наверное, известна всем знакомым.

С глубокой неприязнью любовалась Вера хозяйкой. На Ирине был модный парик цвета нуги, дополненный ярким макияжем. Черное шелковое платьице на бретелях облегало фигурку точно комбинация без кружев. Хоть бери эту статуэтку под названием «Завуч в неглиже» и показывай на выставках непризнанных художников...

Приметив, что Максим украдкой пустил в ход блудливые руки, Вера мгновенно взвинтилась. Потом испортилось настроение и у Ирины, потому что Андрей, по своему обыкновению, с восторгом вылупился на жену друга. В упор не видел ее двойного подбородка и расплывшихся боков.

Робкое ухаживание Порядина рассмешило Веру, но все-таки хорошо встряхнуло. Она завязала с шоколадом, сделала короткую прическу и записалась к известной косметичке.

Вздремнувшая после обеда Раиса Павловна спросонок не узнала невестку.

– Ты кто?

– Вера.

На лице свекрови отразился труд неповоротливых мыслей:

– А-а, Тама-ра. (Тамарой звали ее последнюю домработницу.) Возьми, пожа-луйста, деньги в серванте, Тама-ра, и боль-ше не приходи.

– Я Вера, жена Максима.

– Ве-ра, – поблекшие глаза ожили, просыпаясь, оценивая. – Тебе хоро-шо так воло-сы. Подай мне книгу.

– Она у вас в руках.

– А-а.

Раиса Павловна выронила на пол томик Лескова, опустила ноги на палас.

– Пойдем, хочу во-ды.

– Просто воды?

Свекровь кивнула. Водой для нее была любая жидкость – чай, суп, молоко, морковный сок.

– Ребе-нок у них хоро-ший растет?

– У Порядиных? Красивый мальчик. На Олега чем-то похож.

– Твои воло-сы стали как у Андрю-шиной жены, – вспомнила Ирину Раиса Павловна.

Она знала, что друг сына Андрей женился на свадебной свидетельнице Веры. На той «опасной» женщине, которую насилу уговорила не рушить семью Максима. Не всю память растеряла Раиса Павловна.

Несмотря на понятное нерасположение друг к другу, общение жен двух товарищей возобновилось. Вышедшая на работу Ирина звала Веру в школу, обещала договориться о дневных часах перед обедом.

Спустя год Максим защитил докторскую. Справляли в том же ресторане, и роли переменились: пышные Верины волосы отросли ниже спины, сшитое у частной портнихи платье сидело как влитое, а подурневшая беременная Ирина была в чем-то несуразном, просторном, выглядела болезненно и ушла рано. Порядин увивался вокруг Веры, Максима откровенно забавляли ее смущенные попытки отвести от себя назойливого воздыхателя. Разозленная циничным попустительством мужа, она тоже ушла, не дождавшись десерта.

Сильно перебравший Порядин приволок невменяемого Максима к ночи. Пока Вера снимала с мужа костюм (жалко – новый), Андрей развалился в кресле и захрапел. Она попыталась растолкать – бесполезно. Тогда Вера вызвала такси и, прыснув водой Андрею в лицо, закричала:

– Езжай! Езжай домой, пожалей жену!

Едва он закрыл за собой дверь, раздался телефонный звонок.

– Мой муж у тебя-а-а? – навзрыд заплакала Ирина в трубку.

– Не нервничай, поехал уже, – сказала Вера.

Отстраненно подумала: вот жизнь! Свела людей, перепутала, замутила какой-то параллелепипед вместо заурядного «треугольника». Физики-математики, ё-мое...

В седьмом классе поселковой школы Вера списывала домашние задания по физике у одноклассника, которого тоже звали Андреем. Он проверял по Вериным тетрадкам свою грамматику. Иногда они дрались. Вера била его учебниками, он дергал ее за косу. Маленькие стычки не причиняли им физической боли, но пульс незнакомого томления горячил пальцы обоих. Мальчик нежно, будто невзначай, касался руки Веры. Она отдергивала руку, а вечером целовала запястье с мыслью о нем. Аморфная мысль волновала своей недосказанностью. Учились вместе всего полгода, затем семья мальчика переехала в город, и следы затерялись.

Фамилию одноклассника Вера забыла. Что-то птичье. Воробьев, Скворцов... Соколов? Перебирая названия птиц, она уснула в кресле, где другой Андрей полчаса назад лепетал ее имя.

Вера не сумела противостоять расспросам свекрови, проговорилась о последствиях ресторанного торжества. Раиса Павловна, чьи некогда активные житейские позиции дегенерировали в узконаправленный интерес к напастям невестки, все еще была полна решимости воспитать в ней стойкость к периодическим кульбитам мужа.

– Эпи-зод, – выудила из зыбкой памяти сложное слово, – это эпи-зод, Ве-ра! – и, взглянув на раскрытую аптечку, ассоциативно извлекла с ее помощью вполне вразумительную метафору: – Залепи лейко-плас-тырем, доро-гая. Скоро пройдет.

Вера так и делала. Залепив очередную рану лейкопластырем выносливости, на корню рубила желание узнать об «эпизодах» больше. Пусть кто угодно, хоть снова Ирина, пусть гульнувший муж сочиняет легенды о командировках – Вере плевать. Ни его, ни себя не унижала дотошными расспросами. Должен же быть у большого ученого, человека увлекающегося, какой-то изъян!..

Ценя снисходительное отношение Веры к его мужским слабостям, Максим всегда возвращался домой. Жена – гавань надежная. Проверенная гавань – плывите дальше, маленькие, манящие, красивые кораблики. Мимо, мимо...

Между тем здоровье свекрови ухудшилось. Прекратились прогулки, затем «чтение» и записи в дневник. Лечь в больницу категорически отказалась:

– Дома хочу уме-реть.

Преодолев в себе отвращение к больному воздуху в квартире матери, Максим взял отпуск и начастил к ней вместо Веры. При сыне Раиса Павловна и скончалась в ясном сознании. Перед смертью, утверждал он, рассудок ее внезапно просветлел, они так хорошо поговорили, успели попрощаться...

Зрелище рыдающего мужа потрясло Веру. Два дня он плакал страшно, как плачут взрослые, и жалобно, как ребенок. Но на похоронах держался церемонно — чопорный, с застывшей прямой спиной, соболезнования принимал сдержанным кивком.

Когда разбирали завалы бумаг в квартире Раисы Павловны, Вера тщетно искала ее дневники. Пропали куда-то стопки клеенчатых тетрадей, виденные на полках антресоли в прихожей. Зато в документах обнаружилось завещание, выполненное по всем правилам месяц назад. Раиса Павловна неведомым образом умудрилась через знакомого нотариуса отписать квартиру внуку.

Вера со спокойной совестью вышла на работу под крылышко Ирины, ставшей директором школы. Праздники Дудинцевы и Порядины по традиции справляли вместе. Олег начал учиться в физико-математической школе, позже туда отправился и Марик. Мальчишки дружили. К Асеньке, сестрице Марика, оба относились с братской нежностью.

Максим водил сына в институт, дома рассказывал о возможностях приборов, с помощью которых ученые скоро будут регулировать нежелательные процессы в магнитосфере. Мощное возмущение в ней уже способно вызвать экспериментальное нажатие спускового «крючка».

С возрастом у мужа сильнее проявились родительские чувства, ночные вылазки и выпивки прекратились. Однако по женской части он не угомонился. Сметка в этом деле у Веры навострилась как у заправского сыщика, хотя нисколько она за Максимом не шпионила. Просто, чистя его пиджак, отцепила однажды с рукава кудрявый, крашенный хной волос. Сразу поняла – совпадает с Ирининой нынешней «химией». Посомневалась, оберегая себя от расстройства. Мало ли... Встречались же на виду, и волосы у «Иришки» всегда были слабые.

Может, сын и догадывался о недоразумениях в интимной жизни родителей, но помалкивал. Они тщательно соблюдали видимость согласия. И между Порядиными Вера не замечала особых противоречий. Правда, Андрей к ней не охладел, она знала. Человек по натуре рассеянный, Андрей был вынужден следить за собой, чтобы, не дай бог, не вылетело лишнее слово, чтобы жена не поймала брошенный на Веру тоскливый взгляд. А Максим все так же звал Ирину ласкательными именами, обе семьи привыкли.

Потом грянуло время тревожное, безденежное. Учителя получали зарплату раз в три месяца, институт выживал на грани закрытия. Газеты и телевидение наперебой вещали об охватившей мир эпидемии СПИДа и неслыханном росте криминала.

Как-то раз Вера припозднилась на собрании, и когда шла по пустынному переулку, бегущий мальчишка сорвал с нее норковый берет. Был бы преступник взрослым, она бы поостереглась. Но такие же подростки окружали ее в школе, и взбешенная Вера понеслась за ним с воплями. Только уши продуло...

Выслушав ее рассказ, муж хохотнул:

– Главное, что в голове, а не на ней!

Вера оскорбилась. Накануне Ирина подвернула ногу, так он несколько раз звонил, выясняя, был ли рентген, нет ли у Ириши трещины...

– Я получила стресс, – сухо сказала Вера. – Этот отморозок, в конце концов, мог полоснуть меня ножом.

– Не полоснул же, – пожал плечом Максим.

Дудинцевы молча поужинали и молча разошлись по разным комнатам, как повелось со времени учебы Олега в университете другого города. Обычно они сплачивались в каникулярные дни сына и осторожничали наедине, а тут мимолетная размолвка легко сломала хрупкое равновесие.

Теперь все свободные часы муж проводил в кабинете, изредка захаживая в кухню чего-нибудь пожевать. Если не находил еды в кастрюлях, сам жарил себе яичницу и варил кофе. Вел себя так, будто жена была невидимкой.

Вера не понимала причины такого к ней отношения. Вернее, отсутствия всяких отношений. Это при том, что Максим перестал задерживаться в лаборатории. Работа – дом, тут они сравнялись. В Вере разгорался тлеющий гнев. Хотелось напрямик спросить у Ирины: снова ты? Твои козни?

Не спрашивала, невольно включаясь в игру. Брак Порядиных, нетрудно догадаться, тоже не был гладким, они тоже лгали детям ради искусственного спокойствия. Марик поступил в «Олежкин» вуз, Асенька забегала к тете Вере узнать, нет ли писем...

Тягостная игра в ОСС длилась до вхождения сына в самостоятельную жизнь. Он женился. Едва взглянув на невестку, Вера подумала: безнадежна. Белокурое чудо по имени Маша взирало на Олега небесно-голубыми глазами, словно язычник на идола. Чудо пока пребывало в неведении, что мужские идолы Дудинцевых любят, когда на них молятся как можно больше женщин. Считать тебе скоро надоест, Маша, представительниц супружнего гарема...

Вступив во владение квартирой Раисы Павловны, молодые отдалились и по расстоянию, и по духу: Олег предпочел другой институт, хотя отцовский к тем годам существенно упрочил свое положение. Максим витал в космосе и, сталкиваясь в кухне с женой, кажется, еле припоминал, кто она такая.

...Его звонок вкупе с заговорщицким голосом застал Веру врасплох в учительской посреди гомона большой перемены. Вера в буквальном смысле пережила значение слова «офигела»: порыв осеннего ветра за окном подхватил и унес с тополя фиговые листья. Этого не могло быть, как не могло быть того, что муж пригласил ее куда-то «на вечер вдвоем».

– Ты не ошибся? – холодно спросила она. – Я Вера.

– А кто еще! – рассмеялся Максим. – Запиши адрес.

Вера тупо смотрела на расплывающиеся в глазах буквы, которые сама записала. Адрес назначенного места свидания не был ей известен. Почему Максим просто не назвал ресторан? Или это кафе? Впрочем, он не говорил ни о ресторане, ни о кафе...

Три урока она отвела на автомате. Купила по пути домой тушь для ресниц. Приняла душ, подкрасилась, влезла в джинсы и непритязательный черный свитер с воротом хомутик – так выглядела моложе, зеркало подтвердило.

Такси подвезло Веру к многоэтажному дому последних лет социалистического строительства. Обыкновенный двор в саженцах под окнами, грубо сбитая надолба крыльца, железная дверь на первом этаже со следами сварки в шарнирах... Как-то все это подозрительно... Кто живет в квартире, что задумал хитроумный муж?

Через минуту бесплодных усилий дозвониться/достучаться Вера убедилась, что дверь не заперта, а внутри никого нет.

Стол в кухне был накрыт на двоих: бутылка коньяка, салаты, бутерброды, пачка «Pall Mall», пепельница. В единственной комнате белела стеганым покрывалом двуспальная кровать. Чистенько, светло-оранжевые обои, шторы под тон. Надпись в углу черным маркером – внелитературный глагол в применении к неизвестной Рите С.

А вот и сам режиссер! Вера кинулась в прихожую на трель дверного звонка, готовая залпом выложить мужу, что она думает об этой хате, равно годной для съема продажных девок и убийства постылых жен.

Сияющий взор вошедшего человека с конфузливой радостью устремился к Вере из-за букета роз.

– Андрей?!

– Прости, я не сильно задержался? Я поздно прочел твое письмо...

Он ожидал совсем другой встречи и долго не мог сообразить, что обманут так же, как Вера.

Письмо от ее имени с приглашением «на вечер вдвоем» Андрей вынул из домашнего почтового ящика. Изумленный, заинтригованный, разорвал послание на клочки и, купив букет, помчался по указанному адресу.

– Зачем выбросил письмо?

– Ты просила меня сразу его уничтожить, – пробормотал Андрей. – В нем же и написала... Я думал, это ты... не знаю твоего почерка...

– И ты поверил?!

В своем далеко зашедшем розыгрыше Максим просчитал даже счастливую растерянность Андрея. Понятно, что у Порядина голова пошла кругом от нежданного предложения женщины, любимой, как он полагал, безнадежно...

Они замерли и переглянулись: в двери щелкнул на два поворота ключ! Донеслись звуки удаляющихся по ступеням шагов.

– Максим! – закричала в ужасе Вера, колотя в замкнутую дверь кулаками. – Что ты творишь?! Что ты со мной творишь?!!

– Это Ирина, – вздохнул Андрей.

Вера рванулась к кухонному окну. Он был прав: в синих сумеречных проемах между стволами берез просквозила женская фигурка.

– Боже мой... За что они так с нами?!

– Решили расставить точки над «i».

– Свести нас, чтобы самим сойтись без проблем?

– М-да... Не весьма с их стороны тонкий намек.

– Они придумали это из-за меня.

– Похоже на то, – невесело усмехнулся Андрей.

За полтора часа пленники пустили в дым пачку «Pall Mall». К коньяку с закуской не притронулись. Вера плакала, Порядин пытался ее утешить. Словами, не приближаясь. Выбрались впотьмах через окно, благо впритык к нему росло дерево.

– Провожу, – настаивал он. – Хотя бы до остановки.

Вера шла, ехала, снова шла как пьяная. Дымная голова раскалывалась от унизительного чувства *безнадежности*, ярости и стыда. Жестокая выходка мужа последней каплей пала в чашу терпения. В клееную-переклееную чашу.

Дома было тихо. Из-под двери Максимова кабинета сочился желтый свет.

Собраться, уйти, сбежать куда угодно, в поселок к тетке... которой Вера не нужна... никому не нужна, кроме Андрея... А он – не нужен ей.

Бритва. Дежа-вю из будущего – вот что подсказывало испытанное когда-то наваждение с бритвой. Вера села на край ванны: говорят, в воде это легче сделать. Теплый, как грибной дождь, поток струился сквозь пальцы.

– Вера, ты в ванной?

– Нет, меня здесь нет.

– Не шути со мной.

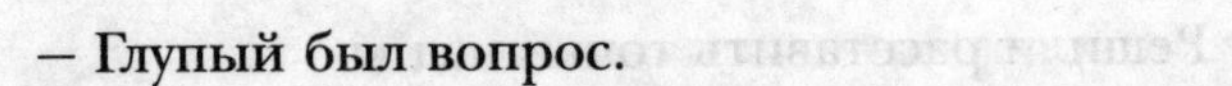

– Глупый был вопрос.

Щелчком закинув лезвие на полочку, она слизнула красную каплю со случайного пореза на мизинце. Сюжет истории одного суицида поменялся на ходу. В мыслях стало чисто и звонко.

Дверь ванной распахнулась. Максим отпрянул, но крепкая пощечина успела впечататься в щеку... И шею Веры сдавили стальные тиски. Руки мужа были холодны и неумолимы.

– Жми, – прохрипела она, глядя налитыми кровью глазами в его налитое кровью лицо.

– Дура. Пошла вон.

Ему стоило огромного напряжения воли разжать пальцы и оттолкнуть жену.

Вера сползла по стене с ощущением разрыва горла. Жгучий воздух резал натужные легкие. Большими хлебками хватала Вера колючую жизнь со вкусом талого снега и запахом меди. Наполнила себя дыханием до хруста шейных позвонков, зажмурилась. Посидела, дыша уже не бурно, чувствуя, как лопаются в ней корки залежалых лавин, как течет и остывает горячая магма.

Добравшись по стенам до желтой полоски света, Вера сиплыми толчками слов сказала:

– Я. От тебя. Не уйду. Ты тоже. Не уйдешь. От меня. Я знаю.

Сказала и залаяла – так засмеялась. Не могла по-другому саднящим горлом.

– Психушка по тебе плачет! – крикнул Максим за дверью.

– А по тебе – тюрьма.

На ночь она выпила сырое яйцо и чашку молока с медом. В школе никто не удивился, что закуталась до подбородка в тонкую шаль и говорит хриплым голосом. Эпидемия гриппа набирала в городе обороты, вот и Ирина Алексеевна заболела...

Ничего не изменилось. Максим с виду был равнодушен по-прежнему. Ирина недолго «бюллетенила». По выходе похвалила Веру на педсовете за интересные классные часы. Работали как раньше. День шекспировских страстей будто выпал из календаря, хотя в доме явственно ощущалась атмосфера настороженности и ожидания.

Когда однажды в кухне что-то загремело, Вера подумала, что Максим грохнул об пол противень, в котором запекал себе свиной окорок. Аромат мяса и специй разливался по всем комнатам сквозь ток скрытых эмоций... С вскипевшим тотчас намерением сказать мужу что-нибудь хлесткое, она поспешила в кухню. И остолбенела.

На полу, заляпанном жирными брызгами, действительно валялся опрокинутый противень, и под столом румянился бочок хорошо прожаренного окорока. Максим лежал, раскинув руки, с кухонным полотенцем на лице. Видимо, выпало полотенце из пальцев в последний миг.

Очнувшись, Вера сразу же позвонила в «Скорую». Врачи сказали — кровоизлияние в мозг, смерть была мгновенной.

Устройство гражданской панихиды и похорон взял на себя институт. Друзья Максима, настоящие и мнимые — те, кто тайно с ним враждовал, говорили о нем как о крупном ученом, чьи масштабные труды еще не оценены по достоинству, но обязательно будут. Говорили, что был он прекрасным человеком, другом, семьянином и примером для всех. Обращались к вдове с неподдельным сочувствием. Никто не сомневался в ее страшном горе. Некрасиво хлюпая носом, рыдала рядом Ирина. Плакали Олег с Мариком, студентка Асенька и даже Андрей. Вера вытирала щеки вышитым платком из набора, подаренного ей Максимом в дни Олежкиных каникул. Ясная теплая вода омывала лицо, внося в расслабленные мысли приятное умиротворение.

Жаль, что Максим не увидел внучку – копию своего женского воплощения. И двоих внуков – сыновей Марика. Андрей-то успел с ними повозиться, пока его не прикончил рак поджелудочной железы. Снова все плакали, в том же составе и месте, но теперь без него...

Вера Георгиевна оторвалась от бездумного созерцания окна. Из форточки несся смолистый дух хвои и весны. Собака легонько потянула зубами за подол халата – хватит сидеть, на улицу пора.

– Пора, – согласилась Вера Георгиевна, – очки найду и пойдем.

Очки на прогулке были нужны ей для покупки газет. Киоскерша позволяла постоянной покупательнице пролистать свежие номера «Вечерки» и «Аргументов» с их фактами. Если заголовки казались непривлекательными, Вера Георгиевна газеты не брала.

Куда-то очки запропастились и нашлись вскоре – на голове. Растеряха, отругала себя Вера Георгиевна. Вынула из стакана с содовым раствором низку вставных зубов. Интересно, думает ли Женька, что с искусственной челюстью человеку жить стыдно и уже нельзя? Верочка так думала в юности...

Тугрик сделал на улице свое дело. Хозяйка сунула руку в резиновую перчатку и специальным совком аккуратно положила «дело» в целлофановый пакетик. Зашагали потихоньку привычным маршрутом к мусорному ящику, оттуда по аллее к газетному киоску.

Просмотрела «Вечерку». В ней писали о махинациях с земельными участками, было много весенних советов по саду-огороду. Ничего любопытного. Не купила газету, только и зацепился взгляд за неуловимо знакомую фамилию в колонке некрологов. Ушел из жизни какой-то Петухов А. В., прекрасный человек, семьянин и так далее...

В магазине вкусно пахло соленой селедкой. Вера Георгиевна помешкала и не стерпела – взяла рыбку и пучок зеленого лука к пюре. Изжога, конечно, помучает, ноги отекут, но разок можно. Если и малой радости себя лишить, уж лучше впрямь под гранит.

Горка мятой с молоком и маслом картошки, приправленной лучком, сбоку ломтик селедки – простая еда. Зато со вкусом детства. Мама любила, и Верочка не отставала – трескали за обе щеки...

Вера Георгиевна цокнула языком, призывая песика на остатки пюре. Он понюхал и отвернулся. Она вздохнула:

– Избаловались мы на мясном, – с собакой была на «мы».

День незаметно ушел в прошлое, как жизнь. Вера Георгиевна дважды зевнула и обрадовалась: может, удастся избежать бессонницы. Засеменила, теряя тапки, на ежевечерний тет-а-тет по телефону с Ириной Алексеевной. У той пошаливало сердце и что-то неладное началось с почками.

Рассеянно слушая душераздирающий рассказ о почечных коликах, Вера Георгиевна размышляла: а если бы они с ней махнулись мужьями? И неожиданно для себя прервала приятельницу:

– Ответь-ка мне, Ирина, а чего вы с Максимом ждали, когда заперли нас в блатхате? Что мы поутру проснемся и радостно выйдем к вам рука об руку?

Голос в трубке захлебнулся на полуслове. Ни разу не затрагивали они в разговорах «щепетильную» тему, а Вера вдруг нарушила табу. Ирина Алексеевна затаилась, соображая, не отключиться ли без пожелания спокойной ночи... И приняла вызов:

– Никогда не понимала, зачем ты цеплялась за него.

– Думаешь, ты была бы с ним счастливее? С бабником?

– Он всегда возвращался ко мне.

– К тебе? – удивилась Вера Георгиевна. – У тебя совесть есть законной жене такое говорить?

– Максим был моим, прежде чем ты стала его женой. Если б не твоя свекровь, он был бы моим!

– Не знала, что ты меня опередила...

– Верная Вера, – с отчетливой ненавистью прошипела Ирина Алексеевна. – Оба вы с Андреем праведников из себя корчили...

– Андрей совсем не прочь был изменить тебе со мной, – усмехнулась Вера Георгиевна. – Но я его не любила.

– Ты вообще никого не любила!

Ирина Алексеевна наконец-то отключилась.

– Поцапались, – сообщила Вера Георгиевна внучкиному портрету на полке. – Мужчин наших нет, а любовь бушует. Зря ты думаешь, что она после сорока заканчивается. Ничего она не заканчивается.

Чувствуя себя виноватой перед Ириной Алексеевной, Вера Георгиевна и расстроилась, и в то же время была довольна своей маленькой местью. Никуда не денется старая перечница, завтра позвонит, и больше они не поссорятся. Осталось-то обеим...

По телевизору показывали недовымершую рыбу латимерию. Синее в белых пятнах доисторическое существо лениво шевелило толстым бахромчатым хвостом и рудиментарными ножками по бокам.

Целакантообразные плавали в море, когда людей еще в помине не было. Исчезли сотни человеческих поколений с их бешеными страстями, а хладнокровные латимерии плавают себе... И с чего это Ирина Алексеевна воображает, что Вера никого не любила?

– У женщины должна быть одна любовь и один муж, – строго сказала Вера Георгиевна собаке, чтобы самой в этом не сомневаться.

И засомневалась.

– Не всем везет. Настоящая любовь – штука редкая. Как целакант.

Тугрик тявкнул – наверное, подтвердил.

Она помолилась: пусть хоть Женьке повезет. Решила с утра разобраться в бумагах. Выбросит ненужные, сверху положит завещание внучке на квартиру и поставит шкатулку с документами на видное место в сервант.

Бессонница подкатывала к горлу кислой селедочной изжогой. Жжет, болит – значит, живое. Во всем можно найти положительную сторону.

На всякий случай Вера Георгиевна снова помолилась – о смерти для себя, легкой и в сознании. Надо успеть поговорить с Олегом, взять с него обещание не бросать жену и дочь. Если только Мария сама не додумается уйти. Слово перед смертью, каким бы ни был сын ветреником, – дело надежное, уж мудрая-то свекровь точно все просчитала...

Вера догадалась о данной Максимом клятве Раисе Павловне, когда сидела, полузадушенная им, прислонившись к стене ванной комнаты. Максим сдержал слово. Презирал Веру, видеть ее не мог, а не бросил.

Вздохнув, Вера Георгиевна осторожно повернулась на бок, стараясь меньше беспокоить желчный пузырь. Чертова селедка. Ведь зарекалась в прошлый раз не брать.

Скоро, скоро Максим встретит душу жены... Вот уж совсем не хотелось Вере Георгиевне лежать с ним всю оставшуюся вечность. С радостью уступила бы свое место Ирине Алексеевне.

Жаль, не прожить жизнь сначала. Повторите, пожалуйста...

Вера бы все исправила. Таким хорошим был Андрей, у них бы все получилось. Не Порядин Андрей, а тот, с птичьей фамилией, у которого списывала домашние задания по физике в седьмом классе. Не далеко же уехал тогда паренек из поселка, жил в городе. Раньше б знать да найти.

Вера Георгиевна встрепенулась: Петухов! Вспомнила – Андрей Петухов! Где-то недавно встречалась ей эта фамилия...

Виагра

Человек немногословный и по виду меланхоличный, Василий Игнатьевич полностью отвечал бы своей фамилии Тихонький, не вклинься в невозмутимость унаследованной им породы взбалмошность матери.

Теперь не скажешь, была ли мать столь уж безалаберной, какой считал ее дед Володар, но каждое опрометчивое действие снохи, случалось и с удачей (раз взяла лотерейных билетов наползарплаты и выиграла дефицитный ковер), осуждалось в доме свекра днями молчаливого неодобрения. Поэтому, зная и в себе трудно подавляемую блажь, Василий Игнатьевич старался не порицать ничьих нелепых поступков, а если спрашивали мнения по поводу чужого казуса, отбояривался присловьем: «Кто я такой, чтоб судить?»

Изредка шальная дурь оказывалась сильнее Василия Игнатьевича. То привезет с городского рынка голодных цыганят, то освободит из капкана щенную волчицу, то наперсточники завлекли – спустил получку и долго казнился. До новой причуды... Но было одно сумасбродное событие в его жизни, когда он дал волю захлестнувшему душу порыву и ничуть о том не пожалел. Да, вопреки ядовитым домыслам сплетников, никогда не раскаивался Тихонький Василий Игнатьевич в скандальной женитьбе на Аделине. На Адельке-хромуше, как называли ее недоброжелатели.

В школе он сидел с ней за одной партой. Выглядела Аделя младше его ровесниц, хотя опережала в возрасте на три года – поздно начала учиться из-за врожденного недуга. Тонкое лицо ее гладко обтягивала анемичная полупрозрачная кожа, глаза были смешанных оттенков серого и изселена-голубого. Чуть выдающиеся вперед зубы не портили милой улыбки, с легкой натяжкой губ в левую сторону, так что на щеке появлялась задорная ямочка. В отдельности черты этого лица привлекательностью не отличались, но все вместе, в сочетании с вьющимися, очень светлыми волосами, оставляло впечатление чего-то летучего, сияющего само по себе и осененного пушистым нимбом.

По-детски цыплячья внешность Адели даже в выпускном классе не вызывала у Василия мыслей взглянуть на нее глазами подрастающего мужчины. В дружбе с ней он привык к мальчишеской простоте, и не ее тонкие пальчики перебирал в душных задних рядах на просмотрах кино с предупреждением «до 16 лет». Не Аделя срывала с его губ поцелуи «взасос», как коросту с пореза, торопясь за калитку на материны призывы, а спустя полгода не Аделя проводила новобранца в армию с обещанием дождаться. Рослая, темнобровая Клава Иванцова, по общему мнению, была словно в подбор Василию создана и статью, и домовитым стремлением превратить пространство вокруг себя в чашу изобилия и комфорта.

Во вторую субботу возвращения со службы демобилизованный солдат, Клава и верный паж ее Зоя Савушкина отправились в клуб на танцы. Иванцовы и Тихонькие уже договорились сыграть свадьбу через месяц, а влюбленным все не удавалось остаться наедине – безотвязная Савушкина мельтешила рядом третьей лишней, не закрывая болтливого рта. По насупленному лицу Клавы легко можно было догадаться, как не нравится ей этот рот, явно разинутый на чужой каравай, но ступала под руку с вышедшей из повиновения Зойкой гордо, чувствуя спиной сдержанный жар прицельных жениховых глаз.

Уж кого-кого, а Адельку-хромушу Клава в ревнивый расчет не брала. Не думала, какая подлая змеюка зреет в колченогой дэцэпэшнице, и никто б не подумал. Позже обе с Савушкиной жалели, что Василий не был допущен к Клавиным прелестям сразу по приезде. Клава винила соглядатайство Зойки, та оправдывалась просьбой ее матери присмотреть за подружкой до свадьбы – перетерпят, мол, потом зять с уважением будет помнить первую брачную ночь... А не вышло доказать суженому соблюдение старозаветных правил в доме Иванцовых, хотя свадьба прогремела шумная и, как следовало по плану, ровно через месяц.

Аделькина свадьба.

Смешно сказать, из-за чего расстроился союз такой складной пары – из-за лужи перед клубом.

Клава первой заметила, как Аделька остановилась напротив у края воды. Все нормальные люди лужу обошли и стояли на крыльце, ожидая открытия дверей, а хромуша вытянула одуванчиковую голову и уставилась на толпу с кривой улыбкой. То есть не совсем на толпу, избирательно – на бывшего соседа по парте. Длинная шейка украшена бусами под жемчуг, поджатые в коленях ноги обуты в мальчиковые ботинки...

Клаву огорошила наглость калеки. Мать моя женщина, это что?.. Это на кого хромоножка зарится?! – и невысказанная злость на подругу выплеснулась вместе с сиюминутным негодованием:

– Ой, гляньте, девочки, пугало в бусах!

Савушкина с готовностью поддержала:

– Выставилась напоказ, никакой самокритики у Аделины.

В стайке девушек хмыкнули, завздыхали:

– Чего привязались к человеку?

– И на такую гайку найдется болт с резьбой...

– Личико у нее посмазливее, чем у некоторых (намекнули на толстощекую Зойку).

Клава закруглила разговор, хозяйски поведя на жениха красиво изогнутой бровью:

– Даже интересно, кому станет нужна, бедняжка, – и замерла, пригвожденная к перилам его пронзительным взглядом.

В темно-карем глазу Клавы под выразительной бровью, как в чаше с плавленым шоколадом, Василий в долю секунды узрел их совместное будущее: он и она, окруженные изобилием пухлых младенцев, еды и вещей. На сытых лицах – довольство жизнью, на его щекастой физиономии, кроме того, подобострастное выражение лица Зои Савуш... стоп!

Что-то в нем разъединилось, взорвалось и кануло в безвременье; в ушах оглушительно засвистал несуществующий снаружи ветер. Толпа ахнула и подалась вперед вслед за Клавой, не поверившей своим глазам: спрыгнув в новых туфлях с крыльца прямо в лужу, Василий Тихонький шагнул навстречу Аделе.

...Деревня на сто рядов обсмаковала тот разговор на ступенях клуба. С лаконичной подачи деда – прочь! – родители выставили за дверь возмутителя фамильного спокойствия. Василий поселился в бане на задворках старого дома, где Аделя жила вдвоем с матерью. Можно было обойтись без свадьбы, но решили сыграть. Не назло потрясенным вероломством Иванцовым (как они полагали), и не для того, чтобы досадить отвергнувшей самовольщика родне, а по настоянию школьных друзей. Ну, и по честному праву Адели нарядиться в белое платье в пандан бусам под жемчуг.

Василий продал мотоцикл, ребята сложились деньгами, нанесли солений, пирогов – стол получился нестыдным. Пришла мать, плюнув на домашние уставы, сама вдела Аделе в мочки ушей золотые серьги. «Подчистую зарплату потратила», – понял сын, тронутый подарком и очередной, по дедовскому определению, «бузой» невестки.

Аделя смущенно улыбалась всем из-под облачка начесанной челки. Василий удивлялся: как мог забыть – эта робкая полуулыбка сразила его еще в детстве, когда учительница привела и посадила на свободное место рядом с ним девочку, похожую на неоперившегося птенца. Вася Тихонький молча подвинул чернильницу на середину парты, новенькая улыбнулась, и он загляделся. На левой щеке девочки заиграла маленькая лунка – будто солнечные зайчики гонялись за своей тенью. Никто не улыбался так странно и нежно... никто не выглядел так беззащитно.

Теперь, во всем белом, Аделя напоминала ему ангела, и Василий внутренне сжимался, под крики «горько» еле касаясь ее губ под прикрытием фаты. То, что подразумевалось за кадрами в фильмах «до 16 лет», и что, между прочим, он сам проделывал с одной веселой женщиной в армейских увольнениях, казалось по отношению к Аделе кощунством.

Барьер детской дружбы они действительно преступили сложно, но не в свадебную ночь. Поздним вечером, едва гости начали расходиться, братья невесты в отставке побили окна в доме, и у палисадника затеялась потасовка. Драка быстро нарастала, прибывали все новые сторонники Иванцовых. Штакетник с обеих сторон улицы понес большой урон. Новобрачный с товарищами, от души поколоченные, а также их не менее пострадавшие противники до рассвета проторчали в участковом отделении милиции с вызовом туда фельдшера.

Через год Клава Иванцова вышла замуж за старшего брата Савушкиной и принялась энергично наполнять чашу дома детьми и вещами. Сбылось все, что увидел Василий на клубном крыльце в шоколадном Клавином глазу: сытые лица, довольство жизнью, только подкаблучником с заискивающей физиономией был не он. Зоя тоже в девках не засиделась. Высоко взлетела – под мускулистое крыло лыжного тренера в городскую квартиру со всеми удобствами. Стала не Савушкиной, а Ванштейн («Ферштейн» звали старики для легкости запоминания).

Василий незаметно помирился с родней. Семье стало не до него: младшая сестра Татьяна спуталась с заезжим строителем. К немалому изумлению деда, отличница и комсомольская активистка, Татьяна в десятом классе обзавелась «байстрюком». Так дед Володар в гневную минуту называл правнука Дениску, лихим словом поминая малахольных предков снохи до пятого колена.

Наглядное опережение замужества не помешало бойкой Тане закрутить с учителем географии. Рванули с ним в Казахстан и родили законную дочь. К школе «казахстанцы» забрали мальчика. Тихоньские, особенно старый дед, упросивший внучку оставить наследнику фамилию, сильно по нему скучали.

Аделя оказалась не способной иметь детей. Вернувшись из города после обследования, она молча остригла свои летящие белые кудри. Короткая прическа очень шла ей, делала ее лицо еще тоньше и нежнее...

Василий все понял и подумал с печалью, что, будь он художником прошлых веков, рисовал бы жену для картин с шестикрылыми серафимами. Аделя вдруг почудилась ему созданием, сотворенным не из плоти и крови. Он застеснялся в себе поэтических мыслей, но жена впрямь увиделась ему недозрелым плодом поздней завязи, скованным холодом зимнего солнца.

Зябко приподняв плечи, она посмотрела на мужа:

— Может, разведемся? Я знаю, ты будешь хорошим отцом, если...

Он не дал досказать, подхватил на руки — слабую, легкую, как отроковица:

— А я знаю, что ничто не принесет мне радости, если ты уйдешь от меня. Ты понимаешь, о чем я?..

Ни слова не сказал о любви, как не говорил ни до того, ни после. И оба они больше не говорили о детях.

Дважды сестра с географом и дочкой гостили в деревне летом, а Дениса оставляли на все каникулы. Аделя много читала и тщетно пыталась пристрастить к книгам мальчишку, но и Василий не был охотником до чтения. Все свободные часы мужчины либо рыбачили, либо ждали в шалашах у озер жирующих к отлету уток.

Василий Игнатьевич объяснял племяннику:

— Почему шилохвость? Потому что хвост, видишь, длинный, игольчатый. А эти — чирки, их несколько видов, есть свистунки, трескунки, клохтуны еще.

Денис гладил пестрые желто-серые перышки чирков, зеленую голову селезня кряквы, отливающую индиговой синью.

— Дядь Вась... Они, конечно, вкусные, но ведь жалко...

– Ты, Дениска, котлеты с пельменями любишь?

– Люблю.

– А телят?

– Тоже.

– Так и твои котлеты с пельменями когда-то телятами были и по лугам паслись...

Любознательному мальцу нравилось возиться с охотничьим снаряжением. Пыхтя от старания, чистил ружье. Смазывал замки веретенным маслом, ложу – подсолнечным. Заворачивал в промасленную бумагу и все вместе укладывал в обитый железом ящик под ключ...

А вскоре Татьянин географ влюбился в молоденькую учительницу математики, и безмятежная жизнь сестриной семьи развалилась. Татьяна перестала привозить Дениску. Разбежалась с мужем, нарвалась на альфонса, потом на алкоголика и наконец, после многих надежд и мытарств, сошлась на вторых ролях с успешным владельцем конного завода, глубоко засевшим в собственной многочисленной семье. Эта усталая связь неожиданно подарила Татьяне неизвестные прежде возможности: открыла в ней коммерческий дар.

Пока женщина металась в поисках себя под солнцем фортуны, Денис из веселого ласкового парнишки превратился в проблемного шалопая и отбился от рук. Мать с трудом откосила сына от армии ради изнурительной борьбы с его ленью и предрасположенностью к пьянству. Безрезультатно. Отчаявшись, Татьяна отправила двадцатилетнего оболтуса «на перевоспитание» в деревню, где из всей родни, кроме брата и Адели, никого уже не было.

Василий Игнатьевич нянчиться с племянником не стал, без долгих церемоний погнал служить Родине.

– К тебе, дядь Вася, вернусь, – предупредил Денис с оттенком то ли вопроса, то ли угрозы.

Армия обошлась не без эксцессов (самоволка, бои без правил), но подправила-таки склонность парня к разгулам. Правда, прошли добрые восемь лет, пока он учился и осознавал, что ошибся в выборе, менял колледжи, общежития и подыскивал работу «по душе».

Нагрянув однажды, сообщил:

– Извините, дядь Вася, тетя Аделя, окончательно завязал я с учебой. Мы с Катей решили пожениться.

Из-за спины Дениса застенчиво выплыла на свет симпатичная рыжая девушка примерно в том же месяце положения, в котором ошарашенный дед Володар обнаружил внебрачный грех внучки Тани.

– Я не сволочь, чтоб поматросить и бросить, – заносчиво заявил без пяти минут папаша. – Буду взращивать юное поколение Тихоньких.

На какие средства он собирается осуществлять сие благородное намерение, Денис не сказал.

Василий Игнатьевич известил о новости сестру.

Татьяна страшно расстроилась. Перспектива стать бабушкой, если женщина сама еще мечтает о легитимном супружеском счастье, не очень-то женщину радует. К тому же она небезосновательно опасалась, что сын пожелает расширить семейный круг непосредственно на ее территории. Посоветовалась с дочерью. Та предложила обезопаситься от асоциального вторжения, приобретя разгильдяю в городе возле «дядь-Васиной» деревни какой-нибудь продуктовый магазинчик. Пусть попробует, может, раскрутится... Умница дочь. С ней Татьяне повезло – самостоятельная, замуж не собирается, прочно стоит на ногах, по уши в бизнесе. Благодаря, разумеется, маминой поддержке и выучке.

Управилась Татьяна резво. Прилетела, купила сыну недорогую иномарку с кузовом, первый попавшийся «комок» и оставила деньги на двухкомнатную квартиру. Все-таки внуки грядут, будет им отдельная детская.

Денис потом жаловался:

– Полдня, дядь Вась, мотаюсь по «оптовкам», сам загружаю, разгружаю. После обеда – в санэпидстанцию, в налоговую, «архитектуру». Справок и разрешений куча. Откупаюсь как могу...

– Взятками? – не верил Василий Игнатьевич.

– И взятками, и подарками, – махал рукой племянник, – а то ведь СЭС любит с проверкой нагрянуть, соринку увидят – штраф. Не-е, легче конвертик отдать...

Как бы то ни было, Денис уже точно не лоботрясничал. Рыжая Катя устроилась в хорошую контору, подрастал мальчонка, названный редким именем Володар в честь прадеда Тихонького. Татьяна гордилась по телефону предпринимательскими способностями сына: моя жилка, бизнес – труд не для инертных!

Какой труд, голимое спекулянтство – огорчался про себя Василий Игнатьевич. И зачем столько денег? Впрочем, кто я такой, чтоб судить...

Им с женой хватало его заработка и ее пенсии по инвалидности. Вещей в доме минимум. На задворках курятник, теплица, капустно-картофельный огород – вот, собственно, и все хозяйство. Василий Игнатьевич поверить не мог, что в пору влюбленности в Клаву Иванцову мечтал стать зажиточным хозяином.

Жили Тихонькие легко, понимали друг друга без лишних слов. Не было между ними тайн и страстей. Василий Игнатьевич даже не мог бы сказать, любит ли он жену. И что такое вообще любовь – не сказал бы. Та ли она, сильная, бурливая, подобная весеннему половодью, сметающему с корнем деревья на своем пути? Или та, которая чиркает по небу падучей звездой, как спичкой, и заставляет думать о краткости жизни?..

По всему выходило: любовь – наваждение, чудачество и безудержное буйство. Вроде вспышки чувств, что время от времени подстрекает неуравновешенных людей на глупые подвиги. Не нравилось Василию Игнатьевичу это сравнение, а другое в голову не шло. С Аделей же он свыкся, вжился в ее существо, не испытывая угрызений совести, как случалось от «бузы». Аделя была свет и покой, и тихая радость Василия Игнатьевича видеть ее улыбку, и желание, чтобы каждый завтрашний день походил на вчерашний. Если дни человека наполнены светом, разве они монотонны? Разве свет не есть сама жизнь? Он обыден, привычен, но исчезновение его страшно представить. Нет, никогда не желал Василий Игнатьевич другой женщины.

...Ой ли? Так уж никогда?

Ну... честно сказать...

Честно сказать, раз таки шибануло его тягой к другой. Аделя знала, поняла без слов.

Тогда Денису вздумалось отдохнуть на берегу протоки и порыбачить с друзьями. Гости приехали на двух машинах: семья Дениса, его приятели и подруга Кати с четырехлетним сынишкой, ровесником Володара (Володьки). Василий Игнатьевич сразу приметил, что эта белокурая женщина красива той неуловимой красотой, какую он видел в Аделе. Тонко лепным было лицо женщины, и летний дождь в глазах мешался с отражением леса. Но она, в отличие от Адели, так и цвела веселым молодым здоровьем.

Мужчины подали хозяину руки. Денис познакомил со всеми по-простому, а про имя Катиной подруги загадку загадал:

– Скажите-ка, дядь Вась, тетя Аделя, какое русское женское имя не заканчивается ни на первую, ни на последнюю букву алфавита?

Пока Василий Игнатьевич послушно перебирал имена в уме, Аделя сказала: «Любовь», и он удивился обыкновенному будто бы имени-слову, замкнутому неоткрытым звуком как оберег.

Дети липли к Аделе – малыши всегда быстро привязывались к ней, словно чувствуя в Аделе близость, родственную их бесхитростной открытости. Денис хлопотал над костром с нанизанным на рогулю стегном барашка. Подруги готовились к пикнику. Отвечая на вопросы о здешних охотничьих местах, Василий Игнатьевич слышал, как Люба обменивается шутками с Катей и смеется. Мелодичный смех вился звонкими и шероховатыми звуками сладко, терпко, как серпантин кожуры антоновского яблока, и рассыпáлся в воздухе светлыми кольцами. Ушам становилось щекотно. Хотелось слушать этот вкусный рассыпчатый смех долго-долго и видеть белые, безупречно белые зубы Любы в окаемке малиновых губ.

Василий Игнатьевич догадался, что она здесь одна, что среди Денисовых гостей нет ее друга. Забыв о своем обычае никого не осуждать, мысленно отругал за неосмотрительность беспечного Любиного мужа. Уж Василий Игнатьевич не отпускал бы такую красивую женщину, пусть даже с ребенком, одну на рыбалки, где мужчины рассказывают похабные анекдоты, матерятся и... женщинам вообще на рыбалке не место.

Тихо шурша галькой, текли ленивые по безветрию воды. Рябь солнца раскинулась по реке как сусальная сеть. Разомлевшие от сытной еды и пивка, рыбаки, позевывая, расселись с удочками в нишах обрыва, живописно укрытых тенистыми сводами ивовой листвы. Денис повез Аделю и утомленных детей в дом под ее присмотр. Катя прикорнула с журналом в шезлонге.

– Василий Игнатьевич, вы куда на лодке? – подошла Люба.

— Рыбачить.

Он в замешательстве повернулся к ней спиной, сталкивая в мелководье старую плоскодонку.

— А мне с вами можно? Возьмите, пожалуйста!

Василий Игнатьевич молча посторонился, пропуская женщину к распору переднего сиденья. Мелькнула мысль о том, что гости всякое могут подумать... Мелькнула и погасла: по годам Люба годилась ему в дочери. Она перевела признательный взгляд с Василия Игнатьевича на противоположный берег реки, в глазах вперемешку с волнами плыли полосы зелени и песка. Маленький ковчег с единственной парой на борту заскользил по разлитому солнцу.

— Много в этой реке рыбы?

— Когда как.

— Большая рыба попадается?

— Бывает.

— Щуки?

— Ага.

— А таймени есть?

— Заплывают, говорят.

— Правда, будто таймени едят утопленников?

— Ну, при жизни утопленники тоже едят тайменей...

Смешной разговор. Смешная женщина. Как мальчишка.

Река расстилалась перед ними радушной дорогой. Манила к утесу, четко вырезанному на фоне неверного голубовато-розового горизонта, где сверкала излучиной сужающегося рукава, теряясь за его отвесной стеной. По берегам в дырчатых тенях ив и ольхи, в зарослях боярышника, отягченного гроздьями бледно-зеленых ягод, вспыхивали и затухали огни ослепительного предвечернего света. Речное эхо усиливало воркующее клокотание дикого голубя, певшего в ближней роще. А может, то бурлила ключевая вена в горле стрежня, вскрытого острым гребнем в середине реки.

Василий Игнатьевич направил плоскодонку к дремлющей заводи, обойденной быстриной. Лодка вскоре неподвижно застыла в обманчиво тихой воде, зависнув над черными щучьими омутами. Сонная тишина прерывалась игривыми всплесками плотвы, шепотом листьев и дзиньканьем капель, срывающихся с весла. Золотые стрекозы садились на плечи и руки Любы.

– Странная у вас леска, – негромко сказала она.

– Из конского волоса.

– Сами плели?

Василий Игнатьевич кивнул.

– Блесна тоже самодельная?

Он не успел ответить, что выточил блесну из дедовского медного самовара, – дернуло леску, да как мощно! Крепко зажав ее зубами, Василий Игнатьевич раскрутил остаток.

Затон разволновался, кругом взбурлила брызжущая вода. Полосатая хищница, соблазненная сиянием блесны, потащила лодку прочь из спокойной гавани, но не добралась до бегучего течения и резко, отчаянно, на разрыв плоти, метнулась в глубину. Лодка накренилась к вихрящейся спиралью воронке и почти развернулась по кругу. Тотчас водные всполохи и прыжки суденышка на гребнях показали, что рыбина вынырнула. Люба намертво вцепилась в борта.

Руки Василия Игнатьевича понемногу перехватывали, подтягивали струну прочной снасти. Освобожденная нить жесткими витками опускалась к ногам. Натянутая леска все сильнее моталась из стороны в сторону. Из вздутых прозрачных борозд в опасной близости от лодки вымахнул расширенный в натуге зубец хвоста. Холодный фонтан взбитой волны окатил плоскодонку. Василий Игнатьевич хладнокровно намотал леску на левый кулак и, едва в бурунах вздыбился встопорщенный плавник, ударил ребром весла. Лодка качнулась особенно угрожающе. Брызги тучей взлетели у борта и со стеклянным дребезгом застучали по днищу. Кажется, чудом не опрокинулась дощатая посудинка. Василию Игнатьевичу удалось заволочь в нее рыбу. Его спутница этого не видела, зажмурилась раньше. Заткнула бы и уши, чтобы не слышать водяного шума и хряскающих черепных звуков, если б могла отодрать пальцы от дерева бортов.

Болтанка кончилась. Вода зажурчала мирно, без шлепков и всплесков. Из лесу снова донеслось пение птиц. В ноздри вползал плотный, вязкий запах рыбы. Люба открыла глаза и поспешила подобрать колени: у ног ее, обмазывая липкой слизью доски, трепетал темный хвост величиной со сдвоенные ладони. Огромная щука, темно-зеленая с белым подбрюшьем, дергалась в последних судорогах, разлегшись в лодке во всю длину.

...Потом они плыли по прибережью. Медленно плыли домой. Вычерпывая воду с днища железной банкой, все еще возбужденный риском, Василий Игнатьевич смотрел на фигуру женщины, сидящей вполоборота к носу. Смотрел и думал, что никогда не ходил на рыбалку с Аделей. На охоту тем паче, а как, оказывается, хорошо вдвоем. Хорошо, несмотря на женскую пассивность и досадную жалость к трофеям. Ну, дело понятное – женщина должна быть сострадательной ко всему живому, потому что она рожает живое. Она любит все живое как мать, даже если болезнь не дала ей стать матерью.

В голову лез навеянный лукавыми мыслями припев: «Люба, Любушка, Любушка-голубушка...» Гребешки волн сверкали на солнце словно тысячи медных блесен. Тысячи женских имен мира сливались в одно. Василию Тихонькому было стыдно до больного смятенья в душе. Он изменял жене в мыслях и в то же время признавался себе, что ему это приятно.

На берегу снова горел костер. Уха из кипящего котелка капала жирной юшкой в огонь, на кукане выгнули хвосты зарумянившиеся окуни и сороги. Увидев добычу лодочников, рыбаки восхищенно взвыли. Денис порылся в бардачке машины, в котором чего только не хранилось, и достал безмен. Рыбища потянула на девять с гаком кило!

Катя защелкала фотоаппаратом, народ забегал вокруг с мобильными телефонами. Василий Игнатьевич отказался позировать в фотосессии.

– Твоя щука, – сказал Любе.

– Ой, спасибо, – глаза женщины засветились благодарностью.

Он посоветовал переложить тушу ветками ольхи, которая выделяет консервирующие ферменты, и закутать во влажные мешки.

– Дома зажаришь с картошкой.

– Запеку! Отец у меня тоже был заядлым рыбаком, мама всегда больших щук пекла по-особому. Успела меня научить...

– В какую духовку вместится такая великанша? – засмеялась Катя.

– Так я частями, мы же с Санькой вдвоем сразу всю не съедим (Санькой звали Любиного сына).

Из обмолвок Василий Игнатьевич понял, что Люба не замужем и родителей у нее уже нет...

И вот ведь до каких бредовых мыслей доводят человека непредсказуемые обороты сознания! Теперь он жалел, что Люба ему не дочь, а Санька не внук. Мимолетно подумалось: будь оно так, счастлива была бы Аделя, любящая детей... Совсем рехнулся от хаоса в мозгах.

Гости уехали поздно. Выйдя проводить их к машинам, Василий Игнатьевич поймал прощальный взгляд Любы и растерянно помахал ей рукой. Никакого опыта в определении женских взглядов у Тихонького не было, но он вдруг понял: Люба смотрела на него не как дочь, скучающая по отцу. Она смотрела глазами женщины, которой мужчина нравится по-другому.

В рассеянном свете дворового фонаря мельтешили белесые ночные мотыльки. Аделя утлой лодочкой двигалась в ярком квадрате кухонного окна, не задернутого занавесками. Василий Игнатьевич долго курил у калитки. Чувствует ли жена, что с ним творится? Когда он махнул Любе рукой, на него накатило мучительное желание броситься к ней, забрать из ее рук спящего ребенка. Унести в дом, увести, согреть заботой обоих...

Василий Игнатьевич перестал понимать себя, весь переполненный эмоциями и предвестиями отчасти смутно тревожными, отчасти радостными. Хотелось невозможного – рассказать об этом жене. Зайдя домой, опустился на лавку у двери, не в силах поднять на Аделю глаза. Она сама подошла, села рядом и прижалась к плечу.

– Человек не может разделиться пополам, Вася, – проговорила тихо, и он замер, не зная, что сделать и что сказать.

Приятели Дениса стали часто наведываться на рыбалку летом и охотиться по осени. Василий Игнатьевич ездил с ними на озера. Учил Володьку стрелять из старой тозовки по мишеням, рисованным мелом на пнях. Катя с Аделей пекли оригинальное печенье на огуречном рассоле, варили джемы из садовой черной смородины...

Люба с сыном больше не показывались. Василий Игнатьевич не спрашивал почему. Совсем о ней не спрашивал.

Проходил как-то раз мимо магазина, и сердце внезапно зашлось – громкий мужской голос позвал:

– Люба!

Раненный этим окликом как выстрелом, Тихонький расслабленно прислонился к забору. Из магазинных дверей вышла дородная женщина, взглянула с неприязнью – чего, дескать, уставился? Мощно покачивая формами и сумками, поплыла за угол к поджидавшему ее мужчине.

Именем обознался, подосадовал на себя Василий Игнатьевич. Седина в голову, а бес...

Оттолкнувшись от слова «седина», вспомнил вчерашний урок второкласснику Володьке по чистке охотничьих снастей: «Это ничего, пацан, что на стволе старого ружья «седина» снаружи и ложа потерлась, это хорошей стрельбе не мешает. Ружье, Володька, как человек – лишь бы внутри не ржавело. Ты глянь на просвет, какая там чистота...»

Перед глазами продолжало колыхаться только что виденное лицо женщины с сумками, показавшееся пустым, как луна. Ни глаз, ни носа, сплошные щеки. И уже от «щек» мысли побежали по стороннему кругу: щекастая Зоя Савушкина, вернее Ванштейн-Ферштейн, вернулась в село – ее лыжник чересчур увлекся тренировками молодых спортсменок. Отписав квартиру семейной дочери, Зоя обосновалась в отчем доме по соседству с Клавой Иванцовой (Савушкиной). В прошлом году невестка овдовела, взрослые дети разъехались, и старые подруги снова сделались неразлучными.

О Зоиных новостях Василий Игнатьевич от Клавдии и узнал. Встретились нечаянно на улице лицом к лицу, разговорились, ведь и здороваться начали давно. Клавдия поинтересовалась самочувствием Адели. Вздохнула: «Чего нам теперь-то злиться, Вася, жизнь почти прожита. Я вот одна осталась...»

К чему сказала, Василий Игнатьевич не понял. Нисколько не злился на нее ни в молодости, ни теперь, а что Клава злобу до сих пор таила, было ему прекрасно известно. Ребята-механизаторы, с которыми работал, передавали слышанные от жен сплетни, пущенные с легкой руки Клавдии Савушкиной. Ну как передавали — с шуткой, добродушно посмеиваясь над ребяческими промахами Тихонького. Он только удивлялся, откуда умудрялась Клавдия добывать о нем негласные сведения. О случае, например, с наперсточниками, обчистившими незадачливого игрока благодаря его же безрассудству. Никому вроде бы не сболтнул, и Аделя не любительница молоть языком. Тем более о домашних недоразумениях...

При встрече с Клавдией Василия Игнатьевича неприятно задело чувство превосходства на ее румяном лице, что так не вязалось с участливым вопросом об Аделином здоровье. Знакомо изогнув каштановую бровь, женщина кокетливо склонила голову к тугому плечу, обтянутому пестрым шелком. Всем своим видом продемонстрировала, какая она еще крепкотелая и полнокровная, хотя «жизнь почти прожита». Откровенно любовалась собой — и Василию Игнатьевичу предлагала полюбоваться. Он сумел дружески улыбнуться, подавив в горле неожиданный рвотный спазм, вызванный обещанием шоколадного рая в глазах бывшей невесты.

...А скоро появилась у Клавдии с Зоей новая возможность поточить лясы о неурядицах в сильно прореженном семействе.

«Слыхали, что Денис Тихонький открыл сувенирный магазин в торговом центре? Нет, продуктовый не продал, Танька сынку помогла. Помните Таньку Тихонькую? Это та, которая была комсоргом школы, а в десятом всех опозорила – родила неизвестно от кого. Да, Дениса и родила. Сейчас деловая, заправляют с дочерью каким-то большим бизнесом в Питере. А Денис, как крутым себя возомнил, жену бросил и завел полюбовницу. Старую квартиру оставил старой жене с ребенком, сам с девкой в новой... Девка-то? Ясно море – шалава. Вот-вот, и я говорю: неподходящая у Тихоньких фамилия. Прав был дед Володар – малахольные они по материнской родне. Василий-то Игнатьевич что учудил, знаете? Не знаете?! Уволился по собственному! Целых два года еще мантулить до пенсии – и нате вам. Тут всю деревню от безработицы лихорадит, а он думает, что запросто устроится когда захочет. Из-за Аделины с работы ушел. Доктора обнаружили у нее онкологию. Бедняжка вся с детства больная... Жалко, вдруг не выдержит операцию? Если не выдержит, Василию Игнатьевичу туго придется без работы. Хозяйства никакого, помощи от родных не примет – гордый. На что будет жить? Аделина-то хоть пенсию по инвалидности какую-никакую получала... то есть получает...»

Все было, к несчастью, правдой. Девушку Дениса Тихонькие еще не видели, и Катю с Володькой не видели с весны. Аделя начала недомогать летом, может, раньше, но, по обыкновению, не жаловалась. Убирая однажды лишние побеги с огурцов, согнулась, словно живот прохватило. Василий Игнатьевич как-то сразу заподозрил неладное. Отослал жену домой и в беспокойных думах срезал с «пасынками» большую часть кустов. Сочные плети долго валялись в проходе теплицы, хрустя под ногами...

К зиме подозрение подтвердилось. Василий Игнатьевич взял отпуск без содержания, чтобы ездить в больницу к жене без проволочек. Поразмыслив, вовсе оставил работу, ведь после выписки за Аделей понадобится уход. А врачи все тянули с операцией. То одни анализы, то другие, на вопросы отвечали односложно: скоро... немного терпения... ждем результатов.

Василий Игнатьевич недоумевал: каких результатов? Разве при такой хвори чего-то ждут? Томясь неизвестностью, слонялся в опустевшем доме без дела, бездумно пялился в телевизор. Брился у шкафного зеркала, с отвращением разглядывая в нем широкоплечего, дюжего мужика, не властного поделиться со слабой женщиной даже малой частицей здоровья. Потом стоял, куря в ночь, у окна. Мрачное лицо ночи было его, Василия Тихонького, лицом. Ночь дымила папиросы одну за другой и, рыча от безысходности, крыла вслух матом злую судьбу Адели:

– У тебя, сука, совесть есть? Ты что с моей женой сотворила?! Ты мало ее всю жизнь мучила, едрит твою?!

Судьба словно нарочно позволила страшной твари распустить щупальца метастаз в том сокровенном месте, где не дала Аделе выносить дитя.

Муж – не кто-то чужой со стороны, а муж! – имел право судить суку-судьбу. Имел законное право, но вот кулаком по оконной раме саданул со всей дури совершенно напрасно.

Каждый раз перед больничной палатой Василий Игнатьевич «репетировал» лицо, а входил – и сердце стискивало холодом.

Чудилось, что жена тает, что внутренний монстр успел сожрать новую порцию ее тщедушного тела. Аделя улыбалась, пыталась шутить, но слова произносила с трудом. Прощаясь до следующего посещения, Василий Игнатьевич с бодрым спокойствием кивал ей из последних лицедейских сил.

Женщина оказалась лучшей актрисой, чем он.

Тихонький ехал домой на автобусе и видел улыбку жены в штрихах заката, начерканных между кронами елей. Нехороший получился с Аделей разговор.

– Плохо, что ты уволился, – упрекнула Аделя.

– Ничего, восстановлюсь. Вот поправишься, и потолкуем.

Она неопределенно усмехнулась:

– Я просилась домой, Вася. Врачи считают, что я не выдержу транспортировки. Серьги в комоде возьмешь, в верхнем ящике лежат. В коробочке.

– Которые мама на свадьбу подарила?.. – Он решил, что Аделя бредит.

– Да. Продашь.

– Зачем?

Она помолчала, отдыхая.

– Деньги же будут нужны, – в хрипловатом голосе мелькнула странная, как будто жалостливая нотка.

– Зачем? – повторил Василий Игнатьевич беспомощно.

– Один не оставайся. Холодно одному.

– Куплю обогреватель, – буркнул он. Обескураженный этим неловким подобием шутки, суетливо подоткнул свесившееся одеяло. – По нашей улице газ собираются вести...

Жена улыбнулась, смежив веки:

– Хорошо.

– ...так что на будущий год нам будет тепло и без печки.

– Поздно, Вася. Иди.

У двери он оглянулся.

Аделя больше обычного напомнила ему птенца. Темная обводка вокруг глаз углубилась, нос заострился как клювик, и лишь половинчатая улыбка была ее, Адели, хотя вместо ямочки на левой щеке утвердилась продолговатая тень.

В окне автобуса мимо Василия Игнатьевича катился темнеющий мир. Скрылся околыш заката, туман окутал робко мигнувшие звезды. Наливаясь мраком, хозяйски окрепли зимние сумерки. Мир сужался и гас, истончалась кривенькая, ущербная подковка месяца, пока не исчезла совсем.

Звонок телефона раздался, когда Василий Игнатьевич зашел в дом. Он уже знал, что услышит. Давеча жена сказала «поздно» не о времени дня. Она сказала об операции.

...Не зря упрекнула Аделя: на рабочее место нашелся другой тракторист. Василий Игнатьевич скучал по привычному труду, по товарищам и тосковал по жене. Стал почему-то мерзнуть ночью под двумя одеялами и, чего с детства не бывало, простыл. Всерьез начал подумывать о покупке обогревателя, но поскупился: еще сороковины справлять.

Денис приехал на поминки с полным багажником продовольствия и сунул в карман Василию Игнатьевичу пачку денег. На конфузливые попытки отказа ответил:

– Подвернется работа – понемногу вернешь. А пока, дядь Вась, просьба у меня к тебе: попросили найти вязальщика сетей. Сумеешь смастачить бредень вроде старого дедовского?

– Из конского волоса? – удивился Василий Игнатьевич. – Попробую, если волос достанешь. Может, не забыл дедушкину науку... Но ведь продаются всякие сети по новым технологиям. Да и рыбнадзор запрещает бреднями воду цедить.

– Заказчик – коллекционер, на стенку бредень повесит, – успокоил племянник. – А вздумает порыбачить – лицензию возьмет.

Жесткий, резучий на ощупь волос ссучивался в четверную нить трудно, натирал и жег ладони до ссадин. Размер ячеек Василий Игнатьевич измерял по старинке «перстами»: двуперстная ячея в мотне, крупнее в крыльях. Пальцы неловкие, заскорузлые, еле приспособился связывать узелки Аделиным крючком для плетения кружев.

Понемногу с умением пришла скорость, множились узелки тончайшей ажурной решетки. Василий Игнатьевич как-то незаметно даже запел от радости. Пел почти все время, пока работал над сетью, изредка поглядывая на бормочущий что-то телевизор. Ряд к ряду росла темно-дымчатая сеть. Выглядела не хуже капроновой и качеством была, пожалуй, не хуже. На верхнюю тетиву Василий Игнатьевич нанизал скатанные в трубочки берестяные поплавки, по низу пустил свинцовые грузила. Под мотней кучно, чтобы тяжелая снасть волоклась по дну с силой гусеничного трактора.

К весне готов был девятнадцатиметровый бреденек высотой два метра.

Загадочный покупатель отвалил через Дениса за работу так щедро, что Василий Игнатьевич застеснялся взять.

– Дядь Вась, ты что! – воскликнул Денис, любуясь мягко струящимся в пальцах сетным полотном. – Это же супер и эксклюзив, этим бреднем только и делать, что перед иностранцами хвастаться!

Убедил. Василий Игнатьевич отдал племяннику долг и запасся патронами на несколько лет вперед.

Весна – первая без Адели – пришла бурная, яркая, леса зазвенели от птичьих голосов. Отметились над деревней стрелы гусей, затем потянулись длинными нитями лебеди, и наконец прилетели утки с куликами. Драчливые, шумные, с гомоном, кряканьем, свистом затеяли в водоемах галдящие базары.

Денис с друзьями, конечно, не пропустили весеннюю охоту. Василий Игнатьевич бродил с ними по водным угодьям весь короткий дозволенный срок. Приятели богато добыли чирков, шилохвостей и крякв, хвалились друг перед другом величиной селезней.

Никто не ожидал, что не повезет только самому опытному охотнику. Наставнику, можно сказать. Мазал и мазал старший Тихонький из своего «ижонка» – ни одного попадания. От расстройства даже перепил водки с удачливыми гостями к вечеру последнего дня.

Зрение у Василия Игнатьевича для его возраста было хорошим, очками на плюс полтора пользовался, только когда вязал сети. Легкая дальнозоркость не мешала в прицеле. Осмотрел ружье. Всегда считал счастливой на добычу верную двустволку шестнадцатого калибра, ухаживал за ней по правилам.

Повернул стволы на свет по оси: на внутренних каналах ни царапинки. В чем дело? Может, все же провериться у окулиста? Взял с полки Адели книжку, полистал, чуть отставив: грех жаловаться. Глаза бежали по шрифту бойко, без запинок. Утешил себя – ладно, чего там, бывает «непруха», как Денис сказал... да и суп не наваристый из птицы, исхудалой от перелета... Осенью жирных набью.

В День поминовения Василий Игнатьевич прихватил оставшийся от гостей кусок пиццы, полбутылки красного и пошел на погост проведать своих. Долго сидел на лавочке возле могилы жены. Светлая Аделя смотрела на мужа сквозь стекло фотографии нежно, кротко – сущий птенец...

Василий Игнатьевич не был особо суеверным, но тут в мысли торкнулось: не ты ли, жена, мужнину руку в выстрелах отводила, жалея еще не выведенных птенцов?! Неверующий, перекрестился, вытер кепкой выступивший на висках пот. Вот же ерунда какая в башку стукнула, прости Господи... Аделя, прости.

Удрученный запоздалым сожалением, что за всю такую хорошую жизнь с женой не сказал ей, как сильно он ее любит... любил, Василий Игнатьевич незаметно доел пиццу и прикончил вино. Шел домой опустив голову. Рассеянным кивком отвечал на приветствия и едва не столкнулся на тропинке лоб в лоб с шагающей навстречу женщиной. Поднял глаза – незнакомая, в приличных годах. Пухлые щеки женщины помогли вспомнить – ба, Зоя Савушкина! Она же Ферште... Ванштейн.

– О-о, Василий! – обрадовалась Зоя. – А я-то издалека увидела бравого молодца и думаю: на Тихонького похож. Но Тихонький, думаю, давно не молодой, неужели так хорошо сохранился? Оказывается, точно – ты! Времени сколько пролетело... Теперь, гляжу, постарел на лицо, но для своих лет ты просто красавец! Не соврала Клава.

Говорливая Зоя захихикала, прикрыв рот, тронутый помадой, с щербинкой в передних зубах.

Обойти женщину молча было неудобно. Потоптавшись, Василий Игнатьевич ляпнул:

– А я тебя сперва не узнал, – и неловко попытался загладить оплошность: – Ты тоже... хорошо выглядишь.

Зоя зашевелила ноздрями:

– На могилках был?

– Ага, – задышал он в сторону.

– И я маму навестила, – пригорюнилась Зоя. – Сейчас к брату иду, он в другой стороне похоронен. Клава туда пошла.

– А-а.

Вот и весь разговор. А вечером Зоя с Клавдией заявились вдруг к Василию Игнатьевичу – поддатые, с бутылкой «Путинки» и пакетом пирожков.

– Мы подумали, ты тут один-одинешенек поминаешь, и мы одни, – встала у порога Зоя. – Решили к тебе в гости нагрянуть. Не прогонишь?

Набрав в грудь воздуху, он выдохнул:

– Заходите.

Не прогонять же, в самом деле.

А посидели душевно. Ни слова о прошлой обиде, о молодых выкрутасах Василия Игнатьевича. Гостьи с теплом вспоминали о родителях и школьных учителях. Зоя вытирала платочком раскрасневшиеся щеки, Клавдия очень искренне поплакала о муже. Рассказала, какой покладистый и работящий он был у нее человек. Выпили на помин Адели.

Василию Игнатьевичу понравилось, что оделись женщины, прилично случаю, в темные кофты и юбки, и давно не ел он таких вкусных мясных пирожков. Только коробило обращение к нему Клавдии «Вася, Вася» вместо давно привычного полного имени. Пусть когда-то собирались пожениться и целовались бессчетное количество раз, все равно не должна была она так интимно его называть. Был Вася, да сплыл...

В конце застолья недобро царапнула фраза «Бедновато, Вася, живешь». Он сделал вид, будто не расслышал, и уловил рыскнувший по комнате взгляд бывшей подруги. Размягченные водкой, разнеженные воспоминаниями, глаза ее стали жесткими, задержавшись на не убранных с комода Аделиных безделушках. Василий Игнатьевич быстро отвернулся, чтобы ненароком не прочесть в этих глазах что-нибудь совсем неприятное. После ухода нежданных гостий перебрал собственные слова в разговоре. Не брякнул ли чего лишнего? Ведь опять полетит какая-нибудь молва по деревне... И отругал себя за дурные думы о женщинах, пришедших к нему с хорошим расположением. Кто он такой, чтоб их осуждать? Пожалел обеих: одна – вдова, вторая – соломенная. Подточила судьба Клавдию с Зоей...

Покуривая на улице, присмотрелся к сложенным у крыльца доскам: завтра надо выстругать раму для кухонного окна. С тех пор как разбил раму, матеря злую судьбу жены, окно было заделано обрезками бруса.

В начале июня, когда Василий Игнатьевич копошился в теплице с огуречной рассадой, Клавдия принесла молоко в крынке и горячие пироги – капустный и куриный. Сунула любопытный нос в открытый курятник. Цокнула языком: жена бы тебя, Вася, не похвалила, что поел за зиму кур. Сказала, будто испекли пироги с Зоей специально для него – угостить свеженьким по старой дружбе.

Ну, спасибо... Василий Игнатьевич не хотел возобновлять «старую дружбу» и угощаться их пирогами не хотел. Но не станешь ведь отказываться и поворачивать женщину вспять. Не с праздными руками ушла, «отдарился» ведерком карасей.

В залив на протоке Василий Игнатьевич больше не ездил, перестал ловить на блесну. Ставил в озерах небольшую карасевую сеть – много ли одному надо.

Весло, случалось, цепляло утопленные браконьерские ряжи. Среди драных, вросших в тину, давно забытых кем-то попалась даже дорогая, уже никчемная финская трехстенка. Мелкая рыбешка сгнила, растворилась в воде, сильная рыба порвала ячеи с огромным, должно быть, мучением. И ушла...

Вытаскивая чужую испорченную снасть на берег, Василий Игнатьевич думал, что мальчишек надо растить в деревне. Пусть бы видели, как взрослеет вместе с ними все живое и как больно живому, если безотчетно, бессмысленно его губить. Горестно думал о людях, перепоясавших озеро тройным заслоном. Затруднили свободу водяным жителям, а снимали или не снимали улов – непонятно. Достать же сети вовсе поленились. Или побрезговали – в жаркий день запутавшаяся в ячеях рыба быстро тухнет. Таким богачам легче другие сети купить... Нехорошо это было, будто излишек денег дал людям право брать добычу даже не из жадности, а просто из удали. Будто они преступили черту, за которой человек ставит голый азарт превыше всего. И убивает сверх меры ради одного только удовольствия убивать...

Рыбой Василий Игнатьевич пробавлялся летом, к зиме надумал запастись утиным мясом, спустив тушки в погреб. Начнется охота, наставник покажет молодым класс настоящей стрельбы. «Учите матчасть», – как говорит Денис... Для них охота – развлечение, а старшие Тихонькие уважали охоту в первую очередь как промысел в подспорье к столу.

В ближнем леске Василий Игнатьевич испытал меткость ружья и зоркость глаз. По шишкам попадал с ходу, без промахов. Спуск на горизонталке был по-прежнему послушным, ничего не заедало, и резкость отличная, и кучность. Сбегал за отцовской тозовкой, в стволах которой виднелись мелкие, проеденные службой и временем каверны. Но и тозовка, с детства родная, оживающее в стрельбе человеческое продолжение, не подвела.

Торопя время к осенней страде, Василий Игнатьевич возился с огородом: на овощах и дичи можно жить без особых затрат. Рыбачил, наблюдая издали в бинокль за косяками линяющих селезней и ростом утят. Птичья стража замечала человека быстро, озера бурлили водоворотами – потревоженные стаи ныряли скопом. Василий Игнатьевич усмехался: погодите бояться, жируйте спокойно. Я вам пока не опасен. Вот придет осень – тогда бойтесь...

К августу подлетки стали на крыло, стаи начали делать пробные перелеты с одного водоема в другой. Ночи потемнели и вызвездились. Месяц плавал в похолодевшей воде как ручка, обломанная с золотого ковша. Две с половиной недели осталось до начала миграции птиц.

В нетерпеливом предвкушении охоты Тихонький несколько раз посетил на зорьке ближнее озерцо. Без ружья, чтобы не соблазняться.

Туман поднимался над водой вначале синими, затем белесыми и серебристыми клубами. Громко билось сердце Василия Игнатьевича, а чуткие утки не слышали. Они словно не замечали легких шевелений бездействующей фигуры либо считали ее корягой, застрявшей после весеннего паводка в зарослях тростника. В лучах занимающегося рассвета зеленые головы крякв отдавали фиолетовыми переливами...

Денис с ребятами прибыли к вечеру в день открытия сезона. Охотники повесили на гвозди в кухне ружья в чехлах, распаковали коробки с пластиковыми чучелами. Имитация перьев и окраса на них была выше похвал, птицы казались живыми. Василий Игнатьевич в который раз подумал, что надо бы как-нибудь купить такие чучела, а то его резиновые уточки потемнели и стали похожи на плавающие в озере сапоги.

К огурцам и пучкам зеленого лука на столе присоединились батоны хлеба, шмат сала, колбаса, бутылка... В дверь кто-то постучал. Василий Игнатьевич сказал «да», удивляясь, кого это принесло. Зашла женщина в накинутой на плечи цветастой шали. С крынкой молока и пакетом, из которого по дому тотчас разнесся аромат свежей сдобы.

– Добрый день вам! – радостно застрекотала Клавдия. – А я как увидела в окно на дороге городскую машину – у нас-то таких нет, сразу поняла, что это вы, Денис, на охоту с друзьями приехали! Шанежки у меня как раз поспели. Дай-ка, думаю, снесу к чаю шанежек по-соседски!

Племянник весело спрашивал у внезапной визитерши о знакомых, с которыми играл пацаном.

О жизни ее самой, детей и внуков. Гости разбрелись по дому, чтобы не мешать разговору. Василий Игнатьевич помалкивал, сидя у окна.

– Давайте вместе и почаевничаем, – пригласил Клавдию Денис.

Она скользнула подкрашенным глазом по бутылке водки на столе:

– Ой, спасибо! Спасибо, но не могу – корова моя еще не доена, – и, кивнув Василию Игнатьевичу, убежала.

– Наша мама пришла, молочка принесла, – проблеял Денис, дурачась. – Знаю, знаю твой грешок, дядь Вась! Это же та невеста, которую ты прямо перед свадьбой кинул? Мужа ее, дядю Петю Савушкина, помню. Помер, оказывается, я и не знал. Стала захаживать «по-соседски»?

Василий Игнатьевич покраснел: Клавдия жила в начале раскинутой почти на все село улицы, где стояла автобусная остановка, он почти в конце.

– Может, пора исправить положение, а, дядь Вась? – прищурился племянник.

– Какое положение?

– Общее, вдовье.

Василий Игнатьевич молчал, и Денис пощелкал пальцами перед его носом:

– Але, гараж! Дядь Вась, ты что, уснул?

– Нет.

Шутливо отпрянув, Денис замахал руками:

– Не смотри на меня как волк на лису! Я же не говорю – сейчас женись! Позже, когда-нибудь зимой... весной... Не все же бобылем ходить, а она к тебе неровно дышит, сразу видно. Хорошая женщина тетя Клава, и хозяйство у нее хорошее...

– Больше мне о ней не говори.

– Дядь Вась, ну что ты сердишься, я же тебе добра хочу!

– Не надо мне ее добра. – Василий Игнатьевич сгреб со стола пачку папирос, спички и ступил за порог, кое-как совладав с желанием хлопнуть ни в чем не повинной дверью.

Под утро, сидя перед большим озером с ружьем на изготовку, Василий Игнатьевич думал над словами племянника: «...она к тебе неровно дышит...» Вот уж напасть! Как сказать женщине – не приходи, ты мне не нравишься? Как сказать, что в слабой, увечной Аделе была сила, которой у Клавдии не было, нет и не будет? Светлая сила жены делала жизнь Василия Игнатьевича ярче в каждой минуте рядом с ней, поэтому вкус простой пресной лепешки, испеченной руками Адели, вспоминается ему желаннее шанежек и пирогов...

Чу! В зудящей гнусом тишине послышалось зазывное кряканье манка. Василий Игнатьевич подобрался и мгновенно забыл обо всем, кроме охоты. Птицы нерешительно кружили в небе, раскрыв палевые с исподу крылья. Начали спускаться... спустились! Ружье бесшумно вздернулось, раздался выстрел... Чужой. Василий Игнатьевич увидел дымок из дула, высунутого в камышах с правой стороны озера, и двух крякв, качающихся в воде белыми брюшками вверх.

Оставив счастливца доставать птиц, опоздавший охотник тронулся дальше, на россыпь мелких озер.

Еле заметная влажная тропка вилась между кочками мари. Подошвы сапог выдавливали во мху водянистые вмятины, и упругий зеленый ворс восстанавливался за спиной. Тихонькому были известны здесь все тропы, все броды и омуты в речках, всякое озеро, всякий ручей. Если к друзьям Дениса охотничий азарт пришел в зрелости, то Василий Игнатьевич начал промышлять в родных местах, будучи желторотым огольцом. Теперь же он чувствовал себя так, словно земля, знакомая до каждого бочажка и пня у тропы, увидела в нем какое-то отклонение. Какую-то червоточину, несовместимую с правдой рода охотников и рыбаков. Мысли возвращались к Аделе, к ее светлому лицу у калитки, когда он уходил в лес надолго. Уходил с легким сердцем, храня в памяти ее улыбку. Теперь Василия Игнатьевича никто не провожал, и пустота у калитки казалась ему потерей благословения на добытчицкую фортуну.

Вытянувшиеся бок о бок пять мочажин, где совсем недавно паслись утиные выводки и пугливые в линьке селезни выставляли пикеты стражей, были необитаемы. Василий Игнатьевич обошел кругами дремучие озерца, запустил чучелок в одно из средних. Через час томительного ожидания показалась стайка серых уток. Пролетела мимо. Не обратила внимания на невзрачных чужаков и гостеприимные призывы манка.

К большому озеру Василий Игнатьевич вернулся в полдень, но к костру не пошел, как ни кликали. Только рукой махнул: сами обедайте, я не хочу...

Лишь раз птицы сели достаточно близко. Охотник по-пластунски подполз к краю берега, прицелился, плавно надавил на спуск... Промах. Не может быть – промах! Утки поднялись все до одной. Не таясь, Василий Игнатьевич встал в полный рост и выстрелил по летящим, уже почему-то зная, что вхолостую. Не могло быть так, но было: снова не повезло наследному промысловику.

Перед домашним ужином, оглядывая сложенные на крыльце трофеи, удрученный чуть не до слез, Василий Игнатьевич заметил куличков в куче уток. Тонконогую мелочь он обычно не стрелял, мясца в малой дичи с ладонь. А тут решил – утром попробую, хоть посмотрю, смогу ли попасть.

Денис наварил утиного жаркого с картошкой. Подал дядьке как хозяину самую большую грудку, одетую желтой от жира кожицей.

Не заслужил, уныло подумал Василий Игнатьевич. Водку пить не стал. С неудовольствием посматривал на племянника – тот хлопал одну рюмку за другой не глядя и скоро принялся травить анекдоты. Вот чего не любил в нем старший родственник, так это неуемного суесловия, срамящего фамилию.

– Встречаются на охоте два крокодила. Первый хвалится, что трех негров съел. Спрашивает: «А ты?» Тот говорит: «Одного русского». – «Врешь! Ну-ка дыхни!»

Денис хохотал вместе с остальными, будто не сам рассказывал. Виртуозно умудрялся совмещать балагурство и выпивку с щелканьем семечек. Несколько пачек «Белочки» привез с собой, надеясь покончить с курением, весь пол в кухне заплевал шелухой.

– Не наворожи «белочку», оставь пойло на завтра, – пошутил кто-то.

– Оставлю вам, не боись. Мне-то завтра машину вести, – напомнил Денис.

Значит, завтра к вечеру домой уедут, с виноватым облегчением понял Василий Игнатьевич. Работают люди, освободятся только в пятницу, к субботнему бдению в озерных засадах.

Схватив за руку, племянник не дал подняться вслед за гостями, вышедшими на улицу покурить:

– Подожди, разговор есть... Что, дядь Вась, опять, как весной, не получается у тебя с дичью?

– Ну. И что?

– Не думал почему? Может, зрение забарахлило?

– Нормальное у меня зрение.

– Ружье?

– Оба ружья на мишенях проверял. Тоже все хорошо.

– Тогда почему?

– Заладил – почему, почему! – рассердился Василий Игнатьевич. – Причин не ищи! Во мне самом причина, какой-то заряд в организме, видать, пропал.

– Слушай, дядь Вась, – замялся Денис, – я, кажется, догадываюсь, в чем тут дело. Ты... это... не старик же... Балуешь его хоть иногда?

– Некогда, ни до чего руки не доходят, – пробормотал Василий Игнатьевич и страшно смутился, когда сообразил что сказал. Обормот так и грохнул. Отсмеявшись, вытер рукавом слезы:

– Дядь Вась, ты знаешь, что такое «Виагра»?

– Знаю, в телевизоре видел, – буркнул тот.

Племянник уточнил:

– Я не об ансамбле «ВИА Гра» говорю. Я о средстве...

– Знаю! – закричал Василий Игнатьевич, встал и вышел. Он эту рекламу с клипом, где бравенькие старички сально подмигивали, кладя на язык голубые таблетки, терпеть не мог.

На следующий день промахи продолжились. Как ни маскировался в тростниках, как ни подкрадывался – стаи вспархивали и насмешливо, безмятежно летели под зряшным боем. С необычным волнением ловил Василий Игнатьевич на мушку бекасов, даже чибисов держал на прицеле в лугах, но рука останавливалась, так и не нажав на спусковой крючок.

Отовсюду слышались далекие и близкие выстрелы. Кому-то фартило... Пронеслась мысль о Клавдии... не она ли сглазила? В досаде от дрянной мысли стукнул палкой об угли костра. Пепел – тучей, еле откашлялся.

– Мне доли не надо, – сказал Василий Игнатьевич, когда охотники по неписаным правилам делили к отъезду трофеи по числу добытчиков. – Человек я вольный, времени полно, успею набить.

– Дядь Вась, ты серьезно о нашем разговоре подумай, – шепнул Денис. – Нет-нет, я не о тете Клаве! Я о «Виагре». Конкретное снадобье, чес-слово, сам знаю. Так взбодрит, что все утки будут твои, – и хохотнул: – К женщинам тоже, вот увидишь, охота придет!

...Уехали. Василий Игнатьевич подождал три часа, пока ребята добирались до города. Суеверие, конечно, но чем черт не шутит – только тогда вымел из дому налузганную племянником шелуху.

Промчалась половина бесплодной недели. Тропы и ноги исхожены, начала побаливать поясница. Разогнув утром спину на старом Денискином турнике, Василий Игнатьевич упрямо шагал к озерам. Между множеством необъяснимых промахов взял наконец двух чирков, подстреленных как будто случайно. Пряча глаза, отдал их Клавдии. Женщина радостно предстала вечерком на пороге с традиционной уже крынкой молока и пирожками. Наверное, подумала, что поскупился на крупных уток...

– Прости, Клавдия, ты бы не приходила, – осмелился сказать.

– Почему?

– Люди могут подумать всякое.

– А и пусть думают! – она игриво махнула на него концом шали.

Ну что станешь делать с непонятливой? Василий Игнатьевич устало вздохнул:

– Не готов я к другой жизни, Клавдия.

– Ладно, – посерьезнела женщина, – буду ждать, пока станешь готов.

Забрала чистые крынки и ушла, погладив по небритой щеке.

«Лучше бы ударила и никогда б сюда больше не шастала», – тоскливо подумал Василий Игнатьевич, пугаясь обещания в ее словах. Одновременно радовался, что на неопределенное время удалось отсрочить активные претензии Клавдии к его одиночеству. Посидел в кухне, куря в печь, нашарил в углу за шкафом початую бутылку водки и от расстройства всю выпил.

Ночью спал плохо, мучили обрывочные сны. То приснился африканский охотник с луком и колчаном стрел у набедренной повязки, крикнул: «Ну-ка, дыхни!» То хор ликующих стариков, подмигивая и вертя бедрами, пел песню ансамбля «ВИА Гра»: «Ху-у, биология, анатомия!»

Измаянный похмельем, Василий Игнатьевич выхлебал ковш огуречного рассола из кадушки и побрел-таки на рассвете к большому озеру.

Озеро было на диво безлюдно. Ни местных мужиков в скрадках, ни городских машин поблизости. Наведя бинокль на озерный изгиб за полуостровом, поросшим хилым осинником, Василий Игнатьевич ахнул: недалеко от берега в спокойной, подернутой парком воде плавала стая гусей! Дюжину насчитал... чертову. Отчетливые отражения увеличивали их недоброе число.

А-а, надоели эти глупые суеверия! Насколько мог бесшумно и резво побежал Василий Игнатьевич к гусиному берегу за стеной камыша. Отдышавшись, с великими предосторожностями вполз в заросли. Медленно раздвинул шуршащие стебли.

Красивые, солидные птицы скользили по серой со взблесками глади несуетливо, легко и, при всей раскормленности, изящно. Глаза Василия Игнатьевича залил пот напряжения, а руки, почудилось, занемели, хотя не дрожали. С чего им дрожать? Вчерашняя водка и взвинченные нервы не в счет... Сбить бы половину.

Цель была не просто мишенью. Цель бежала вперед, превращаясь в мечту, будто у охотника-первогодка, ощущалась всем телом, уверенная и увесистая, как полный дичи, оттянувший плечи рюкзак.

Ба-бах-хх!!! Выстрел прогремел длинный, с шипящим отголоском водяного эха.

Слух у Тихонького был острый, под стать зрению, и уловил визжащие, щелкающие звуки рикошета по стволам осинок на другом берегу. Перепуганные гуси захлопали крыльями, загоготали, выгнав на берег волну. Удивленное оплошкой стрелка, эхо держало звуки долго, словно перекатывая их из ладони в ладонь. Стрелок неторопливо поднялся с колен, держа ружье на весу. Стихали голоса гусей, скоро их не стало слышно.

Махнув рукой растаявшему в небе птичьему клину, Василий Игнатьевич вздохнул:

– Счастливого вам пути.

Потом он стоял, ничего не видя, и слепо оглаживал цевье. В стволах по-прежнему ровно горел чистый стальной огонь, надежное ружье не было виновато в человеческом поражении. Странные перемены происходили в самом Василии Игнатьевиче. Не думал он, не гадал, что когда-нибудь закатится его промысловая звезда. А вот, поди ж ты, погасла.

Два дня после неудачи с гусями провалялся он на диване у телевизора. В пятницу сказал прибывшим ребятам – никуда не пойду, поясница болит. Спина действительно разболелась от непривычки долгого лежания.

Денис снова курил, но бросил пить и меньше стал балагурить. Спохватился, уезжая:

– Ах да, дядь Вась, чуть не забыл! Твой бредень так понравился другу заказчика, тоже коллекционеру, что он попросил тебя связать ряж, если сможешь.

– Из волоса?

– Из него.

– Где он их столько берет?

– Кто его знает...

– Опять на стену повесит?

– Да, и заплатит хорошо.

– Мне без разницы, все равно делать нечего. Лишь бы не браконьерствовал...

Тропы в лесу потемнели из-за сыпанувшей по деревьям желтизны. Желтое расцветилось красным с множеством оттенков, а после сильного ливня с ветром лесок за двором сделался прозрачным. Листья плавали в лужах, задрав шейки черенков, как крохотные пестрые уточки. Василий Игнатьевич заквасил бочонок капусты и сел вязать перед телевизором трехстенную сеть: Денис привез огромный мешок конского волоса.

За первым снегопадом на землю начала опускаться зима. Улетели последние, запоздавшие утиные стаи. Снег за окном потерял пушистость и захрустел на тропах. Тропы часто заметал жгучий хиус – режущий по глазам предвестник мороза. Работа над сетным кружевом двигалась споро. Уже в конце ноября Василий Игнатьевич связал путанку и закрепил на нижнем шнуре не свинец, как обычно, а камни в крепкой оплетке. Пусть коллекционный ряж выглядит совсем по старинке.

Денис снова передал от покупателя немыслимую сумму. Прежде чем Василий Игнатьевич вскинулся с отказом от лишних денег, поднял вверх ладонь:

– Тот, кто бредень заказывал, знаешь, что мне сказал? Он сказал – таких умельцев, как ваш дядя, наверное, больше нигде нет. В общем, полный тебе респект. Единственный, сказал, живой вязальщик сохранился, надо беречь его как зеницу ока, потому что сети этого мастера – бесценный в своем роде экспонат. Гордись, дядь Вася, и бери деньги без разговоров.

– Ну... я рад, – смутился Василий Игнатьевич. Не распечатывая, сунул пачку в верхний ящик комода.

– Дров купи машины две, – посоветовал Денис. – Холодина у тебя.

В доме было прохладно, несмотря на утрамбованные завалинки и добросовестно проконопаченные стены. Дрова Василий Игнатьевич берег. Ходили упорные слухи, что за проведение газа придется платить, а еще котел покупать. Трубы, батареи, плиту.

– Сосед собрался отказаться от газа, денег нет. А теперь я сам не беспокоюсь и ему в долг дам. Может, еще кому потребуется одолжить.

– Думаешь, вернут?

– Конечно, – обиделся за соседей Василий Игнатьевич. – Года за полтора-два обязательно вернут.

Конского волоса осталось порядочно.

– На вторую сеть хватит, – взвесил мешок Денис. – На жаберку, а? Сделаешь на продажу? Выставлю на аукцион, кто больше даст! Одностенную ведь проще связать?

– Проще, – согласился Василий Игнатьевич. – Хорошо, а то без работы телевизор скучно смотреть.

...Чего и кого он только не насмотрелся по телевизору, пока связывал сеточные узлы! Развелось по миру нацистов и сатанистов. Гомосексуалы затевали по Европе парады. Старухи-актрисы выходили замуж за молокососов, и, наоборот, старики женились на девчонках, годящихся им во внучки. Василий Игнатьевич старался не осуждать никого, но от стыдной догадки, что старики пользуются «Виагрой», лицо наливалось брусничной краской. Переключив программу на какой-нибудь фильм, в рекламные минуты он размышлял: а если в самом деле из-за возрастных изменений в «биологии-анатомии» человека происходят процессы, таинственным образом влияющие на везение? В частности, на охотничью удачу?..

Перед Новым годом Денис приехал за готовой сетью и молча положил деньги в комод.

– Так ее же еще не купили, – запротестовал Василий Игнатьевич.

– Купили. Как узнали, что ты жаберку вяжешь, чуть не передрались мои коллекционеры. Первый, с бреднем, больше денег дал.

– Давай другому тоже свяжу.

– Не спеши, дядь Вась, неизвестно, когда сырье пришлют. Может, с нами Новый год встретишь? Походишь по магазинам. Диван тебе пора сменить, в этом пружины скоро выскочат, и газовую плиту присмотрим.

Василий Игнатьевич мотнул головой:

– Не, печку топить некому, картошка в подполье померзнет.

Спрашивать о Кате с Володькой было неудобно – племянник не упоминал о них в разговорах, а с Инной до сих пор не удосужился познакомить.

Курантов в Новый год Василий Игнатьевич не дождался. Утомился рубить купленные накануне дрова, прилег отдохнуть и проспал. Под утро привиделась Аделя. Села на краешек изголовья, погладила по плечу, аж дыханье зашлось.

«Холодно, Вася?»

«Да, – признался он. – Дров купил, в доме жарко, но все равно без тебя холодно».

«А ты один не оставайся, я же просила», – улыбнулась Аделя нежно, как умела только она.

Прошли полтора скучнейших месяца, и однажды у школы Василия Игнатьевича окликнула директриса Лидия Викторовна, которую помнил озорной первоклашкой, учась в шестом. Лидия Викторовна спросила, нашел ли он новую работу.

– Откуда? – развел руками Василий Игнатьевич.

– Сторожем к нам в школу пойдете?

– Пойду, – сдержанно кивнул он, стараясь скрыть охватившую его радость.

– Правда, зарплата небольшая...

– Пенсию скоро начислят, и прибавка не помешает. Надоело дома сидеть.

– Только нам нужно знать, что вы здоровы.

– Здоров! – подтвердил он. – Даже простываю редко.

– Верю, – засмеялась Лидия Викторовна. – Но по правилам необходим медосмотр в городе. Деньги на медсправку есть?

– Есть.

– Как можно скорее пройдите, пожалуйста, сменный сторож третий день сидит.

– Завтра и поеду.

Легкий, веселый после баньки шагал будущий работник школы на автобусную остановку. Выхлестал из себя вчера зимнюю скуку березовым веником, попарился всласть, – дров теперь можно было не жалеть. Договорился с соседом о топке печи, позвонил Денису. Побудет полдня у него, переночует, а утречком на медосмотр.

Возле дома Клавдии Василий Игнатьевич прибавил шагу, с опаской поглядывая на окна. И тотчас же попался на глаза подружкам, вышедшим с сумками за калитку. Пришлось разговаривать, объяснять, зачем понадобилось в город.

Томно вздохнув, Клавдия вдруг сказала:

– С Днем влюбленных тебя, Вася.

– С каким-каким днем? – не понял Василий Игнатьевич.

– Ты, Тихонький, совсем одичал на своей околице, – захихикала Зоя, прикрыв рот варежкой. – Сегодня же День святого Валентина! Все празднуют, вот и мы в магазин за «беленькой» пошли. Жаль, что уезжаешь, а то бы вместе вспомнили молодость.

– Не наш праздник, чего справлять, – нахмурился он.

Сильно не понравилось Василию Игнатьевичу, что Клавдия, не стесняясь ни Зои, ни людей на остановке, подошла впритык и принялась смахивать невидимые пушинки с его куртки. На лице женщины отчетливо проявилось частнособственническое выражение. С таким выражением смотрят на то, что давно и бесповоротно принадлежит данному лицу.

– Долго собираешься неприкаянным ходить? – жарко шепнула Клавдия.

Но тут, к счастью, показался автобус, народ ринулся занимать места, и Василий Игнатьевич избежал ответа по уважительной причине. Да и как ответить? Вопрос был очень трудным и в то же время пустопорожним. Клавдия с таким же успехом могла спросить, куда девалась молодость, и потребовать ее возвращения.

В город Василий Игнатьевич ехал с испорченным настроением, испытывая противное чувство нескончаемого долга, отдать который был не в состоянии.

Денис встретил на машине. Чем-то озабоченный, рассеянно принял пакет с нехитрыми деревенскими гостинцами (соленые огурцы, черносмородиновое варенье). Выплюнул жевательную резинку в урну и, усадив гостя в салон, затараторил:

– Дядь Вась, я тебя домой подброшу, с Инной посидишь-поболтаешь, ладно? Я предупредил о твоем приезде, но сам не скоро освобожусь, извини. Сегодня праздник всех влюбленных, покупатель в подарочном магазине с руками товар рвет. После нужно в продуктовый смотаться, туда-сюда, ничего не успеваю, дядь Вась. Гонка, как у раба на галерах!

«Ландкрузер» резко развернулся от автовокзала на городскую дорогу и помчался так, будто племянника преследовала полиция.

Василий Игнатьевич не был любителем быстрой езды, но «сидеть-болтать» до вечера с незнакомой Инной ему хотелось еще меньше.

– Давай-ка я лучше с тобой.

– Всегда ты, дядь Вась, в своем амплуа! – Денис всплеснул ладонями над рулем, обтянутым овечьим мехом. – Ну, тогда позвоню Инне, чтоб тебя не ждала. Где-то в шесть домой нарисуемся, а после восьми тебе одному придется у нас посидеть, ничего? До одиннадцати. Просто день сегодня, еще раз извини, немножко неподходящий. Ты о празднике вообще в курсе? Он не официальный, но очень популярный у молодежи, у сувенирных фабрик и, соответственно, у меня. Прибыль больше, чем под Рождество! Сейчас, погоди, в цветочный магазин быстренько заскочу, я ведь тоже этого праздника жертва, хотя не молодежь. Обязан преподнести любимой девушке букет цветов, позажигать с ней на романтическом ужине с танцами и сделать сюрприз в виде симпатичного колечка с «валентинкой». А так как у меня еще четыре девушки...

Уловив в зеркале заднего обзора озадаченный взгляд Василия Игнатьевича, племянник расхохотался:

– ...четыре продавщицы, то по традиции я и своим работницам должен презентовать цветы с «валентинками»-премиями. Заодно проверю реализацию товара. Девушки обычно сменяются, но в авральные дни все работают. Красотки, увидишь! Да, старшую ты должен помнить, на рыбалку с нами ездила. Вы вдвоем еще щуку здоровенную поймали.

– Помню, – сказал Василий Игнатьевич и почувствовал, как странно, мягко ворохнулось сердце.

– Люба работала медсестрой, в буквальном смысле вкалывала без проходных, но деньги все равно получала смешные, а детей трое! Вот Катя и попросила за подругу. Знает, что я не скупердяй и не эксплуатирую подчиненных до изнеможения. Девушки, правда, с десяти до закрытия на ногах, зато через сутки. Люба второй год у меня.

– Приезжала вроде с одним ребенком...

– Тривиальная история: сестра пила, тупо допилась и оставила двойняшек. Все четверо мальчишек ровесники.

– Четверо?..

– С моим Володькой. В одной школе учатся. Ты, дядь Вась, не думай: что бы между мной и его матерью ни случилось, Володька для меня – человек намбер уан. В кино с ним хожу, в зоопарк, куда захочет. Иногда вместе с Любиной «тройней».

– Привозил бы в деревню. Пацанам в деревне хорошо...

Денис вырулил влево, обогнал два автомобиля и втиснул джип в ряд машин. После некоторого молчания тяжко завздыхал, что обычно предшествовало откровению, редкому при всей его разговорчивости.

– Не говорил я тебе, дядь Вась... это не я Катю бросил. Это она к другому ушла. Ее другой – художник, не бизнесмен. Ну, может, к лучшему. Жену мою всегда к чему-то новому тянуло, она же не Люба. Вот Любови точно не до любви, – скаламбурил он, – то есть не до личной жизни – с ее сорванцами.

– Мужик-то Любин... где? – решился спросить Василий Игнатьевич.

– Не знаю, давно одна, – равнодушно пожал плечом Денис. – А так мы с Катей ничего, общаемся. Опять заставляет меня сигареты бросить, иначе грозит прекратить свидания с сыном. Дурной пример, видите ли, подаю во время тотальной борьбы с курением. Я специальный пластырь на руку прилепил – ноль помощи, а от семечек зубы ноют, и жвачки надоели. Попкорн, что ли, купить?

– Растолстеешь с попкорна.

– Пускай! Инне будет испытание. Если любит – и от толстого не уйдет.

Денис притормозил у цветочного ларька и скоро распахнул дверь машины, обнимая пышный ворох роз. Бережно сложив букеты на переднее сиденье, побежал к соседнему киоску за воздушной кукурузой.

Возле гигантского здания, сверкающего каскадным обилием голубого стекла, племянник посигналил перед вип-стоянкой, и шлагбаум услужливо поднялся.

– Это твой магазин?! – ошалел Василий Игнатьевич.

– Было бы круто! – засмеялся Денис. – Увы, я тут всего-то седьмую часть нижнего этажа арендую. Но могу похвастать: мой бутик лучший в городе из ему подобных.

Багетные бордюры окаймляли окна и арки фойе, колонны были декорированы тем же багетом и зеркалами. Проходя мимо, Василий Игнатьевич пригладил волосы, выпрямился с достоинством. Впервые за многие годы со смущенной усмешкой подумал о себе: а что, справный мужик.

Витрина совсем не маленького Денисова магазина «Весна подарков» манила взгляды огненным разнообразием всевозможных сердец. Аж в глазах зарябило от красного цвета и всех его полутонов, как на демонстрации в Международный день солидарности трудящихся. Сердца-подушечки, сердца-открытки, светильники в форме сердца и воздушные шарики, плюшевые игрушки с сердцами в лапах, духи, куклы, россыпи брелоков и украшений, чайные пары, пепельницы, рамки для фото... А сколько людей! Продавщицы – ни дать ни взять сошедшие с подиума манекенщицы в бело-розовых платьях – с приветливой непринужденностью беседовали с покупателями, словно с хорошими знакомыми или даже родственниками.

Сквозь пеструю взвесь голосов и шарканье ног из глубины нарядного зала донесся смех Любы. Василий Игнатьевич вздрогнул и, как завороженный, пошел на эти воздушные, со звонцами, волнисто-яблочные звуки.

Она стояла вполоборота у стеллажа с подарками, что-то объясняя двум подросткам. Подстриженные белокурые волосы вились надо лбом, красивое молодое лицо выглядело усталым, но не изменилось. Так показалось Василию Тихонькому, сразу ощутившему на плечах бремя собственных лет.

Бесшумно отступив за стеллаж, он прокрался под его прикрытием ближе к Любе и присел в зарослях вещей как в скрадке. Пальцы безотчетно перебирали коробочки с ароматическими травами, аксессуары для ванной, а весь Василий Игнатьевич превратился в слух. Подростки удалились, и к Любе подошел Денис:

– Любви все возрасты попкорны! Это тебе, Любовь.

– Ой, спасибо, какие чудесные! А ты с семечек на кукурузу перешел? – снова засмеялась она, и послышался хрусткий шелест целлофана. Цветы подарил, понял Василий Игнатьевич.

– Народу тьма, а врут, что кризис.

– Будет хороший доход.

– Хорошо покупают белье «Ай лав ю»?

– Пять комплектов продали.

– А «Любовь» как продается? – проворковал Денис. – В смысле кукла.

Черти в омуте Василия Игнатьевича чуть не взбрыкнули. Представив хулиганскую ухмылку племянника, едва удержался, чтобы не высунуть руку между полками для доброго тумака. Купить любовь, продать любовь... Торгаш!

– Нынешний хит – грелка-сердце, – сухо ответила Люба.

– Я бы тоже не прочь погреться о горячее сердце в холод, – произнес Денис немного нечленораздельно, шурша пакетом. Наверное, закинул в рот горсть кукурузного средства против курения. Дальше они опять заговорили о неинтересных бухгалтерских вещах. И вдруг:

– ...на медосмотр... в школу сторожем взяли.

– Он здесь? Где он?!

Согнувшись за стеллажом, Василий Игнатьевич летящими прыжками, как всполошенный заяц, рванулся к выходу из блестящего красочного мира... Опомнился только на уличной лестнице.

Денис вскоре вышел, приобнял за плечо:

– Чего сбежал-то, дядь Вась?

Василий Игнатьевич и себе не мог объяснить, почему так поступил, а Денису тем более. Пробормотал, багровея:

– Душно там... замутило.

Спускаясь по ступеням, чем-то довольный племянник мурлыкал под нос: «Либэ-либэ, любо-овь»...

Вкусно и быстро пообедали у киоска шаурмой в лаваше. Василий Игнатьевич остановил двинувшегося к машине Дениса:

– Ты езжай куда тебе надо, я по городу поброжу.

– Хорошо, – разрешил Денис. – Часы есть?

– Вот они, на руке, – показал Василий Игнатьевич.

– Без пятнадцати шесть будь, пожалуйста, напротив этого киоска. Видишь, через дорогу кирпичная аптека стоит? Вон там будь, заезд как раз удобный. Запомни: аптека, улица, киоск!

– Сам на трамвае приеду.

– Не вздумай, по новому адресу не найдешь. Прихвачу тебя ровно без пятнадцати шесть у аптеки. «Виагру» на весеннюю охоту не забудь купить, – хохотнул насмешник, – и далеко не ходи, дядь Вась, заблудишься!

...В деревне Василий Игнатьевич знал «в лицо» каждое дерево у троп, и каждое дерево на пути могло подсказать, сколько он километров прошел, а в городе впрямь легко заблудиться. Но не здесь, где голубым маяком сияет громада торгового центра и вся жизнь будто вращается вокруг него. Стремительная, нервная, шумная, течет городская жизнь в разные стороны по дну каменистых ущелий ручьями гудящего транспорта, человеческих потоков. Влечет людей в верткие стеклянные двери, как рыбные стаи в ряжи. Безудержная лавина затягивает в свою толчею, принуждая подстраиваться к общему бегучему ритму, спешить в переходах и круговоротах. Горячие запахи из открытых ларьков с шаурмой и шашлыком мешаются с бензиновыми парами, их разносит по переулкам февральский ветер; серое небо соткано из многотысячного дыхания, дыма и чада. Василию Игнатьевичу не хватало здесь просторного неба деревни, вольготного лесного воздуха – духа его, широты и глубины. Шагал наобум, чувствуя себя крохотным существом в разрезе распахнутого муравейника, присматривался к заманчивым вывескам и растяжкам. Все они зазывали куда-то, предлагали что-то и сливались в один мельтешащий базарный ряд. Качнув пятипалыми рогами, проскакал по верхам лось на фоне тайги. Скрылся из глаз...

Погоди-ка, застопорил себя Василий Игнатьевич и вернулся к вовсе не скачущему лосю – тот мирно стоял в рисованных шиповниковых кустах над дверью магазина «Охота & рыбалка».

Охотник & рыбак ходил по спортивно-промысловым секциям, восхищенно разглядывая выставочные вещи. Всякая казалась ему необходимой. Взять, что ли, сейчас пяток пластиковых уток? Нет, не в чем нести... или рюкзак купить? Давно пора сменить латаный старый... А эту автомобильную сумку-морозильник для хранения рыбы и дичи подарить бы Денису. Дорогая, правда, и мелковатая – сложно будет засунуть в нее, например, полутораметровую щуку. Если только хорошенько скрутить... Ого, какая лодка! Надувная, но, кажется, не резиновая. На ощупь другой материал. В похожую двухместку на двести кило нехилые деревенские мужики вчетвером садятся на спокойном озере. И ничего – ни разу не утонули... Спальный мешок, набитый стриженой верблюжьей шерстью, – наверное, теплый, обогревателя не надо... Чего только не изобрели люди для облегчения лесных тягот!

За спиной продавец нахваливал кому-то ружье:

– Практически классическая модель, не хуже «помповика» подобного класса, а главное – дешевле.

Василий Игнатьевич обернулся посмотреть, что там за ружье... и застыл.

За продавцом по стене, крашенной мутновато и сине, как вечерняя озерная водица, с резвящимися стайками красноперок... прозрачными дымчатыми волнами струился, сетчатым дождем падал волосяной бредень!

Не могло быть ошибки. Это была его, Василия Игнатьевича, работа и песня, его запоздалая увлеченность, его долгие зимние вечера наедине с бубнящим телевизором... Его руки помнили учебу деда Володара. Помнили собственное постижение древнего ремесла вязальщиков, эти нежные узелки, вывязанные крючком Адели с думами о ней, хранимыми на донце самой солнечной памяти.

– Бреднем любуетесь? – переключился продавец на нового возможного покупателя.

– Он продается? – проговорил Василий Игнатьевич охрипшим почему-то голосом.

– Нет, эта самовязка коллекционная, мы ее сами купили. Впрочем, если вы человек состоятельный, есть ей цена.

Просквозив небрежным взглядом по шапке и куртке Василия Игнатьевича, продавец повернул лицевой стороной нацепленный сбоку квадратик ценника.

Цена была большая. Очень. Еще в позапрошлом году Тихонький удивился бы – запредельная цена. Но заказчик, пожелавший остаться неизвестным, заплатил ему больше...

Продавец снисходительно сообщил:

– У нас недавно приблизительно за столько же приобрели одностенку и ряж.

– Тоже из конского волоса?

– Да, тоже. Волосяные сети незаметны в воде и практичны в применении. («А то я не знаю», – усмехнулся про себя Василий Игнатьевич.) Но пользоваться ими владельцы, скорее всего, не будут, – охотно поделился предположением продавец. – Редкость музейного уровня, мастер вообще уникум. Сомнительно, что где-то еще сохранилось старинное искусство вязания таких сетей.

– Кто ж этот мастер?

– Посредник сказал, что вяжет их его дядя. Без работы, говорит, в деревне остался, вот и начал вязать от скуки. Ну и деньги, конечно, а нам – реклама.

– Где, интересно, он столько волос-то берет?

– С какого-то питерского конного завода вроде бы присылают.

...Ошеломленный нечаянным открытием Денисова лукавства, брел мастер-уникум по краю тротуара в стороне от быстроногих толп. Не замечал, что подметает полой куртки фары припаркованных машин. С питерского конного завода, значит, хм-м... То-то волос был чистый, мытый, свернутый отдельными прядками...

Подозревая магазинщиков в сильном превышении стоимости сетей, Василий Игнатьевич думал о шалопае, который втройне больше всучил ему из своего кармана. Как теперь сказать обманщику, что он разоблачен? Хорошо бы добыть где-то волосяное сырье и навязать на сторожевой работе снастей. Сдать их потом в охотничье-рыбачий магазин без посредника, чтобы возвратить этому посреднику деньги, переплаченные мастеру сверх настоящей цены... Забыв о принятом перед собой обещании никого не осуждать, Василий Игнатьевич ругал племянника: «Эх, Дениска, Дениска, «Виагра» ты стоеросовая», — и не находил других слов.

До назначенного времени остался целый час. Скоро тот, кто отвечает за уличный рубильник, зажжет фонари, и желтый электрический свет создаст иллюзию тепла. Пальцы студеного ветра забирались под приподнятый воротник, дергали мерзнущие уши. Не дождавшись сочувствия фонарей, продрогший Василий Игнатьевич зашел погреться в аптеку. В кутерьме людей и вихрей она оказалась оазисом спокойствия. Вспомнив, что хотел купить тонкий резиновый жгут, всегда нужный в хозяйстве, Василий Игнатьевич склонился над стеклянным прилавком.

Корпулентная дама-аптекарша приметила заинтересованность посетителя к бело-синей упаковке с наименованием «Виагра», лежащей отдельно от прочих коробочек. Строго сказала:

— Препарат выдается по рецепту.

Василий Игнатьевич очнулся от размышлений о своей охотничьей прорухе. Погружаясь в жгучий стыд, повернулся было к двери, но дама неожиданно проговорила заговорщицким шепотом:

— Мужчина! Возьмите.

— Спасибо, — он покорно взял высунутую в окошко картонную пачку. В некоторой оторопи отсчитал деньги — таких денег полтора месяца хватало бы на хлеб...

Стеснительным людям всегда трудно отказаться от ловко предложенной покупки.

— На здоровье, — аптекарша кивнула с доброжелательным значением.

Фонари отодвинули сгущенный сумрак. По городу шли и шли юные люди, озаренные улыбками и сердцами, парящими на нитках. Людям было тепло. Несмотря на вьюжный ветер, они ели мороженое и смеялись. Всюду горели неоновые огни, остатки новогодней мишуры посверкивали в окнах. Василий Игнатьевич быстро выкинул коробочку с «Виагрой» в урну, взглянул на часы и побежал к торговому центру.

Долго-долго стоял он на нижней ступени лестницы. Покупатели так и сновали за голубым стеклом первого этажа. Хороший навар будет у Дениса. Продавщиц не было видно, лишь раз мельком Василий Игнатьевич видел чью-то фигуру в бело-розовой форме. Может, и не Любу. Он все равно слышал ее смех. Любин смех звучал в его ушах и продолжал неоконченную улыбку Адели.

А еще откуда-то издалека, наверное из парка, доносилась прерывистая дробь дятла. В феврале дятлы всегда сильнее стучат. «Зовут весну», — говорил дед Володар. А в марте прилетят вороны, в апреле — орлы, коршуны, чайки, за ними — гуси и журавли. Лебеди и утки...

В нагрудном кармане зазвенел телефон.

– Ты где гуляешь?! – закричал в телефоне Денис. – Я у аптеки десять минут торчу!

И вдруг что-то случилось. В голове у Василия Игнатьевича произошла какая-то встряска, какой-то маленький взрыв, и в уши ворвался лихой свист февральского ветра. Дышать сразу стало легко.

– Погоди, Денис, – заторопился Василий Игнатьевич, – я тут... понимаешь, к одному человеку пошел, мне надо очень важную вещь ему сказать. Не жди меня, потом сам на такси приеду, – и отключил телефон.

Он пошел. Взошел по ступеням с чувством, что безрассудный порыв ни при чем, что свое действие он давно и основательно продумал. Это же хорошо, когда человек может греть кого-то и греться сам, чтобы никому не было холодно. И пусть женщины в деревне судачат, пусть осуждают малахольного Тихонького, сколько их душе угодно. Кто они ему такие?..

...кроме
самого
страха

Отдели смятение от причины, смотри на само дело – и ты убедишься, что в любом из них нет ничего страшного...»

Сенека

Предисловие

В ящике моего письменного стола лежит стопка старых журналистских блокнотов с выдранными страницами черновиков интервью и репортажей. На оставшихся страницах — вкратце описанные случаи из жизни, заметки о происшествиях, обрывки разговоров — словом, мелочи, способные пригодиться в рассказах. Теперь такую же мишуру я вношу в компьютерную папку, как, наверное, делают большинство людей, занимающихся литературным трудом. Иногда записки становятся отправной точкой сюжетов, в одну историю могут «вмонтироваться» несколько — вот ответ на частый читательский вопрос: «Ваш рассказ (повесть, роман) — это правда или вымысел?» Но даже если сюжетная канва — плод воображения, текст все равно какой-то частью состоит из реальных подробностей.

Замыслы двух повестей о страхе зародились давно, когда мы с коллегами нашли в Интернете список человеческих фобий и обнаружили в нем свои. Со смехом. Потом выяснилось, что кто-то на полном серьезе с детства боится очередей, а кто-то —

лифта. Сотрудница поднималась на лифте домой, и вдруг погас свет. Мобильных телефонов в то время еще не было. Она просидела в темном замкнутом пространстве около двух часов, пока в доме не устранили неполадку с электричеством. С тех пор предпочитает топать на свой восьмой этаж по лестнице. Еще кто-то признался, что из-за боязни высоты не смотрит вниз из распахнутого балконного окна. Тут мы посмеялись: другой, как выяснилось, с опаской относится к открытым балконам – ему хочется что-нибудь скинуть с высоты. Или кого-нибудь. И прыгнуть следом. Хотя это, вероятно, не фобия, а просто некоторая странность.

Порой странности жизни в нашей стране оказываются большей аномалией, чем распространенный частный страх высоты или темноты. Разве не аномалия, что боязнь нечаянной идеологической «крамолы» и, как следствие, «стук» энтузиастов-осведомителей с последующим приездом специфической машины, когда-то въелся в плоть и кровь едва ли не четверти советского народа? А сейчас весь мир погряз в боязнях беженцев, террористов, отключки Интернета, транспортных аварий, военных новостей, эпидемий вируса Эбола... список потенциальных фобий продолжается. Человечеству всегда есть чего опасаться. Значит, оно, по крайней мере, живо.

Но мы тогда до обсуждения «общих мест» не дошли. Остановились на столкновении детей с ложью в семье, о неподготовленности их к социальным отклонениям в обществе, разочаровании и страхе очутиться в беспощадном мире взрослых.

Болезненные детские травмы на почве разочарования, конечно, редко трансформируются в фобии, но могут породить в растущей личности зачатки цинизма и скрытой мизантропии. Могут стать, наконец, причиной асоциальности человека. Подобный печальный случай замечательно изложен в новелле Мопассана «Гарсон, кружку пива!..». С согласия коллеги, пережившей стресс в детстве, я по свежему впечатлению написала повесть «Танцующая на трибуне». Параллельная тема о летающей девушке составилась из нашествия в редакцию душевнобольных людей, когда психиатрическую клинику в городе закрыли на ремонт. А для завязки сюжета повести «Вкус груши» послужила байка, рассказанная в дедовском доме кучке двоюродных братьев-сестер, младших школьников, родственницей постарше. В начале 70-х триллеров в нашей среде не существовало по многим причинам, и мы просто оцепенели от ужаса именно потому, что ничего особо сверхъестественного в рассказе не было. «Встольные» записки о детских боязнях дополнили недавно написанную историю о том, как страх мальчика, умноженный разочарованием в отношениях взрослых, перерос в семейную драму. Здесь я намеренно пропустила «протокольные» подробности, признательные показания, заключения экспертов и т. д. Все только глазами ребенка.

Повести получились странные, неожиданные даже для себя, читательскую же реакцию вообще не предугадаешь.

Любой писатель надеется на эмоциональную сопричастность к созданному им и побаивается высокомерных откликов. О таких мой друг и кума Татьяна Данилевская, тоже автор книг (публицистических), говорит: «Это сродни погружению в крещенскую купель. Сначала дух вышибает, потом наступает уныние и за ним – неизменно – благодарность Тому, Кто не дает занестись в гордыне». Вот и у меня так. Но боязнь читательского неприятия легка и преходяща, а отклики тех, кто понял и принял, всегда подпитывают творческую энергию.

Боюсь ли чего-то я сама? Боюсь. Больших агрессивных собак. Больших аудиторий, заполненных людьми, где зачем-нибудь должна толкать речь (иногда приходится). Боюсь однажды сесть перед белым экраном монитора и не нарушить цепочкой следов этот девственный снег. А главный мой страх связан с родителями. Страх, обычный для каждого, у кого они старенькие, но по-прежнему самые лучшие, хранящие любовь и семью.

Танцующая на трибуне

Весной в редакцию городской газеты «Наши известия» началось паломничество «шиз» – так называл этих специфических визитеров заведующий отделом новостей Николай Иванович. Сумасбродный ветер, несущий смутные запахи и волнения, летел дальше, а весенних приятелей оставлял на крыльце. Движимые сезонной жаждой публичного слова и славы, они шли с заметками, стихами и открытиями века.

Бомжеватый мужчина, по уши утонувший в слоях шерстяного шарфа, вначале не производил впечатления из серии «Шизы́ прилетели». Он предлагал по дешевке печатную машинку «Ятрань» в надежде на то, что кто-нибудь собирает подобные раритеты. И вдруг, артистично выкинув руку, заявил:

– Страна крыс! Вы, наверное, слышали? Это мое поэтическое имя.

Брови Николая Ивановича вздернулись в красноречивой пантомиме. Мохнатые и седые, они напоминали толстых гусениц и жили своей эмоциональной жизнью на хозяйском лице. «Шиз», – изобразили брови.

– Оригинальный псевдоним, – сказал завотделом.

– Крысы населяют меня, – простодушно пояснил поэт, перебирая шарф желтыми никотиновыми пальцами. – В круге первом они гуляют и резвятся, во втором обедают, в третьем спят и занимаются сексом. Все как у людей.

Страна крыс наклонился к Елене Даниловне, и ее обдало душком застарелого перегара, крепленного пометом. Из-под пальца высунулась востренькая, мелко обоняющая воздух розово-серая мордочка.

Елена не боялась грызунов и не беспокоилась, если их не сажали ей на плечо, а поэт так и сделал. Не успела она пошевелиться, как любознательное животное юркнуло в вырез ее блузки. Мужчина бросился спасать жителя своей страны...

На вопли сотрудницы сбежалась вся редакция. Поэт бушевал, пришлось вызвать «Скорую». Увидев людей в белых халатах, он заложил руки за спину, как арестант, и прогнусавил над шарфом:

– Атас, ребята, гестапо на пороге!

– Опять крысий шарф, – вздохнул врач. – Памятный субъект, осенью в психушку возили. А нынче вообще работы прибавилось...

– Собственную газету не читаете, – упрекнул потом журналистов заведующий секретариатом Роман Афанасьевич. – Наши уже писали, что психдиспансер закрылся на ремонт. Буйные раскиданы по домам инвалидов, остальные выпущены на время.

– Нашли когда дурдом ремонтировать, – удивился Николай Иванович. – Весна же, обострение у шиз.

Елена чувствовала себя виноватой. Потом позвонила подруга Наташа:

– Ты помнишь, какой сегодня день?

– Какой?

– Двадцать пять лет со дня смерти Карелии Альбертовны, – укоризненно сказала Наташа и отключилась.

Елена так и не смогла дописать материал, который должна была сдать к вечеру. Впереди ждали выходные, народ разбежался пораньше, а она задержалась – не хотелось нести работу домой. Но завершить статью не удалось. Забытая продавцом машинка «Ятрань» стояла на столе и навевала мысли о докомпьютерном прошлом.

* * *

Двадцать пять лет назад журналист «Наших известий» Елена Юрьева, тогда десятиклассница Леля Нефедова, была отличницей и активисткой. Брала равнение на передовых и все такое: коса до пояса, школьную форму носила до выпускного бала, к торжествам – белый верх, темный низ. Только к занятиям балетного класса во Дворце пионеров закручивала волосы в пучок, чтобы не мешали, переодевалась в тунику, лосины и на целый час сбрасывала всегдашнюю зажатость.

Леля с Наташей посещали дворец со второго класса по десятый, пока над ними не начали посмеиваться: «Все пляшете, детки?» Хотя в «детках» ничего обидного не было. Так старая балерина, руководительница класса Карелия Альбертовна, называла учеников, невзирая на их возраст. Бывшие «детки», сами уже пожилые, водили к ней внуков.

Девчонки заслушивались рассказами Калерии Альбертовны о происхождении танцев и вознесении их до классических высот. Она обожала испанскую и латиноамериканскую танцевальные культуры. Говорила под льющийся из магнитофонных колонок голос Сигера:

– Язык румбы потрясает каждым движением как крик. В Кубу ее привезли африканские рабы. В танце, ставшем символом освобождения, они пытались раскрепостить душу, вот почему в первых тактах столько внутреннего страха и вместе с тем дерзости. Румба рвется из тела, будто путы спадают с человека. А еще в ней как нельзя лучше раскрывается противоречие женской натуры: танцовщица одновременно нежность и холод – влечет и выскальзывает, уходит и возвращается. Женщина измучена собственной строптивостью и сама не знает, чего хочет.

Леля следовала указаниям наставницы:

– Твое тело – стиснутая пружина. Шаг назад с опущенной головой и руками, поворот влево – ушла... Остановилась. Переступила с ноги на ногу в повороте обратно, сделала неуверенный шажок. Качнула бедрами, недоступная, дразнящая. Скупое обещание сводит партнера с ума, и ты «отпускаешь» себя понемногу... понемногу... до полного растворения в танце. Детка, румба живет в тебе!

Леля танцевала и видела потерянную где-то на краю земли Наташу. Приметив наконец страдания забытой ученицы, балерина спохватывалась:

– Наташенька, твоя энергетика совсем другая. У тебя прекрасно получается модерн...

«Детки» выросли, и Калерия Альбертовна посоветовала им обратиться в студию танца Дворца культуры. Но там оказались другие требования. Хореограф за любую оплошку беззастенчиво шлепал пониже спины и гонял подопечных почем зря. То ли его зарплата, то ли звание коллектива зависели от бесконечных смотров художественной самодеятельности.

Подруги не смогли привыкнуть к студии и стали навещать Карелию Альбертовну по вечерам просто так. Усталая после занятий, она оживала. Увлекшись беседой о самбе или фламенко, могла, к радости гостий, внезапно сорваться и полететь. Танец возвращал молодость ее жилистому телу. Лозы кистей вились, расплетались, играли подолом незримой юбки. Аскетическая скудость учебного зала уступала место миру карнавальных страстей. Вместо старой женщины в застиранном трико девушки видели Кармен. Из воздуха, заряженного токами движений, вылетали фестоны веера, кастаньеты отбивали ритм, пурпурные цветы мешались с огнем глаз и блеском кудрей... Как же подруги любили эти сольные выступления! В Леле закипала ответная дрожь, и под подошвами туфель начинало плавиться солнце. Счастья танца было так много, что экспансивная Наташа гортанно вскрикивала.

– Не шуми, детка, а то попадет мне, что на вас время трачу, – морщилась Калерия Альбертовна. – Ведь вы уже не пионеры!

...Когда она улетела в страну вечного гран-па, Леля тоже летала – во сне. Спрыгнув с подоконника, ныряла в воздух не вниз, а вверх, и медленно плыла по-над городом. Рассматривала его в птичьей проекции: былинки антенн на плоских крышах, тускловатые луковки церкви, узорчатые фронтоны старинной библиотеки. Нисколько не удивлялась неожиданному умению. Автомобили бегали по дорогам как разноцветные жуки. Пешеходы на тротуарах не видели девушку, парящую над сетью проводов. Торопились куда-то, притянутые к земле...

Стук в дверь извлек Елену из забытья. Чувствуя, как где-то в мыслях продолжает колыхаться смутная даль, она машинально отметила легкую походку юной посетительницы.

– Да, отдел новостей... да, это я Юрьева...

Заторможенно ответив на вопросы, Елена сосредоточилась: речь шла об эссе в предыдущей «толстушке».

«Выручайте, Елена Даниловна, – прибежал тогда за помощью Роман Афанасьевич, – номер сплошь серьезный, надо чтивом разнообразить». Пришлось отвлечься на тему о человеческой странности – «частице черта в нас», хоть раз в жизни заставляющей добропорядочных граждан выкидывать безумные коленца. Под «чтивом» стоял псевдоним, но девушка вычислила автора по стилю и не поленилась прийти похвалить.

Не часто читатели лично захаживают в редакцию засвидетельствовать восхищение трудом журналиста. Елена с интересом взглянула на гостью: пальто кроя ретро из черного ратина, высокие шнурованные ботинки. Фигурка обтекаемая, без «трамплинов», и ноги ставит чуть врозь носками. Из балетных?

Следовало поблагодарить на добром слове. Елена украдкой глянула на часы: до семи вечера осталось десять минут, достаточно для приятной беседы.

– Вы собираетесь стать психологом? Или журналистом?

Читательница в ответ спросила:

– Полагаете, я учусь в школе?

– Разве нет? Вы так молоды...

– Спасибо, – усмехнулась она. – Я четыре года назад окончила институт.

– Хореография?

– Нет. Но танцевала в ансамбле.

– А чем теперь занимаетесь?

Залившись мгновенным румянцем, поклонница авторского стиля подалась ближе, как делают дети, когда хотят поделиться секретом:

– Я летаю.

– Летаете?

– Да.

(Надо же, какое совпадение... Не хотелось сомневаться в критическом состоянии ее рассудка.)

– Вы стюардесса?

– Художник.

– Ясно. Летаете во сне.

– Наяву.

Сквозь смущение в голосе девушки прозвенела нотка вызова, и нехорошее подозрение укрепилось. Мало на сегодня Страны крыс...

– На чем?

(Туповатый вопрос.)

– На крыльях.

(Естественно. Не на метле же.)

Елену вдруг пробрало трепетом воспоминания: пробежка, прыжок, выступ над пропастью... Неужели обострение чьей-то шизофрении заразительно действует на чужую психику?

Гостья деликатно молчала. То ли ждала очередного вопроса, то ли выдерживала время для осмысления более чем странного признания. Елена вздрогнула: тополиная ветка хлестнула в окно.

– Апрель начался ветреный, летать легко, – улыбнулась девушка.

(Неизвестно, что взбредет в голову душевнобольному человеку в следующий миг. В редакции, должно быть, никого не осталось.)

– Вы подумали, что я сумасшедшая.

– Нет, отчего же...

– Я вижу – думаете.

– Отчего же, – невыразительно повторила Елена. – Но почему вы открылись именно мне?

Девушка пугающе вдохновилась:

– Я в этом городе одна, ни родных, ни друзей. Рассказать некому, а я... а мне нужно... Вы одна способны понять... и поверить, потому что не похожи на других... Как я.

– В чем же, интересно, вы видите наше отличие от других?

– Я разгадала по вашему рассказу: под иронией вы скрыли правду. Вы стараетесь втиснуться в рамки, окрашиваете себя в цвета окружения. Мимикрируете... Вы не исполнитель по содержанию, по духу... поэтому мечетесь. Хотите ускользнуть... улететь!

Прерывистые фразы, смятение и вместе с тем решимость напомнили Елене начало румбы. Девушка безнадежно махнула рукой:

– Не могу объяснить! Вы все узнаете, если согласитесь прийти ко мне.

– К вам? Куда?

– Ко мне домой. Меня зовут Антонина, – запоздало представилась она. – Можно просто Тоня.

– Очень приятно... Но я журналист, а не писатель-фантаст.

– Ой, только не надо об этом писать, – встревожилась девушка. – И говорить никому не надо!

– Если так, то зачем?

– Мы поможем друг другу.

– Не знаю, что уж вам померещилось в моем эссе. Напрасно вы идентифицируете с ним мое мироощущение. Я описала не свой случай и не нуждаюсь ни в чьей помощи.

– Ну ладно, пусть вам не нужна помощь, но я надеялась, что... Я тоже не легковерный человек и прекрасно все понимаю. Просто... я больше не могу держать это в себе!

Отклонив в неловкости паузы несколько вариантов отказа, Елена так ничего и не придумала.

– Ялетаюночьюнаулице, – выпалила девушка скороговоркой.

– Почему бы, в таком случае, вам не прилететь ко мне самой?

– Боюсь отдаляться от дома. Живу на окраине.

Она назвала квартал, и Елена затаила дыхание. В голову полезли глупые слухи о притоне на отшибе, где людей проигрывают в карты.

– Значит, я должна прийти к вам ночью?

Девушка подавила смешок:

– Вы догадливы. Не бойтесь, у меня нет преступных намерений.

– А вы прозорливы...

– У нас много общего.

– Что ж, вы меня заинтриговали, – сдалась Елена. – Когда?

– Сегодня в два ночи. Сможете?

Елена охнула про себя, но кивнула:

– Смогу...

– Телефона у меня нет. Встречу вас у подъезда ровно в два. Не опоздайте, пожалуйста.

Блокнот обогатился сомнительным адресом. Еще не поздно отказаться. Категорически, без объяснений. А то ведь убьют в криминальном районе, и концов никто не найдет!

У двери Антонина остановилась и напомнила:

– Не говорите никому.

– Хорошо.

– Буду вас ждать.

– Я приеду, – вяло пообещала Елена.

Не проходило томительное ощущение гипноза.

Хотелось немедля на волю, на воздух, словно девушка заперла за собой кабинет. Елена еле дождалась у окна, когда фигурка в черном пальто скроется за поворотом. Отбив чечетку вниз по лестнице, помахала рукой вахтеру, кинула на конторку ключи. Легкие на грани удушья вдохнули спасительный ветер, и мысль пришла спасительная, бытовая: надо купить хлеба.

За стеклом супермаркета кишели толпы покупателей. «Куплю в магазине ближе к дому», – струсила Елена. Она с детства боялась большого скопления людей.

...Изучив пластику тела «детки», Карелия Альбертовна не разглядела, что в ней нарушена гибкость восприятия среды. Леля прочла румбу как демонстрацию присущего ей поведения. Только поэтому она, а не более способная Наташа, поняла и приняла душой суть танца. Раскрепощение румбой помогало потом Леле в трудные дни, но и шутку сыграло с ней злую...

Елене не без сарказма подумалось, что даже действия ее похожи на урок Карелии Альбертовны: «...поворот влево – ушла... Остановилась. Переступила с ноги на ногу в повороте обратно, сделала неуверенный шажок».

Она вернулась к магазину.

Узконаправленный взгляд сквозил по стеклянным прилавкам и полкам: коробки, банки, бутылки – все броское, кричаще-яркое, глаза устают. Корзинку отяготили первые попавшиеся полуфабрикаты. Купить хлеб забыла.

Шла домой и чувствовала, как в голове просыпается «частица черта». Сгусток коварной энергии считал себя независимым фрагментом разума, существующим наособицу. Об этом и упоминалось в эссе. В дурную минуту выбился потаенный соблазн оправдать простительной шалостью выкинутый в юности фортель.

Ну находит на законопослушного человека одноразовое сумасбродство, ну совершает он что-то за гранью пристойного... Ну и что? Кто застрахован? Случай был придуман другой... и тем не менее... тем не менее...

– Пошел вон, – сказала Елена вслух ожившему в ней «бесенку». Молодой прохожий оглянулся и внимательно на нее посмотрел.

– Не вам, извините, – бросила она и в веселом ужасе высунула язык, но молодой человек успел отвернуться. Зато дама с уксусным выражением лица покачала головой в окне отъезжающего с остановки автобуса. Елена сняла перчатку и показала даме «американский» средний палец. Голый палец выразительнее... Удовлетворенным взглядом проводила отвисшую челюсть дамы и зашла в чей-то пустой двор. Присела на скамью под деревьями: снять приступ нервного веселья, успокоиться, покурить...

Кто бы в начале десятого класса предсказал, как дико станет себя вести в отсутствии знакомых взрослая (даже почти пожилая) Елена! В шестнадцать лет она просто не поверила бы в такую метаморфозу.

А через полгода – да. «Бесенка» в себе Леля обнаружила ровно двадцать пять лет назад. Кошмар был в том, что ее «концерт» увидел полный зал людей.

Елена размяла сигарету, а зажигалку не достала. Так и застыла с ненужной сигаретой в пальцах.

Комсомольская организация школы отправила Лелю на горкомовскую конференцию, посвященную грядущему юбилею Ленина. После мероприятия договорились встретиться с Наташей во Дворце пионеров у Калерии Альбертовны.

Сидя в середине третьего ряда, Леля ругала себя за то, что не устроилась сбоку поближе к двери. За спиной дышала толпа, впереди белели шеренги спин. Нестерпимо жали новый лифчик и пояс жесткой гэдээровской юбки плиссе (итог маминого полусуточного бдения в универмаге). Над трибуной надолго завис с докладом второй секретарь горкома комсомола Владимир Козлов, известный в девичьих кругах как Вова-козел. С представительницами юной общественности прекрасного пола он любил проводить работу наедине. Какое-то время, будучи еще инструктором, погуливал с Наташей.

Скорей бы кончилась говорильня.

Прежде чем включить музыку, Калерия Альбертовна, как всегда, предложит чай и ахнет над коробкой конфет – опять потратились! А глаза засияют: фундук в шоколаде, где достали? За чаем начнется пересказ дворцовых интриг. Девчонки большие, можно чуток посплетничать...

Багровый от усердия, Вова вошел в словесный раж. Делегаты откровенно дремали. Члены президиума дрыхли профессионально, с открытыми глазами. С Лелей же что-то случилось. Пальцы инстинктивно схватились за подлокотники кресла: пол под ногами ощутимо завибрировал, стало трудно дышать. Послышался вой сирены, хотелось открыть рот, как при посадке самолета. Леля не сразу сообразила, что звук сверх возможностей микрофона – голос докладчика. Уши глохли, но все вокруг продолжали спать. Она зажмурилась, пока зрение тоже чего-нибудь не отчебучило.

«Иди к сцене», – сказал в ней кто-то.

– Зачем?

«Залезь на трибуну и спляши».

– Что-о?!

«Да хоть румбу».

– Зачем?..

«Чего заладила – зачем, зачем... Пусть Вова заткнется. Разбуди их».

Леля заметалась в себе:

– Трибуна покатая!

«С краю покатая, дальше как стол. Места хватит».

– Кто ты?

«Ты».

– Я такую себя не знаю!

«Если ты себя не знаешь, значит ли это, что ты вообще существуешь? – хихикнуло ее второе «я». – *«Хочу танцевать» – твоя мысль?»*

– Да, хочу, но не здесь же...

«Почему не здесь? Было бы желание».

– А потом? – мучилась Леля.

«Потом – хоть потоп!»

Позже она не могла вспомнить, как выбралась из ряда, взбежала по ступеням на сцену и очутилась на трибуне. Вова не воспрепятствовал, дал запрыгнуть на листы с записями доклада. Видел же – девушка идет к нему, и почему-то посторонился с микрофоном в руке. Испугался?..

С этого момента, со сброса ногой бумаг, Елена помнила все.

Твердые школьные туфли мешали. Она их скинула. Блузка расстегнулась, тугой лифчик сковал грудь... Прочь блузку и лифчик! Вслед за ними юбка взмахнула плиссированным крылом. Леля вздохнула свободно: теперь ее ничего не стесняло. Танцевать перед публикой она не боялась. «Зал кажется вам живой пропастью? Ну и пусть кажется, – говорила Карелия Альбертовна. – Главное, что вы над ней, а не в ней!»

Тело трепетало в ожидании нот. Немые безвольные руки не верили в освобождение, но сразу ожили, когда музыка румбы поднялась изнутри. Ноги высекли первые искры на краю пропасти: шаг вперед, шаг обратно, уход, поворот, переступ.

Сквозь стены распахнулся танцующий город. Сетчатым маятником качалась шея телевышки. Кружились дома, в них пружинами скручивались лестничные марши. Движения нанизывались одно на другое. Облака раздвигались как горы капроновых лент. В белой вышине пылал костер солнца. Леля то приближалась к огню, то отлетала, чувствовала себя Икаром и сама не могла понять, чего хочет. Свистящий ветер охлаждал разгоряченную грудь. Музыка билась в каждой жилке, заглушая городской шум...

Беспрецедентный акт делегатки был таким неожиданным, что никто из членов президиума не догадался сдернуть ее с возвышения. Вова застыл рядом, некрасиво разинув рот. Зал стоял как зачарованный лес.

Минуты с половиной много для тишины перед взрывом, но достаточно для короткого танца. Тишина наконец лопнула, и громкоголосая ударная волна сшибла танцовщицу с ног. Леля спрятала голову в колени, съежилась горсткой догорающего пепла. Вот он и случился – обещанный потоп... обвальный стыд. Несколько рук под визг и вопли стащили ее с трибуны, натянули юбку, блузку, сунули под мышку туфли...

Запал обвинителей угас, когда «стриптизерша» расплакалась. Они невесть чего от нее требовали, а при виде раскаяния отступили.

Леля неслась по горкомовскому коридору, выкрашенному в белый верх, темный низ, как проштрафившийся солдат через строй со шпицрутенами. По плечам хлестал глумливый гогот. Юные барабанщики гремели палочками по ушным перепонкам. Кто-то настиг на крыльце, остановил. Ей подали пальто, пакет с сапожками и забытую в кресле сумку с коробкой конфет для Карелии Альбертовны. Судьба лифчика осталась неизвестной. На бегу застегивая пуговицы, преступница помчалась домой, домой...

Еще ни о чем не подозревающая мама встретила с сочувственным лицом:

— Наташа просила тебя позвонить...

Леля механически набрала номер, и подруга, рыдая, известила, что Калерия Альбертовна умерла утром от инфаркта.

Леля проплакала в подушку весь вечер и проспала сутки.

Городская газета ни словом не упомянула о вопиющем хулиганстве комсомолки Е. Нефедовой. Журналисты тогда не гнались за скандалами — или цензура вовремя вырезала. Вскользь упоминалось только о неких прениях — странных, вообще-то, на предъюбилейной конференции. Но и прения, может, не имели отношения к отколотому Лелей финту.

Ее, разумеется, исключили из комсомола. Прощайте, отличная характеристика и высшее образование. Спасибо, хоть в школе оставили и уголовку не завели. В общем, замяли.

Убитая горем мама отвела дочь к психиатру. Он задал ей незначительные, показалось, вопросы, сделал пометки в тетрадь и велел выйти. Мама жалобно забормотала за прикрытой дверью — наверное, рассказывала об инциденте, и доктор вдруг громко хохотнул. Леля в изумлении приникла к двери. Он перестал смеяться и назвал диагноз, если это было диагнозом, — «синдром отторжения».

Мама потом убежденно сказала, что психиатр сам нуждается в клиническом лечении. Жизнерадостный врач выдал рецепт каких-то антидепрессантов и справку на две недели, чтобы Леля в спокойной домашней обстановке отошла от последствий румбы.

– Не бывает людей с идеальным поведением, – попытался утешить обеих папа. – Слишком правильные подозрительны, они-то чаще всего и оказываются психически нездоровыми.

Больше родители не говорили о казусе. Боялись суицида. Мама ходила за Лелей по пятам. Папа незаметно вывинтил ручки в раме окна дочкиной комнаты и совершенно бесшумно выдернул пассатижами задвижки в ванной и туалете. Это папа, не умеющий гвоздя заколотить без того, чтобы не попасть по пальцу!

А Леля вовсе и не собиралась умирать. Не вспоминала о конференции, не думала о смерти. Вообще ни о чем не думала. Послушно ела мамины витаминные салаты, глотала таблетки и много спала.

Стоило закрыть глаза, как окно само открывалось и увлекало ввысь. Танцевать в воздушных волнах было просто – все равно что кружиться в воде. Сны чудились реальнее яви. Леля удивилась бы, назови ее кто-нибудь «улетевшей» в ироническом смысле. Она всерьез опасалась очнуться на крыше или, чего доброго, верхом на плечах какого-нибудь памятника, поэтому на ночь стала переодеваться в любимую тунику и трикотажные легинсы. Побывала на кладбище. Видела в свете месяца заваленную цветами могилку Калерии Альбертовны...

Месяц, как гигантская рыбина, покачивал острыми плавниками. Над городом плескалось море сумрачного воздуха, фонари-медузы до рассвета высвечивали уличное дно. Вдыхая весеннюю свежесть розовых со сна облаков, Леля невиданной птицей гонялась за горлинками. За счет чего она естественно и свободно летала без крыльев, оставалось непостижимой загадкой, в которую не хотелось вникать.

К окончанию «карантина» летучие видения прекратились. Придя в себя, Леля ничего не сказала о них врачу. Сны как сны. Мало ли что кому снится. Он продлил справку еще на несколько дней.

С помощью Наташи Леля наверстала упущенное и хладнокровно подготовилась к урокам. Мама посматривала вопросительно, о чем-то шепталась с папой. Утром он проводил дочь до школьной аллеи, купил газету и скрылся за киоском. Папа опаздывал на работу, но спиной Леля чувствовала тревожный и любящий взгляд до тех пор, пока не взошла на крыльцо.

В классе она ни с кем не общалась, кроме верной подруги и соседа по парте Юрьева. Валерка Юрьев делал вид, что не слышал ни о каком позоре. Скоро остальные тоже забыли об опале Нефедовой. Кто-то распустил слух, будто Лелька Нефедова съехала с катушек потому, что ей прямо на конференции сообщили о смерти близкого человека. В школе перестали реагировать на Лелю, как на психопатку. На улице уже не слышалось шепота: «Ой, смотрите-смотрите, это идет та Нефедова, которая...» После успешной сдачи экзаменов классная руководительница Тамара Геннадьевна смягчилась и переписала характеристику.

Любая невероятная история теряет со временем сочный привкус эпатажа. В стране взбурлили такие события, что случай в горкоме неожиданно покрылся флером бунтарства. Все изменились, изменилась страна. Бывшие одноклассники при встрече с Лелей одобрительно вспоминали ее «путч в миниатюре»: «Буревестник ты наш!» А с годами и «путч» поблек. С тех пор она посетила массу собраний, заседаний, пленумов и прочих конференций. Порой от трибунных речей к голове приливало что-то горячее, в теле звенело подзуживающее эхо... Не раз приходила мысль проконсультироваться у психиатра, но начиналась ремиссия (если недуг действительно был), и благие намерения отступали. Нет, больше юные ножки Лели не отражались на лаке официозной мебели. Не говоря уж о нынешних, с голубыми разводами наметившегося варикоза...

Наташа подшофе как-то спросила:

– Ты читала у Фрейда о перверсиях? С чего это, интересно, на тебя, скромницу нашу, напал приступ эксгибиционизма?

Не уточнила когда и где. Знала, что «больной» случай лежит поверх всей памяти подруги.

Не веря Наташиному ножу в спину, Леля чуть не задохнулась от обиды:

– Экс... гибиционизма? Я правильно услышала?

– Ну да, – струхнула Наташа. – Нудизма то есть...

– Думаешь, я там еще что-то кроме груди показывала?! – закричала Леля с мгновенными слезами. – Вы все так думаете? Мне что – повеситься надо было сразу? Или сейчас повеситься?! А... плевать! Меня тошнит от вас и от вашего озабоченного Фрейда!

Хлопнула дверью, аж штукатурка на площадке посыпалась. Потом Наташа позвонила, голос был кротости голубиной:

– Прости... я не хотела...

Помирились.

Елена давно провела свой психоанализ и знала, откуда растут ноги ее страха. Он возник в детстве, во время невольного погружения маленькой Лели в трудно управляемую стихию. Это была всего лишь очередь за колбасой – в некотором роде образчик поведения общества и вожделенный продукт, ставшие притчей в постсоветских языцех.

Открытие издержек социального времени крайне редко способно вызвать нарушение в детской психике. Но и тогда, когда соприкосновение ребенка с грубой средой ранит его, любовь и терпение способны уничтожить причины травмы. А случается, что даже небольшое, на взгляд взрослых, происшествие поражает доверчивую душу скрытым недугом, с которым человеку приходится бороться всю жизнь. Не везет единицам. Елене не повезло.

...Папа развернул бумажный пакет и гордо произнес мычащее слово:

– Мутоновая!

Мама с бабушкой восторженно ахнули. Розовая шубка была чудо как хороша. Шестилетняя Леля погладила рукав: он ластился под ладонью будто теплый котенок.

– Что такое «мутоновая»?

– Значит, из настоящего меха, – смущенно ответила мама.

– Бывает ненастоящий?

– Бывает, – пришел на помощь папа. – Из ниток.

– А настоящий из чего?

– Ну ладно, я пошла, – громко сказала бабушка. Жила она отдельно, ходила только присматривать за внучкой.

Пока мама провожала бабушку к автобусной остановке, Леля гуляла во дворе в новой шубке. Собралась было взойти на горку, когда подоспела мама, схватила за руку, и они помчались в гастроном.

– Колбасу выбросили, – пояснила на бегу мама.

Леля вообразила гору выброшенной колбасы, которой они набьют полную сумку и пойдут домой, но все оказалось по-другому.

В магазине скучились сто людей или даже тысяча. Взрослые люди рвались к прилавку, ссорились и толкали друг друга, как драчливые мальчишки. От толпы исходил нехороший густой запах. Так пахло в зоопарке, Леля помнила. Душные животы и спины сдавили ее со всех сторон, оторвали от маминой руки и запихали в угол.

– Стой там! – закричала мама и, кажется, еще что-то крикнула, Леля недослышала.

Кто-то дохнул на нее луковым салатом:

– Дают, уже дают!

Перекрывая нарастающий шум, продавщица рявкнула:

– Палка на одного!

Не успела Леля удивиться, зачем людям палки – драться, что ли? – как события понеслись с бешеной скоростью. Очередь взревела на разные голоса, зажевала девочку внутрь и притиснула к большому пузу в пальто с колючим ворсом. Ворс натирал ей щеку. Вдруг над пузом кто-то взвыл:

– Рожу сейча-ас... Люди-и, рожаю-у-у!

Человеческое месиво снова быстро задвигалось, поволокло Лелю по меховым и драповым кишкам. Страшная мускулистая сила больно, с хрустом в косточках, закрутила ее и, довертев до выхода, выплюнула в одном платье на улицу. Следом вылетели и упали на грязные ступени розовая шубка и шапка.

Хотелось броситься к дверям, пинать их, бить кулаком и ругаться плохими словами. Сидя на снегу у лестницы, Леля цепенела в ужасе от крамольных мыслей и отказывалась понимать, что происходит. Перед глазами тряслась вставшая дыбом дорога, качалась улица, валились деревья. Незнакомый женский голос истерично выкликал:

– Лелечка, ты где? Леля-а-а-а!

Голос был чужим, но заставил ее очнуться. Она подобрала шубку и заковыляла прочь.

У Лелиного слуха была хорошая память. Голоса с их интонационными особенностями отпечатывались как на магнитной ленте. После выяснилось, что звала Лелю все-таки мама, и дочь поняла, что значит кричать не своим голосом. Мама скоро прибежала домой. От великого облегчения не стала ругать ее за самовольный уход из магазина. И за потоптанную шубку с оторванными пуговицами Леле не попало.

Папа неодобрительно высказался о какой-то стране, помог маме почистить испачканный шубкин мех и спокойно уткнулся в газету. Ничего же смертельного не произошло. Просто дочь потеряла в очереди маму, мама потеряла очередь и розовая шубка утратила свой шелковый блеск. Зато, пусть без колбасы, все остались в относительной целости и сохранности.

Леля узнала много нового о колбасе. «Палкой» продавщица, оказывается, назвала батон вареной колбасы. Докторскую делали для всех, не только для врачей. Чайную – без чая. Молочную, возможно, с добавлением молока. Копченую краковскую и сервелат было не достать. Ливерную «собачью радость» люди покупали понятно для кого, но ели и сами.

Леля уже умела читать и впервые сама написала карандашом на коробке хлебцев «Я боюс гастраном». Коробку вкуснейших хлебцев с изюмом мама принесла в больницу, когда кризис воспаления легких у дочки миновал.

Родители так и не поняли, почему 1 сентября их послушная девочка бросила у школы красивый букет на землю и мертвой хваткой вцепилась в маму. Пришлось папе взять дочь с букетом и ранцем в охапку и через всю толпу пронести в класс. Только услышав смех, Леля опомнилась и отпустила мамино запястье.

Она привыкла к школе, привыкла бороться с собой. Не боялась, как другие девочки, волосогрызок, мышей, одичалых собак, темноты и лифта.

Среди первоклашек ходила страшилка о душительнице в белых перчатках. Проведя час без света в сломанном лифте, эта женщина поседела от страха и сошла с ума. Стала будто бы ловить детей в лифтах и душила, надев зачем-то белые перчатки. Девочки стремглав взбегали по лестнице. А Леля и душительницы не боялась. Из ее рук (если что) Леля собиралась храбро вырваться и, может быть, по-хорошему поговорить с несчастной женщиной. Страшилка потрясла Лелю осмыслением человеческих страхов. Выяснилось, что их уйма. Все они были разные, но одинаково жестокие и труднопреодолимые.

Взрослая, она пересмотрела множество статей медицинских и около. Детское открытие об уйме страхов подтвердилось. Елену даже рассмешили некоторые экзотические страхи в списке фобий, не имеющие под собой научного обоснования, — такие, например, как боязнь лысых (пеладофобия) или бородатых (погонофобия). Синдромов и психических отклонений тоже оказался воз с тележкой, но нигде не обнаружила Елена синдрома отторжения. Она и подруге не смогла бы объяснить, что румбу на трибуне спровоцировала борьба с собой. Измаялся сдерживающий механизм, резьба сорвалась...

А вот почему, танцуя, юная девушка испытала всплеск острого наслаждения, взрослая женщина не сумела объяснить и себе.

Леля выбрала общественную профессию, чтобы доказать родителям: никакого синдрома у нее нет. Уехала, сдала экзамены на пятерки, но в удаче сильно сомневалась. Все-таки не комсомолка, а институт идеологический. Не сразу поверила, найдя свою фамилию в списке поступивших. Учиться и жить в студенческом общежитии было интересно, и никто из ребят и преподавателей не знал о темном пятне в ее жизни.

Леля отбывала в родном городе практику за четвертый курс, когда журналистов обязали ответить на вопросы важной анкеты. В графе о том, является ли работник «членом партии, членом комсомола, подчеркнуть», усеченное слово «беспарт.» отсутствовало. Леля сама его вписала и, поколебавшись, зачеркнула. Стержень ручки, как назло, протекал, на месте ответа образовалась клякса, а чистые бланки кончились.

Подозрительная анкета была подписана пока еще скандально памятной фамилией, и респондентку вызвал в горком комсомола лично первый секретарь Владимир Ильич. То есть повышенный в должности В. И. Козлов.

В чем Леля так уж провинилась в этот раз, она не поняла, но пока он с укором говорил об отсутствии сознательности у некоторых представительниц беспартийной молодежи, заметила в его глазах блеск внеслужебного интереса. Секретарь смотрел на нее как снимающий мерку портной. Леля вдруг подумала: а ведь он не помешал ей танцевать, несмотря на сорванный доклад... Да что доклад – все мероприятие! И в дальнейшем никак не отреагировал. Почему? Школа ходатайствовала? Директор, комсорг... или мама? Кто словечко замолвил?

Владимир Ильич явно считал неблагонадежную студентку своей должницей и через две минуты, страстно сопя, распустил руки, а также бретельки Лелиного бюстгальтера. До оторопевшей девушки не сразу допер предпринятый с места в карьер переход от идеологического осуждения к взиманию долгов.

Бой был коротким и неистовым. Она вылетела из приемной, оставив бюстгальтер в руках секретаря, искренне изумленного оказанным сопротивлением.

– Поздравляю, – мрачно сказала Леле на другой день Наташа. – Ты, оказывается, мужчин боишься вдобавок.

Подруга мыла посуду. Тарелки, пронзительно взвизгивая, брякались в сушилку на грани быть разбитыми вдребезги.

– Взяла бы, Лелька, и легла. А что? Вова, к твоему сведению, не из самых неприятных членов горкома.

Леля брезгливо содрогнулась. Влажные Вовины руки, хватательные движения пальцев в пустоте, когда она с молчаливым остервенением выдралась из них...

Наташе легко было говорить. Девическую помеху она устранила еще в восьмом классе с помощью молодого темпераментного физрука. Он сам от себя такого не ожидал, испугался и уволился. А Наташа, не особо скорбя, влилась в тусовку будущего комсомольского вожака Вовы.

Красивой Наташиной маме, перманентно озабоченной устройством собственной жизни, не хватало сил на воспитание дочери. Только удачно выйдя замуж в пятикомнатные апартаменты директора рынка, мама обрела наконец покой и время задуматься о дочкиной судьбе. Неоперившаяся эта судьба, подпорченная преждевременной тягой к взрослым развлечениям, тревожила маму звонками классной руководительницы. Наташе был обещан малогабаритный кооператив, если она образумится.

Получив аттестат зрелости, Наташа стала сразу обладательницей квартиры и солисткой Театра танца. Режиссер посчитал ее перспективной. Слухи насчет любовной с ним связи были безосновательны. Во-первых, режиссера в интимном плане интересовали не женщины, во-вторых, Наташа оказалась действительно талантливой. Да и класс Карелии Альбертовны не нуждался в рекомендациях.

Леля в поте лица грызла граниты наук в другом городе, а Наташа танцевала и в редкие свободные часы встречалась на своей территории с двумя поклонниками. По отдельности, конечно, и по системе: один был для тела, второй – из материальных соображений. Наташу не угнетал моральный аспект. Больше беспокоило, как бы посещения нечаянно не совпали. Но однажды от приятеля, систематизированного для тела, возникла совсем другая проблема: Наташа, что называется, залетела.

Хорошо поразмыслив, она решила рожать и дала виновнику отбой. Оставила второго. Этот немолодой, приятный человек был щедр, имел руководящий пост и демократичное имя Слава. То, что быт его обременяли жена и сын, Наташу устраивало, замуж она не торопилась. Избранник, понятно, не обрадовался известию об отцовстве, но скоро привязался к ребенку и удвоил содержание «левой» семьи.

Таким было положение дел подруги, когда она поздравила Лелю с андрофобией. Вымыв посуду, Наташа прислушалась к сопению Танечки, спящей в коляске на балконе, и вздохнула:

– Ты молодец. Не легла под козла, и правильно. А я... ну ладно. Меня от одного его имени колбасит.

Она, конечно, полагала, что, вопреки склонности к «перверсиям», Леля не имеет ни грамма сексуального опыта.

Наташа заблуждалась. Проба в данной области у Лели была. Не вся же подноготная выкладывается подругам.

...После ужасной конференции Наташа не могла выудить затворницу даже в кино. Мама безуспешно уговаривала дочь сшить ей в ателье платье для выпускного бала. Леля слышать не хотела ни о каком бале. Тогда хитроумная мама подбросила ночью к изголовью ее кровати шелковое полотно цвета чайной розы – беж с персиковым отливом.

Утром Леля смущенно похмыкала и не устояла: завернулась в ткань перед зеркалом. Показалось, что любимый актер Сергей Юрский в роли Бендера загадочно улыбнулся ей с журнальной картинки, всунутой в паз зеркала. Прохладный шелк льнул к телу и, мягко струясь, менял оттенки в изгибах.

Туфли мама с Лелей нашли на барахолке вообще сказочные – перламутровые, на элегантном каблучке.

– Смотри не потеряй в полночь, – пошутил папа...

Девчонки умирали от зависти, подправляя прически у трюмо в раздевалке. Увидев Лелю на лестнице, фаворит старшеклассниц историк Сан Саныч изумленно присвистнул. Она бесспорно затмила школьную мисс Грушевскую, затянутую в платье с кринолином.

Прочувствованная речь завуча вызвала потоки слез и благодарственных слов. Учителя оптом простили выпускникам все их двойки, лень, разбитые окна. Бабахнула пробка «Советского шампанского». Дружно съеден был великанский торт с корабликом из сладкой мастики. Начались танцы... Настороженная Леля услышала бы любую ехидную реплику, но все словно напрочь забыли о некомсомольских ее экзерсисах.

В самый разгар веселья родители и учителя деликатно исчезли.

– К одиннадцати по домам, школу закроют, – заговорщицки предупредила Тамара Геннадьевна и затворила за собой дверь актового зала.

Мальчишки вытащили припрятанный под лестницей ящик с красным вином и бутербродами... Здравствуй, взрослая жизнь!

– Поехали! – скомандовал Юрьев, уже бывший Лелин сосед по парте.

Так, с бумажными стаканчиками в руках, и запечатлелись на фотографии. Юрьев на первом плане, в скошенных на Лелю глазах – безрассудство и печаль; на Юрьева с тающей надеждой смотрит влюбленная Грушевская, а Леля отвернулась к окну. Следующий исторический кадр был пропущен – Юрьев пролил вино на ее чайно-розовое платье. Она страшно разозлилась. Передразнила:

– «Поехали»! Размахался, Гагарин!

Сконфуженный «космонавт» принес из туалета воды. От воды на подоле расползлось уродливое малиновое пятно...

Опасаясь неприятностей, сторож поднялся в верхний коридор. К означенному времени компания замела следы нелегального пиршества и любезно попрощалась со сторожем. Леля ахнуть не успела, как чья-то рука в доли секунды выдернула ее из гурьбы девчонок и помчала вперед. Каблучки туфель отбили по лестнице бешеную дробь...

– Валерка! – Леля упала в объятия к подхватившему ее Юрьеву. Он и тут не дал опомниться – повлек по вестибюлю к спортзалу.

Стоя в тени угловой колонны, она растерянно наблюдала за Наташей и Грушевской, плавающей в кринолине по фойе, как раненая лебедь в пруду. Наташа пожала плечами, и девчонки заторопились на улицу.

Левая рука похитителя стиснула Лелину ладонь, правая возилась с замком.

– Пусти, меня дома ждут, – шепотом взбунтовалась Леля.

Юрьев не ответил. Дверь отомкнулась, когда сторож задвинул внутреннюю щеколду парадного входа.

По спортзалу раскинулась крупноячеистая лунная сеть – окна были забраны решеткой. Тишина была такой плотной и непривычной, что подмывало крикнуть «Ау-у!».

– Я давно хотел... – голос Юрьева разбудил дремлющее эхо.

– ...хотел... тел!.. тел! – насмешливым баском раскатилось в бархатистом сумраке. Юрьев сконфузился.

– Чего ты хотел?

– ...сказать, что решил поступить в медицинский.

– Ты затащил меня сюда, чтобы в этом признаться? – тихо засмеялась Леля. – Твой медицинский ни для кого не тайна.

– Да, но я...

Его нерешительность раздражала. Натертые новыми туфлями волдыри жгли пятки. Хотелось снять туфли, очутиться дома на диване, выпить чашку горячего чая, поцеловаться... много чего хотелось одновременно. Леля еще ни с кем не целовалась.

Глупо было не воспользоваться случаем, а Юрьев все тянул. В свете луны он был очень даже ничего. Не Бендер, но вполне. Глаза... черные, карие? Надо же, за десять лет не рассмотрела. Впрочем, к чему ей помнить цвет его глаз? Пройдет десять-пятнадцать минут, и бывшие соседи по парте расстанутся навсегда. Леля отвела взгляд от по-детски пухлых губ Юрьева и невольно застонала – волдыри возгорелись огнем.

– Туфли жмут? – посочувствовал Юрьев. Она кивнула и усмехнулась: неромантичный вариант сказки.

Юрьев предложил посидеть на матах – «чтобы ноги отдохнули». Кипа сложенных матов чернела в углу как рыба-кит. Леля сняла туфли, пробежалась по залу на цыпочках. Русалочья тень затанцевала в лунном неводе, путая ячеи. Иногда так мало надо, чтобы почувствовать себя счастливой!

Большие ладони Юрьева обхватили Лелю за пояс, и вспорхнувший подол опустился на «китовую» спину. Прохладные пальцы ощупали одну горящую пятку, вторую.

– У тебя водяные мозоли. – Руки с докторской бесцеремонностью продвинулись к икрам. – Замерзла?

– Мг-м, – зевнула Леля с дрожью.

Запрыгнув наверх, Юрьев откинулся к стене:

– Иди сюда.

...Спустя вечность где-то далеко, как в насмешку, пробили часы. Вот тебе, Золушка, и Юрьев... ночь. Леля засмеялась, чтобы не заплакать. Золушки теряют не туфельки. То, что теряется ими раз в жизни, не находится больше никогда и нигде.

За дверью она запоздало охнула:

– Так ты украл ключ?!

Глаза у Юрьева были не черные и не карие, а серо-зеленые. Эпикурейские. Как в «Золотом теленке» у Юрского, почти однофамильца.

– Не украл, а на время снял с доски, сторож ведь был наверху. Разве ты не видела, как я открывал дверь ключом?

Да, видела... Но как-то мимо сознания.

Сторож храпел. Ключ беспрепятственно вернулся на место.

К вечеру мама, встревоженная затянувшимся сном дочери, сунула ей в ухо телефонную трубку:

– Кто-то звонит и звонит каждые полчаса! И сколько же можно спать, Леля?!

Трубка взволнованно дышала.

– Чего тебе, Юрьев?

– Соседка, я привык сидеть с тобой за одной партой. Мне будет недоставать тебя. Давай поженимся.

– Не звони мне, – сказала Леля. – Меня нет. Меня нет для тебя, не было и не будет.

Пакет со сказочным платьем и туфлями отправился в мусор. Последняя школьная фотография, принесенная Наташей, убралась с глаз долой в самую толстую энциклопедию. Картинка с загадочной улыбкой сына турецкоподданного провалилась в паз зеркала. Юрьев, по слухам, поступил в медицинский.

Новое качество жизни разочаровало Лелю раз и... Насчет «навсегда» она, разумеется, заблуждалась.

Окурок выпал из пальцев. Елена и не заметила, что курила. Стряхнула пепел с колен, переносясь со спины «рыбы-кита» в чужой двор и свой нынешний возраст. Как из пункта А в пункт Б... Да какое там Б, давно уже Е.К.Л.М.Н., пенсия маячит на горизонте.

Было сыро, тени стали резче. Прикурив новую сигарету, Елена усмехнулась. Говорят, убивает не алкоголь и табак, а люди, по которым пьют и курят. Она курила сегодня по воспоминаниям. Боже, что за инъекцию впрыснула ей эта летающая девушка Антонина?!

«...под иронией вы скрыли правду... стараетесь втиснуться в рамки, окрашиваете себя в цвета окружения. Мимикрируете... Но вы не исполнитель по содержанию, по духу... поэтому мечетесь. Хотите ускользнуть... улететь!»

Ускользнуть, улететь как можно дальше Леле хотелось после института, но заболела мама, и пришлось вернуться домой.

В первую же неделю новоиспеченной журналистке кто-то позвонил.

– Тебя, – позвал к телефону папа. Прикрыв трубку ладонью, шепнул: – Мужской голос, официальный. Наверное, редактор «Наших известий».

– Владимир Ильич Козлов, начальник Управления по делам молодежи, – в полном объеме представился... тот, кто представился, и без околичностей пригласил к себе в кабинет.

– Зачем?

Начальник помедлил. Дыхание сперло, или еще не придумал повод для вызова. Пригласи он, например, в ресторан, Леля сразу бы отказалась, но управление влияло на большинство структур почти так же, как раньше горком комсомола. Запросто останешься без работы.

Владимир Ильич пояснил, что его актив запланировал выпуск молодежной газеты и надо побеседовать.

– Вас предложили в качестве редактора органа.

– Кто предложил?

– Есть положительные рекомендации, – молвил он не допускающим возражений тоном.

– Но меня... но я... не комсомолка, – пробормотала Леля.

– Ленин-партия-комсомол! – засмеялся начальник. – Заговариваетесь, Елена Даниловна? Комсомол остался в прошлом, теперь у нас другие приоритеты. Нам известно, что вы специалист с успешным дипломом, человек инициативный, творческий, и вы нам нужны.

Дал понять, что знает о Леле все, включая отчество. Она попробовала возразить:

– К осени меня обещали взять в отдел газеты, где я проходила практику...

Вовин голос снова перешел из смягченного регистра в категорический:

– Жду вас в четверг в шестнадцать ноль-ноль. До встречи, Елена Даниловна.

Вождь молодежи не принимал несогласия, а может, не понимал. Он сам привык к непререкаемым приказам.

– Кто это? – поинтересовалась мама из другой комнаты.

Леля уклонилась:

– Так, знакомый...

Пошла мыть руки. Казалось, повеяло удушливым потом, словно телефонная трубка принесла с голосом Вовы и запах. Если Наташу колбасило от его имени, то Лелю тошнило. Было просто необходимо поговорить с подругой о неоднозначном приглашении.

– Прости, это я тебя сдала, – созналась Наташа. – Вова же репей, не отстал бы.

Ничего путного она не присоветовала, сама маялась с личным трудноразрешимым вопросом. В далекой деревне умерла старая тетка, бабушкина сестра, вечером Наташа с матерью собрались ехать. Мать настаивала на девяти днях – следовало соблюсти приличия и разобраться с наследством.

– Не думает, с кем я Танечку оставлю, – возмущалась Наташа. – Возьми, говорит, с собой... Как я возьму? Ребенку четыре года, а там похороны... поминки...

Леля знала, что прерывистое Наташино сожительство с «воскресным» папой девочки давно превратилось в платоническую дружбу ради ее счастливого детства, и осторожно спросила:

– Слава помочь не может?

– В командировке, как нарочно...

Но Наташа не была бы Наташей, если б не выкрутилась из сложных обстоятельств.

– Давай-ка сделаем так: пока я в деревне, ты поживешь у меня. Вова ко мне ни ногой – был уговор... Позвони ему, объясни, что сидишь с Танечкой. Ни на минуту, скажи, нельзя отлучиться, а сад на ремонте. Сад, вообще-то, правда на ремонте. Поглаженные платьишки в шкафу, белье в комоде, мультиков в кассетнике куча. Деньги вот, на полке, цитрусовые не покупай – аллергия. Отмажешься от Вовы на девять дней, потом еще что-нибудь придумаем.

Леля опасалась, как бы родители не обиделись, ведь только успела приехать. Они, честно говоря, недолюбливали Наташу, почему-то подозревая ее дурное влияние в Лелином горкомовском преступлении. Но раз такое скорбное дело, разрешили. Папа был в отпуске, мама шла на поправку.

Слыша в телефонной трубке, кроме голоса Лели, Танечкин лепет, молодежный начальник принял причину неявки стойко и отсрочил встречу. Затеплилась надежда, что Вова отвлечется. Отвяжется, забудет...

Увы. Вова с Наташей оказались схожи в умении извлекать пользу из ситуаций. Он нашел способ приятно провести ожидание: принялся названивать каждый день после десяти вечера, зная, что Танечка спит. Речи, конечно, велись не о будущем издании. Владимир Ильич задумчиво и самоуглубленно рассказывал о собственных переживаниях. Будто тайный дневник вслух читал.

Это был не секс по телефону, но вполне себе эротика. Томный, без начальственных ноток голос нес сущий бред. Бред сивого ме... вернее, козла, приводил Лелю в паническое изумление и завораживал, как шипение адского змия.

– ...ты оскандалила форум, а мы умирали совсем не от этого. Перед нами, почти в наших руках распускался прелестный бутон... набросок женщины... бальзам на душу и нож в сердце.

Леля не смела положить трубку. Что делать, когда вернется Наташа, куда рвануть?!

– Нам хотелось подхватить тебя, унести, спрятать от всех... Мы бы ничего не просили. Мы сами были готовы отдать себя и отдали бы, но ты исчезла...

– Кто это – мы?

Вова отвлекся от своей песни песней:

– Ой-ёй. Извини, привык. Мне же часто выступать приходится.

Она поняла. «Мы» – местоимение трибуны. «Мы обещаем... мы выполним... мы не бросаем обязательств на ветер».

– Больше не буду, – Вова смущался, как провинившийся мальчишка. – Ты не сердишься? В четверг у меня неприемный день, и он твой. В четверг после обеда я уединяюсь в кабинете и прошу секретаршу никого ко мне не пускать. В нижнем ящике стола я храню две драгоценные вещи. Я вынимаю их, и наступает блаженство... Моя нежная бестия! Я не растерялся, любуясь твоим демаршем, я затолкал ногой под трибуну атласную штучку номер один серии ширпотреб... В подмышках изделия остался твой запах...

Вовина пошлятина напоминала задушевные откровения серийного убийцы из какого-то триллера. Леля в ужасе думала, что ее безумный танец притянул к ней маньяка.

– Мой второй трофей льется из руки в руку как струйка кагора. Шелковый, красный... На знамя повесь – не заметят... Неизвестный парфюм – жасмин, жимолость, протертая с медом и перчиком... Что за духи?

Слушательница не ответила, и рассказчик продолжил:

– Может, я и забыл бы тебя, все-таки годы прошли. Но, разглядывая вещь номер два, я вспоминал твое сопротивление. Ты разгневала меня и тронула, обидела и притянула к себе. Ты, танцующая на трибуне... Ни до тебя, ни после я не знал отказа. Другие считают за честь быть со мной. Я красив, спортивен, женщины сравнивают меня с Александром Абдуловым в варианте блондо. Женщины... Их много, а ты одна. Мой колючий цветок. Не хочу думать плохо о нашей с тобой приятельнице, но не она ли настраивает тебя против? Что бы Наташка ни говорила, не верь... Не верь! Это зависть. Наташка любила меня. Я – не любил. Она не смогла простить, хотя мы остались друзьями... Ты напрасно боишься нашей встречи. Я к тебе не прикоснусь. Все будет законно, не сомневайся во мне. Во мне невозможно сомневаться. Я умею быть впереди, даже имя мое говорит за себя. Я вижу в тебе человека неискушенного, не приспособленного к этому миру, вижу хрупкую, уязвимую душу... Я несу за тебя ответственность.

Владимир Ильич привычно придерживался регламента и уделял монологу, со всеми его многоточиями, пять минут. Фетиши, атласный и шелковый, он собирался предъявить «колючему цветку» при встрече как вещественное доказательство любви.

За два дня до приезда Наташи Леля попросила Вову не звонить – у ребенка температура, плохо спит. Танечка действительно приболела.

Телефонный голос в регистратуре детской консультации забросал вопросами:

– Нет температуры, говорите? Зачем тогда на дом вызываете? Сильно кашляет? Вызовов много, участковые не успевают... Сами не можете подойти?

Леля не боялась брать интервью у врачей, но поход в больницу не исключал очереди. Допрос регистратуры вызывал у Лели косноязычие.

Вспомнилось, как однажды на журналистской практике ей попался врач, который боялся слушающих/воспроизводящих звуки устройств. Натянуто улыбаясь, этот пожилой человек попросил Лелю убрать диктофон: «Из приборов для слуха меня не пугает только стетоскоп». Беседа с доктором была хорошей и долгой. Потом Лелину работу похвалил сам главный редактор. В очерке говорилось о старом враче, спасшем жизни сотен людей. А «не для печати» он рассказал о своей боязни. Когда ему было пять лет, кто-то всю ночь трезвонил по телефону. Звонки были тревожные, длинные. Отец неохотно брал трубку, мама плакала. Под утро раздался звонок в дверь, тоже длинный. Пришли люди в сапогах с высокими голенищами и навсегда забрали отца из дома...

Все падало у Лели из рук. Разыскивая медицинскую маску для Танечки, разбила любимую Наташину вазу. Им было приятно держаться за руки по дороге в больницу: Лелина ладонь стыла от страха, Танечкина разгорячилась. Температура у девочки все-таки поднялась.

– Мы последние, вы за нами, – деловито ответила Танечка кому-то в очереди. Девочка поняла, что тетя Леля робеет.

– Участок? Год рождения? – спросило окошко.

В дверях остановился молодой врач. Белая докторская шапочка, «геологическая» бородка.

Леля назвала участок и замолчала. Забыла, в каком году осчастливило Наташу материнство.

– Скорее, пожалуйста, очередь ждет.

– Мне почти пять лет! – закричала Танечка. – А пока – четыре.

– Имя, фамилия?

Леля быстро назвала то и другое. Окошко надолго затихло и наконец проворчало:

– Что-то нет вашей книжки. Лена ходит в садик?

– Ее зовут не так... Это я Лена... тетя Леля... В садик – да, ходит... он на ремонте, – забормотала Леля.

– В чем дело, женщина? – звуковой вопросник материализовался в окошке. – Как зовут вашу дочь?

– Она не дочь! Не моя дочь...

– Что вы мне голову морочите? Вы ей кто? Где у ребенка мать? Отец?

– Я Танечка, маму зовут Наташа, папу – Слава, а тетю Лелю – тетя Леля, – обстоятельно пояснило смышленое Наташино чадо. – Папа с нами не живет, мама уехала в деревню, поэтому за мной смотрит тетя Леля. Мы с ней съели эскимо и простудились.

– А фамилия у тебя есть, Танечка? – подобрела регистраторша, с удовольствием разглядывая бойкую девочку и ее бестолковую тетю.

– Есть, – важно кивнула Танечка. – Только я не Владиславывна. У папы другое имя.

– Не Владислав?

Доктор с геологической бородкой медлил и улыбался.

– Станислав, – подсказали в очереди.

– Бронислав!

– Вя... вя... – на грани обморока вякнула Леля, уверенная, что регистраторша интересуется отчеством ребенка по производственной необходимости.

– Вячеслав, – поняла та.

– Да! – радостно подтвердила Танечка. – Вячеслав Лосев. А мама – Наталья Арбенина. Я тоже Арбенина.

Через полминуты на подставку шлепнулась медкарта в целлофановом переплете. Танечка встала на цыпочки, забрала тетрадь и потащила тетю Лелю за руку к кабинету.

В коридоре, густо усиженном женщинами, разгуливали малыши. Ближняя дверь опахнула этиловым сквозняком. В бесполезной Лелиной голове закрутилась строчка наполовину из Агнии Барто: «Наша Таня заболела».

Эти же слова Леля воспроизвела вслух перед суровой докторшей. Не дождавшись продолжения, докторша окинула ее неуютным взором и повернулась к Танечке:

– Ротик открой. Так... Молодец.

Велела Леле:

– Платье снимите.

В этот момент в кабинет вошел бородатый врач и, конечно, заметил, что Леля бессознательно и покорно расстегивает пуговицы на груди. Докторша ворчливо уточнила:

– Дочкино платье снимите, мамаша, не свое...

Женщины в очереди с недоумением уставились на выскочившую из кабинета молодую маму. Споткнувшись о чью-то игрушку, она едва удержалась на ногах и вылетела в коридор. Следом метнулась девочка. Чуть погодя промчался доктор.

Он догнал их на крыльце. Его серо-зеленые глаза смеялись.

– Я на практике здесь, – сказал доктор. – И мне по-прежнему не хватает моей соседки по парте. Послезавтра уезжаю, времени нет на уговоры. Ты поедешь со мной?

– Да, – торопливо согласилась Леля, чтобы он перестал целовать ее ладони.

Бездетная, полная надежд семья вернулась в город, когда родители Лели купили себе дом с садом в пригороде, как им давно хотелось, и переоформили на Юрьевых квартиру. Главврач детского больнично-поликлинического объединения определил Валерия Михайловича заведующим урологическим отделением.

Все было хорошо, только с мечтой о детях вышла осечка. Первую беременность в дипломный год мужа Леля прервала без его ведома, чтобы не отягощать заботами о ребенке. «Три недели – срок безопасный», – заверила гинеколог. Позже Лелю, готовую к материнству во всех отношениях, кроме одного, уведомили, что возможность иметь детей она потеряла.

Узнав о самоуправстве жены, Юрьев чуть не прибил дуру-одноклассницу. Они ругались всю ночь, плакали, просили друг у друга прощения, и больше болезненная тема не поднималась. Дети в больнице обожали веселого Валерия Михайловича. Доктор увлеченно играл с ними в путешествия по далеким странам, рассказывал волшебные сказки...

Лелю приняли в отдел новостей городской газеты. Вечно голодный ежедневник плюс пятничная «толстушка» тянули из творческой части сотрудников мозги, жилы и время. Не важно, свои тексты или отредактированные – вынь да положь двести строк в день. Леля почти год ходила в «должниках», пока вдруг не поняла, что сдача нормы перестала ее утомлять.

За рубрику «Полит.yes» отделы отвечали по очереди. Леля «дежурила» послушно, отрепетировала для представительных встреч несколько постановочных улыбок, но обтекаемое, от общего лица, «мы» в устах руководителей упорно заменяла на «я». «Я обещаю.

Я выполню. Я не бросаю обязательств на ветер». Таким образом, казалось ей, начальники, в случае чего, не могли переложить ответственность на плечи коллективов.

Долго сходило с рук, но все-таки заметили. Куратор газеты от учредителя-мэрии счел нужным явиться на планерку. Леля не ожидала, что за нее вступится завотделом. Николай Иванович непочтительно прервал кураторский разнос изречением Марка Твена: «Называть себя в печатном выражении «мы» имеют право только президенты, редакторы и больные солитером».

Резкий выпад Николая Ивановича удивил Лелю потому, что она считала его непробиваемым конформистом. В первый же ее рабочий день он предупредил, нахмурив знаменитые гусеничные брови:

– Выбросьте мечты о зубастых статьях. Газета не кусает руку дающего.

Леля «не кусалась» с начальниками до тех пор, пока возле Наташиного дома не снесли детскую площадку и Танечке стало негде играть. Вова Козлов шепнул Наташе по секрету, что некий Кутенкин собирается открыть на этом месте бизнес-центр с рестораном. Наташа написала против центра заявление в мэрию и собрала подписи родителей, но ответа они не дождались.

– Лель, займись, а?

– У нас критика строго дозированная...

Кутенкин занимал немаленький пост в мэрии и возглавлял к тому же общественный строительный фонд.

— Ты журналист или кто? — ощетинилась Наташа. — Кропаешь дифирамбы, читать противно!

Леля полмесяца собирала свидетельства, копировала добытые документы и выяснила, что Кутенкин, говоря неполиткорректным языком, вор. Она напросилась на интервью.

Кутенкин подготовился к беседе. На столе лежала стопка писем с прошениями горожан. Чуя в журналистке не простую гостью, Кутенкин не обманулся в подозрениях. Первый же ее вопрос нарушил дипломатическое табу: Леля без обиняков спросила о сносе детской площадки и заявлении протестующих. Сто восемнадцать подписей, между прочим. Площадка была одна на два многоэтажных дома.

Кутенкин любезно осклабился и, перебрав декоративную стопку прошений, сказал, что, во-первых, в глаза не видел эту жалобу, во-вторых, хозяин объекта вовсе не он.

— ...а ваша супруга, — кивнула Леля, расцветая одной из своих артистических улыбок. — Горячо вами любимая.

— Да, но какое это имеет отношение...

Леля с особенно лучезарным видом выложила на стол копии счетов:

— На строительство ее частной собственности вы не пожалели средств даже из общественного фонда.

По мере ознакомления с бумагами на гладковыбритых скулах Кутенкина наливались кумачом маковые лепестки. Кутенкин не то чтобы не воспринимал правду. Он просто забыл, что это такое. Он видел перед собой правду под названием Компромат и вытекающий из него Шантаж.

– Вы славно поработали, – полыхнул Кутенкин глазами и замолчал. Наверное, прикидывал, кто и сколько заплатил газетчице, чтобы скинуть его с теплого кресла. Если не удастся договориться, в суде будет еще накладнее простирнуть честь и достоинство. «Так сколько?» – терзался Кутенкин.

– Я отдам вам результаты «ревизии», если вы восстановите площадку, – подсказала Леля, и ей стало дурно. Стены вокруг качнулись, за креслом Кутенкина замаячили трибуны с докладчиками. Трибунная толпа была стозевна и огромна...

Он замахал над ее лицом заявлениями из стопки, крикнул секретарше, чтобы нашла валидол. Дрожащими руками налил в стакан воды. Обошлось, слава богу, без «Скорой помощи». Леля пришла в сознание, извинилась – ничего страшного, с ней такое случается...

– Подлечить надо сердце, – совсем по-человечески бормотал и суетился Кутенкин.

Детское дворовое пространство удалось отстоять. На месте снесенной площадки общественный строительный фонд отгрохал новую, по современным технологиям. Жильцы двух домов благодарили мэрию и лично председателя фонда Кутенкина. Газета отрядила Лелю написать репортаж...

И все же «театр одной журналистки» не прошел даром. Журналистка устала от обслуживающей правды. Глядя на себя в зеркало, Леля видела румяную, довольную жизнью девочку. Отражение улыбалось миг и пропадало в зазеркальной стране. Или не стране. Счастье не страна. Счастье – состояние детства. Явь лица утомленной женщины совсем Леле не нравилась. Этой женщине хотелось сидеть в тихой книжной гавани малообитаемого домашнего острова и готовить вкусные блюда в ожидании Юрьева с работы. И больше ничего, ничего другого не хотелось.

Юрьев, как всегда, и спас ее от меланхолии. Объяснил, что сшибка с Кутенкиным и его стозевной К° – вариант танца. Переворотного танца: не на трибуне перед народом, а из народа перед трибунами.

Лучше бывшего соседа по парте никто Лелю не понимал. Юрьев – снисходительный, насмешливый, докучный, бесконечно любимый – был необходим ей как сиамский близнец. Они вросли друг в друга дыханием и плотью. Умрет кто-то – придется резать по живому.

Тон Лелиных статей изменился. Представители «Полит.yesa» начали побаиваться непростодушных вопросов спецкора отдела новостей. За неправду Леля могла подкусить в материале так, что уличить ее в посягательстве на чьи-то «честь и достоинство» было невозможно.

– Наконец-то заговорила между строк, – ухмылялся Николай Иванович.

– Ты как певец, который вне выступлений заика, – посмеивался Юрьев. – Освобождаешься от дефекта своих фобий на сцене...

Машинально поднявшись по лестнице, Елена обнаружила себя дома у плиты со сковородой для котлет. Похвалила выработанный годами автоматизм.

Шквал воспоминаний, взбаламученный весенним ветром, как будто улегся.

– Ялетаюночьюнаулице, – промурлыкала рассеянно и остановилась с коробкой чая в руке. Неужели придется ехать ночью в тьмутаракань к сумасшедшей?..

Чайные гранулы прыгали по столу. В маленьком кухонном телевизоре депутат толкал предвыборную речь: «Несмотря на кризис, мы выполняем... не сомневайтесь... надо сказать, что социология...»

– Патология, – дополнила Елена и побежала открывать дверь Юрьеву.

– Привет, – он коснулся губами ее щеки. – Что на работе?

– Нормально, а у тебя?

– Не совсем, но выживем, – вздохнул Юрьев.

– Что-то случилось?

– Да как бы нет...

Пока он, шумно фыркая, плескался под краном, она стояла на пороге ванной комнаты.

– И все-таки?

– Главным Казимирова утвердили, – глухо сообщил Юрьев из-под полотенца.

– Петра! – ахнула Елена.

Старый главврач видел на своем месте Валерия Михайловича, однако в мэрии решили по-другому. Елена знала: муж ждал повышения, чтобы дать ход намеченным в объединении планам, выбить наконец средства под строительство нового больничного корпуса. Назначение Петра Казимирова, руководителя со средними способностями и непомерными амбициями, было катастрофой для коллектива.

А не Вова ли подсуетился? Он мог. Он теперь возглавлял «крутой» партийный блок, не без его подписи совершались в ведомствах кадровые перестановки... В таком случае, в неудаче Юрьева виновата Елена. Вернее, неутоленная Вовина страсть и оскорбленное самолюбие, о чем Юрьев не догадывался.

– Козел, – сказала она.

– Зачем так грубо? Казимиров, конечно, не подарок, но не мерзавец... Ну-ну, не кисни! Зачем мне по большому счету это хозяйство? Я врач, а не завхоз. – Юрьев приподнял пальцем ее подбородок. – Где ужин, одноклассница? Я голоден как звер-р-р!

Она поставила перед ним тарелку с котлетами.

– Ура, каклетки!

Юрьев любил вынесенные из палат детские словечки, чем бездумно ранил жену...

– Ты ела?

– Нет, но не буду. Сегодня... девичник у Наташи. Собирает одноклассниц. Переночую у нее. Можно?

Юрьев приподнял брови:

– Ладно. Одну ночь побуду холостяком.

Елена мучилась от невозможности рассказать о летающей девушке. Дала слово – держись. Жаль, что нельзя поехать с Юрьевым. Страшно одной... но почему-то манил душок авантюры. Адреналина, что ли, в последнее время не хватало?

Она переоделась в джинсы и любимый черный свитер. От прикосновения к ворсистому джерси зачесались лопатки.

Привыкла носить одежду на голое тело, без маечек и шелковых комбинаций, с тех еще пор, когда они были в ходу.

«Я-*не*-летаюночьюнаулице». Задрала свитер, глянула в зеркало через плечо. Лопатки как лопатки – крыльев остатки...

– Поздравляю соврамши, – бодро кивнула отражению.

– С кем разговариваешь?

– С собой.

– Женщина, ко мне! – Юрьев бухнулся на диван, хлопнул себя по колену. Обнял внимательными «докторскими» руками. – Обязательно надо идти?

Завитки бороды щекотнули шею. Елена повернулась лицом к мужу. Он насмешливо и доверчиво смотрел на нее эпикурейскими глазами. Захотелось прижаться к его большому телу, слиться с ним и ничего не видеть, не помнить, как было в отпуске на море. Юрьев спрашивал: «А не пойти ли нам искупнуться?» – «А не пойти!» – смеялась она. И они никуда не шли. Валялись весь день на диване обнявшись, слушали музыку...

– Соседка, ты чего-то не договариваешь?

– Ничего не недоговариваю.

Он обидно захохотал:

– Девичник! Старушник, скажи! Только не напивайся там.

Трясясь в знобком автобусе, Елена загадала: если сейчас на остановке будет больше мужчин, чем женщин, значит, меня у этой Антонины ждет экстрим.

Вгляделась в окно, ловя себя на невольном волнении, и посмеялась – мужчин было больше.

Фу, ерунда какая. Все нормальные женщины сидят сейчас по домам, а ненормальные... Она и есть ненормальная. Впрочем, давно. Не стоит заморачиваться.

Порылась в сумке, в карманах: ну вот, еще и телефон дома оставила. Наташу забыла предупредить – вдруг не обрадуется экспромту? Но подруга счастливо взвизгнула, принялась тискать, вертеть – полгода не виделись.

– Ну-ка, ну-ка, покажись, не растолстела? Молодчинка, держишь форму!

Успевала между вопросами бросать короткие приказы пятилетней внучке – отнеси, убери, поставь. Это же Наташа! Наполеон в юбке.

– А я сама к тебе намыливалась! – кричала она потом с кухни, что-то резво нарезая и помешивая. – Все-таки четверть века, большая дата! Возьму, думала, кагора, и нагряну, а тут Настеньку привели!

«Что – четверть века?» – чуть не спросила Елена и вспомнила: Карелия Альбертовна... Поспешила достать из пакета бутылку красного вина, купленного в ближнем круглосуточном магазине:

– Вот и я решила, что надо помянуть. Юрьев до полвторого отпустил.

Сглотнула подкативший к горлу ком. Он был кисло-горький, со вкусом вранья.

– Так, детка, правильно, вилочки сюда, ложечки туда, – ворковала Наташа, мимоходом обучая внучку сервировке.

«Детка» – отметила Елена, в который раз восхищаясь умением подруги готовить живописные блюда из обычных продуктов. Мозаика заливного мяса, свекольная роза на салате, сбоку маслины в веточках укропа... До чего же несправедлива природа к произведениям искусства еды, во что она их, не к столу будет сказано, потом превращает...

– Тетя Леля, вам молока в чай налить? – вежливо спросила Настя. Очень красивая девочка, вся в маму.

...Бойкая Танечка рано развилась в диву с гламурных обложек. Папа Слава катал дочь по лондонам и парижам – мир посмотреть, себя показать. Вывозил на экспорт свое золотце (его словечко). Золотце вволю помучило Наташу «курсами койки и питья», как та, памятуя о собственной юности, называла бесконечные Танечкины кастинги. Известное фотоагентство пригласило девушку, когда она еще училась в колледже культуры. Наташа уговаривала не сниматься «в ню», видела это ню – голышом на камнях, в снегу, – дура, простудишься!

Дочь не послушалась, не простудилась и подцепила в снежных горах мужа-продюсера. Теперь супруг демонстрировал ее на столичных подиумах, а папа Слава со своей законной женой воспитывали Настеньку. К родной бабушке приводили «воскресную» внучку на выходные. Наташа вела детскую танцевальную студию при Театре танца и лишним временем не располагала...

Уложив девочку, Наташа включила мультфильм. Перешли в кухню. У вина оказался отвратительный химический вкус. Хозяйка прихлебывала из любезности, гостья – от неловкости, раз сама гадость принесла. Но градус был исправным, хмель взял, и всплакнули по Карелии Альбертовне. Перетрясли старые сплетни: Руслан Дементьев попивает, у Болдырева сын на стороне – не знала? Грушевскую разнесло, в двери не влезает, Галку Нигматуллину второй муж бросил...

Наташа горько вздыхала о своем прошлогоднем мужчине. Она поздно стала понимать, что гордая женская независимость не что иное, как банальное бабье одиночество. Раньше либидо сочилось из Наташи, как сок из груши, а нынче в телесное действо вмешалась тяга к любви. Разбавленная любовью связь дала какую-то невнятную реакцию, и мужчина ушел из жизни. Из Наташиной. Тогда на Наташу внезапно снизошло прозрение: она догадалась, чем мужчина отличается от женщины. Тем, что у него конец – делу венец. Сунул, вынул и пошел. У женщины наоборот – с конца начинается все основное. Она к нему крепче привязывается после секса. В смысле к человеку.

– А красиво, сволочь, обхаживал... Цветы, гитáра, голос цыганский. Пел с надрывом, как Николай Сличенко... Не успела мертвой хваткой вцепиться, и смылся с какой-то соплюхой. Аля-улю.

Они добили бутылку. Настенька в ночной рубашке сунулась в дверь спросить о чем-то, но увлеченная горестями бабушка замахала рукой:

– Иди, иди, я же тебе «Смешариков» включила... Вот иди, детка.

Елена почему-то вспомнила юрьевское «Старушник, скажи!» и запоздало обиделась.

– Я тебе не ты, – сказала Наташа с черномырдинским оттенком («Здесь вам не тут»), – я женщина отважная, ни толп, ни очередей не боюсь. Толпу можно обойти кругом, а очередь взяткой начальству. Я не боюсь ядерной зимы и столкновения Земли с астероидом: помрем – не заметим. Но появился у меня, Лелька, страх. Не знаю, как называется. У меня фобия началась остаться совсем без мужчины. Без человека рядом.

В общем, Наташа решила найти себе такого мужчину, который удовлетворял бы ее во всех отношениях (во всех, Лелька, концах и началах!). И почти нашла.

Елена слушала Наташин пьяный треп, застыв сочувственной улыбкой, и размышляла о подозрительной лояльности Юрьева. Он явно потому с легкостью отпустил жену на ночь, что вознамерился зазвать одноклассника (одноалкашника) Дементьева, живущего в доме напротив.

Юрьев не был охотником до попоек, но раз в полгода мог хорошо дернуть с Русланом, хотя в школе не особо дружили и вообще люди разные. Тощий Дементьев мнил себя футбольным фанатом; здоровяк Юрьев считал, что ноги не должны быть умнее головы. Объединяли приятелей школьные годы чудесные, неиссякаемый источник бесед и стычек. Сидят, наверное, сейчас на спонтанном мальчишнике, спорят с пылом, кто кому в глаз засветил в пятом классе. И надираются Елениным «Курвуазье», припрятанным на папин день рождения! Руслан, вспыльчивый после третьего тоста, способен освежить фонарем темную, на его взгляд, память Юрьева. А того гневить – все равно что медведя в берлоге дразнить...

Елена позвонила домой с Наташиного домашнего телефона. Разбуженный муж с подвыванием зевнул в трубку:

– Такси вызвать?

– Нет, у Наташи переночую.

– Все о'кей?

– О'кей...

Отлучавшаяся в комнату Наташа завертела рукой:

– Зацени!

Жгутообразное золотое кольцо смотрелось на ее безымянном пальце как петля на шейке Барби.

– Да-а, – протянула Елена неопределенно.

– Всегда ты так! – Наташа с досадой брякнула кольцо о стол, но поделиться новостью хотелось больше, чем дуться. – Слушай...

Осенью она познакомилась с ученым китайцем. Ван Чуньцзао жил в Приморье и приезжал на симпозиум. Познакомилась с ним Наташа в гостиничном ресторане. Компания танцовщиков завернула туда вспрыснуть маленькое торжество, а Ван – Иван Доанович – там ужинал. Неделю Ваня с Наташей гуляли вечерами по городу. Ученый произвел на нее впечатление человека, не очень приспособленного к жизни.

– Зато умный – прямо Конфуций! А главное – вдовец и детей нет. На прощание прошлись по нашему Бродвею, заглянули в ювелирный магазин. Мне понравилось это кольцо, Иван заметил и купил. Просто так, в подарок. Потом посылали друг другу эсэмэски, а вчера получила письмо. Зовет, представляешь?! Пока в гости зовет, с мамой познакомиться, то-се. Она у него русская. Но я же не девочка, чтоб сразу с места срываться, да и ансамбль к фестивалю готовлю... Или все бросить и ехать, а? Вдруг это судьба?

– Ну не знаю, – засомневалась Елена. – Китайцы, говорят, агрессивные.

– Не скажи, – горячо вступилась за народ Наташа. – С чего им злобиться? Их вон сколько, им ничего не стоит в какую-нибудь локальную войнушку бросить горстку солдат в пять-шесть миллионов, но ведь не бросают! Да они, кто-то ихний сказал, могут напиться пива, встать на Китайскую стену, и начнется всемирный потоп! Бомб тратить не надо.

– Тогда езжай.

– Иван на семь лет меня младше, – вздохнула Наташа. – И мы с ним, знаешь, не того... ничего не было. В первый раз со мной такое. Он, наверно, романтик. Или импотент.

– Тогда не езжай.

– В гости же... не насовсем... Там и проверю. Правда, он с мамой живет. А если мы с ней характерами не сойдемся?

Елена жалела, что уедет единственная подруга. Но Наташа, если разобраться, была создана для дома. Хозяйка отменная, любая вещь в ее доме окутана теплом, все играет, переливается и блестит.

А еще она порядочный и преданный человек, это мужчины ей попадались не те. Кто-кто, а Елена знала это и желала подруге счастья.

– Ну и что, что бабушка, разве наши годы – годы? – хорохорилась Наташа. – Нам же, Лель, до пенсии еще как до Пекина раком! Не седые, сиськи не висят. А ноги у нас двоих на всю школу были самые красивые, помнишь?

– Да... Не годы... Да, ноги, – кивала Елена, не понимая, к чему подруга клонит.

– Почему он сбежал?

– Кто? Китаец?

– Я о том, который пел. «Милая, ты услышь меня-а-а...» – Наташа вытерла слезы и усмехнулась. – А китаец... Может, и полюблю его. Когда переспим. – Она вдруг встрепенулась: – Забыла спросить: как это Валерка тебя почти до двух отпустил?

– Я его обманула, – с неожиданной горечью ответила Елена.

Наташа заметно воодушевилась:

– Ой, вы же вокруг одна счастливая пара! Я-то считала, что он без ума от тебя до сих пор! Неужели поссори...

– А твое, Наташ, какое дело?

– Лю-убишь, – не обиделась она. Прощаясь, слегка взрыднула от прилива чувств. Елена неприязненно подумала: пусть едет к своему китайцу.

Назрел, кажется, кризис их дружбы. Прошло время, когда многие мысли и мечты подруг совпадали. Что-то сбылось, что-то – нет, менялись годы, мода, хахали Наташи, а сама она, несмотря на осмысление разницы между мужчиной и женщиной, осталась прежней Наташей. Елена же, не заметив, потеряла в текучей Лете детское имя Леля и давно уже чувствовала себя другой. Вне обыденности.

– Приходи! – крикнула в дверь Наташа.

– Приду! – соврала на бегу Елена, расстреливая каблучками ступени.

На улице мел мерзкий сырой ветер. Мигнул зеленый глазок такси, опахнуло автомобильным теплом. Шофер бесстрастно кивнул, услышав название далекой улицы.

Елена ехала в криминальный квартал с дрожью в сердце: телефон, телефон! Хоть бы у Наташки догадалась попросить. Ведь невооруженным глазом было видно, что эта Антонина – шиза. Летает она! Чайка по имени Джонатан Ливингстон...

Сумерки липли к глазам. Хмурый шофер вез непонятно куда. Елена потеряла направление и находилась как будто в преддверии сна.

Она летела.

Внизу спал ночной город. Мимо ширкали звезды, сливаясь на горизонте в блистательную дугу. Елена летала к ничем не омраченному миру. Ее только мучило, что рядом нет Юрьева. Бок о бок с ней несся незнакомый человек. Он собрался проникнуть в неизвестный терминал зайцем. Свет фонарей на лице человека перечеркивали тени домов. Ему не удастся проскользнуть незамеченным. На нем кепи и толстый свитер. Воздушные волны нежно касались

Елениного обнаженного тела. Хотелось подсказать попутчику, чтобы он снял одежду, иначе не примут. В чистом мире человек должен быть от всего свободным.

Машину качнуло. Пассажирка проснулась и уставилась в ветровое стекло. Продолговатые хлопья снега растекались по нему, словно лучи фар привлекли стаи летучих гусениц.

«Растиражировались брови Николая Ивановича», – засмеялась про себя Елена. Хлопья-брови были прямой конфигурации, что означало недовольство заведующего отделом.

– Апрель называется, – сказал шофер. – Снежинки какие-то длинные. Прямо чернобыльские.

Елена предположила, что неестественную форму хлопьям придает эффект движения, но, выйдя из автомобиля через несколько минут, убедилась: действительно «чернобыльские». Снег падал плотно, шерстисто, как руно.

Текучие стены поглотили капот машины вместе со звуком мотора. Елена выставила руки сквозь белый кокон и, ослепшая, двинулась вперед. Вспомнился обрывок старой песни: «...они слетают с неба, Мы же знаем, что они из снега, Мы же с вами не сошли с ума...»

Она едва не лишилась чувств, когда кто-то схватил ее за пальцы.

– Это я, Тоня, – донесся приглушенный снегом голос. – Ждала вас.

«Сон», – подумалось неуверенно. За спиной тяжко захлопнулась дверь подъезда. В пещерной темноте постанывали трубы. С возрастающим стуком в висках, опасаясь оступиться, Елена поднялась за девушкой по лестнице. Черная фигурка на мгновение отпечаталась в желтом квадрате, и ударивший в лицо свет вернул зрение. Гостья огляделась.

Прихожая в квартире отсутствовала. Закуток слева, очевидно, означал кухню. Мебель была поставлена как попало, будто здесь жил незрячий человек. Все в комнате говорило о временности и непостоянстве вещей. Посредине простерлась махина стола с монитором и кучей гаджетов неизвестного Елене назначения. В синеве экрана резвились флуоресцентные рыбки. На стенах ерошились ворохи рисунков, наколотые булавками на деревянные штырьки. Кипы рыхлых альбомов, стопки книг, коробки из-под обуви, цветные бутыли, непонятное лабораторное оборудование громоздились на полу. На журнальном столике стоял микроскоп. Диван был повернут спинкой к двери.

– Я падаю во сне, – объяснила Антонина расположение дивана. Запахнутая в бледно-розовый халат, она смотрелась в этом хаосе пятном зимнего рассвета. Вышла в кухню, и комната поблекла. Только снег мельтешил за окнами да на экране синел кусок моря.

Елена повесила куртку на штырь поверх выцветшей гравюры с изображением чего-то анатомического. Антонина внесла на подносе вкусно дымящуюся турку, две чашки. Выудила из-под недр стола два табурета:

– Садитесь.

Аромат свежезаваренного кофе смягчил насыщенный электричеством воздух. Елена взяла чашку и подавила зевок.

– Третий час. Снег, кажется, надолго зарядил. Не рискнете же летать в такую погоду?

– Нет. Но у меня есть, что показать вам.

Кофе был хорош. Наслаждаясь, Елена одновременно сердилась: глупость – пить кофе ночью, потом не уснешь. Она еще лелеяла надежду вернуться домой засветло и урвать для сна часа три. Рассматривала девушку украдкой. Красавицей Антонину сложно было назвать, но взгляд притягивался к ней. Двигалась она с изяществом танцовщицы, а холодноватое лицо ничего не выражало. Будто еще не доведенная до совершенства статуя решилась ненадолго выйти из камня.

– Вы знаете, что чувства можно изобразить как они есть, без человека? – спросила вдруг эта незавершенная Галатея.

– Сомнительно. Они же существуют только в «симбиозе» с нами.

– Да, и все-таки их можно представить отдельно, без нас и наших негативных состояний, которые делают чувства больными. Когда-то возникновение этих антагонистов спровоцировал вирус. Условно я называю его Деструктором. В древности он многое погубил в человеке.

– Что, например?

– Экстрасенсорные способности. До эпидемии они были естественны, как дар художника или певца. После института я как-то помогала одному орнитологу делать рисунки, и он уверял, что предки людей были крылаты. Отсюда и мечты о крыльях, хотя на самом деле это не мечты, а остаточные явления утерянной способности полета. Мы говорили о йогах и некоторых летающих святых. Я увлеклась книгами по аэронавтике.

– Начали мечтать о крыльях?

– Да. Поэтому прервала все связи и переехала в этот город. Четвертый год работаю над «мечтой».

– А на жизнь как зарабатываете?

– Фриланс, – небрежно махнула она рукой, не считаясь, очевидно, с тратами на существование. – Я начала с методики оптимального времени сна. Теперь сплю три часа в сутки. Меньше невозможно, окружающее становится нереальным.

Подобное состояние было Елене знакомо. Бодрствуя ночами за компьютером, она, казалось, уставала не мозгом, а зрением. Отдыхала, разглядывая обои на стене, и однажды на них появились зебры – плюшево-выпуклые, как звери в книжке с магическими картинками. Рисунок полос на шкурах повторял узор обоев.

Антонина пересела столу и, держа карандаш в левой руке, несколькими штрихами набросала поразительно точный Еленин портрет.

– Как быстро! Вы очень талантливы и вы... левша?

– Нет. Я просто возвратила рукам синхронность, утерянную нашими предками. Но в начале своего плана я взялась за исследование органов «простейших» контактных чувств – вкуса, осязания, чтобы позже перейти к более сложным дистантным: обоняние, зрение, слух. Это было нужно для изучения работы вестибулярного аппарата. В некотором смысле он – рудимент нашего чувства полета. После многих проб и ошибок мне удалось овладеть тонкостями вкуса. Вы не представляете, какой широкий вкусовой спектр обнаружился у обычной хлебной горбушки! Ощущения – от мускульного до теплового. Я почувствовала «историю» этого ломтика от зерна до металла формы, в которую вливали тесто. Будто попала в сопредельный мир, превышающий возможности человеческих рецепторов. Так же было потом с остальными чувствами. Затем у меня возникла идея создать графику чувствительности тела.

Она пощелкала компьютерной мышкой:

– Вот, смотрите.

На экране задвигалась ломаная алая линия, словно ребенок водил по бумаге фломастером, не отрывая руки от листа. Фон побагровел, линия забегала стремительнее. Чертеж обрастал веточками капилляров, наливался соком и на глазах вызревал в рубиновый плод... В глубине багряного сумрака засияло сердце! Живое и упругое, как сжатый кулак. Послышался прерывистый, наподобие морзянки, стук, и оно затрепетало.

– Впечатляет, – сказала Елена. Девушка торжествующе оглянулась.

Рядом с сердцем сконструировалось нечто двустворчатое, светло-розового цвета. Модель завибрировала и начала издавать колоратурные звуки. На верхних нотах она слегка вздымалась.

– Легкие?

– Да. Но вы, надеюсь, поняли: это не относится к биологии. Это, как бы точнее выразиться, духовная анатомия человека. Сверхчувственная его природа. Я придала чертежам многомерность, потому что мне было необходимо материализовать чувство полета.

На мониторе возникали новые фигуры. К почечным трелям подключился саксофон печени. Взбухая в лиловых изгибах, со звуками волынки загудел еще один петлистый «инструмент».

– Полтора года я работала над отдельными схемами органов. Когда все они были готовы, соединила их так, как они расположены в строении тела.

Макет понемногу заполнился плотью, кровью, покрылся кожей и принял окончательные очертания. Елена ахнула: перед ней всплыло фантастическое существо! Из подмышек его распахнутых рук выпростались сквозистые крылья. Красивое лицо приблизилось к реверсу экрана. Глаза напоминали крупные черные жемчужины, ноздри тонкого носа еле заметно подрагивали. Елене казалось, что существо не только разглядывает, но и обнюхивает ее. Какое-то наваждение!..

Антонина отключила звук:

– Я показала вам результат, полученный мной из сложенных диаграмм.

Существо раздвинуло глубокую продольную морщину в середине безбрового лба, и в ней, как всунутый в щель леденец, замерцало прозрачно-зеленое око.

– Дополнительный глаз.

– Он слепой?

– Я тоже так было подумала, но выяснилось, что у него не внешнее, а внутреннее зрение. Как бы рентген.

Внезапно леденец ярко вспыхнул, и морщина сомкнулась. «Сфотографировал?» – дрогнула Елена.

– Исследование подтвердило мою теорию об эпидемии. Деструктор изменил человеческий геном. Мы довольствуемся остатками возможностей, трансцендентный мир нам недоступен.

Рукокрылое существо полетело в экранное небо. Внизу белели плоские крыши разных геометрических форм. Гряда зубчатых гор уходила в синеву, легкая дымка окутывала пики средних вершин.

– Я нашла мускульную энергию, которая делает полет возможным, но не знала, как привести ее в действие. О звуке забыла. Обычно отключаю его.

– Мешает?

Она замялась:

– Видите ли, компьютерный человек – это я и есть. Просто в другом воплощении. Его органы – материализация моих чувств, а звуки – то, как они реагируют на внешние раздражители. Вот, возьмите наушники, прижмите к ушам плотнее... Слышите?

Елена кивнула, изумленная ожегшей уши лавиной звуков. Слуховые ощущения были полны и совершенны. Эфирный ток проник в кровь, разнесся по телу, и невесомое тело поплыло ввысь. Его несла музыка диковинного оркестра.

– Достаточно, – донесся смущенный голос.

Стены и вещи вытягивались и влеклись в иллюзорную пустоту. С минуту Елена еще парила во вневременье. Острая боль падения ударила не по наружной части тела, а словно гортань на мгновение замкнуло хрупким шаром тончайшего стекла и он разлетелся с явственно слышимым звоном.

За окном нехотя синели сумерки утра. Медленно возвращался привычный мир.

– Подозреваю, что «моя» музыка делает реальным только мой полет, – сказала Антонина. – Ведь я эксплуатирую собственные чувства. Кто-то другой, может, сумел бы заставить работать другие сенсоры.

А нужны ли человечеству крылатые? – размышляла Елена подавленно. Не угрожает ли бесспорное превосходство этой новой расы порабощением деградирующей популяции?..

Впрочем, бред! Чувства не более чем эмоциональные колебания в мозгу и не могут материализоваться. Человек не способен летать... но что я тогда видела и слышала? Что это было – высокохудожественная мистификация, гипноз, оптический и слуховой обман?

Передернула плечами, стряхивая с себя чары чужого внутреннего космоса.

Безумный поэт создал Страну крыс на себе. Безумная художница извлекла из себя сверхчеловека. А она, Елена, попалась на удочку больного воображения потому, что, кажется, сама находится где-то рядом.

– Мой аэродром, – кивнула Антонина в сторону балкона. – Жаль, места маловато для хорошего разбега. Я пока, честно сказать, трудно летаю. Поднимаюсь чуть выше фонарей.

Девушка определенно была сумасшедшей, но не без любопытных способностей. Елена вынула из сумки ручку и блокнот:

– У вас прекрасные мультипликация и музыка. Эти фокусы сто́ят материала! Почему вы не хотите, чтобы люди знали? Пусть не сейчас, пусть со временем вам будут нужны сподвижники, с которыми вы могли бы вместе...

– ...весело летать по просторам? – перебила Антонина, сощурив глаза.

– Извините, я не хотела вас обидеть...

– Вы меня не обидели. Вы меня просто не поняли.

Она вышла в кухню.

Елена оделась и, со смятением в душе, ждала у окна. За ним снова кружились снежинки. Обычные, не длинные. Справа в голубеющих сугробах темнел котлован. Недавно здесь, по-видимому, снесли здание. Из снега торчала труба в ржавых потеках. Подступал новый день житейских забот, радостей, смут и грехов... Да, грехи мои тяжкие... Когда Юрьевым придет срок «умереть в один день», Юрьев очутится в небе один. Вряд ли его жене простят грех аборта.

Каждый день может быть грешен в разнообразии действий и мыслей. Вчера Елена думала о назревшем кризисе дружбы с Наташей, сегодня – о назревшей в себе гордыне. Пора наконец признать: носясь с несуществующим синдромом отторжения, некая Ю.Е.Д. посчитала себя особенной личностью. А особенного в ней только и есть, что привычка к колупанию слоев своей надуманной обособленности.

– Вы напрасно потратили на меня время, – сказала за спиной Антонина.

– Нет, я нисколько не жалею, – обернулась Елена, встрепенувшись. – Крылатый человек... он потрясающий, невероятный... очень хотелось бы встретиться с вами снова, чтобы...

Девушка выставила ладонь в жесте «остановитесь», и Елену внутренне покорежило от собственной фальши в интонациях и словах.

– Другой встречи не будет. Если что-то из нашей беседы прорвется в газету, я сотру файлы. Прощайте.

Вместо обнадеживающего «до свидания» она предпочла это книжное слово. Обрубила фразу, недосказанную Еленой, отторгла ее от себя. Через пару минут незадачливая гостья ощутила себя камнем Галилея, по закону гравитации приземлившимся с Пизанской башни на землю улицы.

Елена шагала на остановку, стараясь думать о Юрьеве. Мысли о нем всегда помогали поднять павший дух. Вспомнила прошлую пьянку Юрьева с Русланом, и впрямь полегчало.

Голова с похмелья у мужа была «вава». Виноватый, он обещал стать образцом мужской половины человечества. «Больше никаких стопок, кроме стопок глаженого белья, кофе жене в постель, обед по воскресеньям! Настоящий мужчина должен попробовать в жизни все! Даже то, что он приготовит своими руками!» Готовил Юрьев кошмарно. Глажка и кофеподача быстро забылись. С какой же депутатской легкостью дают мужчины невыполнимые обещания...

Дома Елену ждал неприятный сюрприз. Юрьев нешуточно собирался ее поколотить, а на табуретах у порога сидели Руслан Дементьев и вся из себя виноватая Наташа. Ночью она позвонила Юрьеву, чтобы узнать, благополучно ли подруга добралась домой. Эту возможность Елена почему-то упустила.

Наташа сгоряча не поняла, о каком девичнике спросил ее Юрьев и удивилась: «Нет, никого не было, только я с внучкой. Одну бутылку выпили. Не водку, о чем ты говоришь! Винишко слабое... Да, без предупреждения пришла, помянуть Калерию Альбертовну».

Потом, сообразив, что выдала Елену, Наташа начала бестолково ее выгораживать и завралась: «С ума не сходи, нет у нее любовника... на задании она... Почему ночью? Про ночную смену вроде должна была статью написать».

Оба, конечно, тотчас ударились в панику, представляя хладное Лелечкино тело в свеженаметанных сугробах. Обзвонили отделения полиции, больницы, морги. Спасибо, не решились пугать родителей Елены ночным звонком. Под утро удалось отыскать шофера в одной из служб такси, подвезшего «симпатичную женщину в черной куртке» от

Наташиного дома в отдаленный Черемушкинский район. Адрес был назван не знакомый ни Юрьеву, ни Наташе. Дом, сказал таксист, многоквартирный. Отправиться на поиски пропавшей жены и подруги решили в половине восьмого, не будить же людей раным-рано...

Вот Наташа и приехала. Руслана подключили к компании. Обсуждали план действий, когда явилась потерянная – как раз к апогею ярости Юрьева по поводу женских попоек и амуров.

Елена не убоялась мужа, несмотря на его бурное негодование. Все вероятности изумлений и страхов были ею нынче исчерпаны. В допросе с легкими пытками пришлось вкратце рассказать о сумасшедшей художнице, которая вызвала в Елене журналистский интерес заявлением «Ялетаюночьюнаулице».

Что ей оставалось делать? Врать она больше не могла. Утешала себя тем, что муж, Наташа и Руслан – не газета, а летающая Антонина просила, чтобы только в газете не узнали...

Дементьев ушел домой. Юрьев похохотал: «Старушка плачет – девичник улетел!» и тоже пошел – спать.

Подруги попили чаю. Наташа с удовольствием пародировала Валеркин зубовный скрежет и вопли «Где шляется эта блудница, моя жена?!». Елена не могла поверить в «блудницу», хотя то же самое услышала в прямом обращении к ней у порога.

Хотелось в постель к Юрьеву, а Наташа все расспрашивала об Антонине, возбужденно высказывая всякие свои соображения и фантазии.

– Деструктор – это же, Леля, дьявол в натуре, от яблочка пошла эпидемия! А какие способности она имела в виду, кроме левитации? Телепатию, ясновидение? Может, древние умели создавать двойников для лучшей работы? Люди-ксероксы, люди-клоны, представь! Мощный размах деятельности!

Елена согласилась, клюя носом:

– Неплохо...

– Вот, допустим, сама ты лежишь на диване с книжкой. В то же время вторая Юрьева едет куда-то по заданию редактора, третья гонит строкаж, четвертая сидит на планерке... И все получают зарплату! Пятая готовит и убирается дома, шестая спит за остальных...

– С Юрьевым?! – проснулась Елена.

– Это интересно! Любой нормальный мужик не отказался бы разок от групповухи!

Елена поморщилась:

– И как мне потом избавиться от группо... общежития?

– Погоди избавляться, – отмахнулась Наташа. – Мне правда интересно – испытывают ли клоны отдельные эмоции? А сам оригинал что при этом испытывает?

– Ревность, Наташа, – вздохнула Елена. – Оригинал ревность при этом испытывает, и на фиг ему не нужна книжка. Он все равно не поймет, о чем читает.

– Тут как бы мозг не взорвался от руководства самими собой, а ты – ревность!

— В любом случае, спать с Юрьевым буду я. Та, что с книжкой на диване.

— Эгоистка, — сказала Наташа.

Посмеялись...

Весь день под глазами у Юрьева не сходили темные круги. Требовалось снять стресс, и под вечер он с попустительства жены неизысканно раздавил с Русланом «Курвуазье». Вдохнув прощальную струйку ванильно-орехового аромата, Елена оставила их потчеваться в кухне несбереженным коньяком.

Достала из сумки портрет, начерканный Антониной, и обнаружила, что забыла у нее блокнот. Раззява! Сложно теперь будет восстановить все нужные телефонные номера... Вгляделась в рисунок, восхищаясь точностью линий. Карандашная женщина смотрела с листа настороженно и недоверчиво: портрет передавал не только сходство, но и настроение. Красивая, удивилась Елена.

Из кухни донесся ликующий голос Руслана (дверь была открыта, а приятели и не подумали убавить громкость):

— ...матюгался, правда!

— Что, Наташа сказала? — спросил Юрьев стыдливо.

— Да ты ж при мне, как сапожник...

— Это от страха. Люблю я Лельку, понимаешь?

— Еще в школе понял.

— Она лучшая была в школе...

– Да, может, среди девчонок. А среди училок лучшей была Ольга...

Звякнули рюмки.

– Давай, Валера, за жен. Я тоже свою уважаю. То есть боюсь, если честно. Ты меня знаешь – нужда заставит, так я кому хочешь навешаю, а Нинку боюсь прямо до смерти. Скажи, это любовь или что-то психическое? Скажи, ты же доктор...

Елена затворила дверь.

...Юная, первый год после училища, учительница по черчению Ольга (отчество Елена забыла) не могла совладать с классом. Мальчишки бессовестно играли на ее уроках в карты, и однажды она предложила самым отъявленным картежникам сыграть с ней в «храп». Выставила условие: если проиграет она – поставит четверки за контрольную; если они – прочь колоды и честная учеба. Продув целых три раза, картежники зауважали училку, а Дементьев влюбился. Только после экзаменов она призналась, что купила книжку с карточными играми, в которой раскрывались шулерские секреты... Школьная любовь сильно повлияла на судьбу Руслана: учительницами были две его предыдущие жены и третья, нынешняя. Сам Дементьев работал судовым механиком в порту.

После коньяка друзья наклюкались водкой (одноклассник, как выяснилось, пришел не с пустыми руками). Руслан уснул на ковре, Юрьев сумел доползти до дивана.

Утро воскресенья началось со звонка мобильного телефона. Дементьев засипел громким испуганным шепотом:

– Да здесь я, у Юрьевых, где еще! Что ты, Нин, мы почти не пили! Я их мирил, не мог бросить, они бы без меня развелись! Какой бы я друг был после этого, как ты не понимаешь, Нина?! Да, до утра, именно до утра мирил их, спасал семью, и именно поэтому я от-сут-ство-вал дома, а не потому, почему ты, Нин, думаешь!

Подправив самочувствие огуречным рассолом, Дементьев принялся уговаривать Елену выступить арбитром в его домашнем суде. Подтвердились ее подозрения, что адвокатская деятельность Юрьева там уже исчерпана.

– Если ты меня перед Нинкой не защитишь, мы же с ней разведемся, – сокрушался Дементьев, топоча за хозяйкой по всей квартире. Кричал у ванной под шум воды: – Она кинет меня на закате лет, как ты можешь такое допустить, Леля?! Я же из-за вас! Я не мог вас в таком состоянии оставить, какой бы я был друг после этого? А если ты откажешься меня спасти, Нинка уйдет, и я тогда сопьюсь! Я в водке утопну, и меня с работы попрут, не посмотрят на мою квали-фика-цию, Леля-а!

Разговор с женой почему-то утвердил Руслана в том, что он пал жертвой примирения друзей. Елене очень не хотелось идти, но одноклассник бы не отстал, и Юрьев за спиной виновато гудел:

– Сходим давай, что ли... Отдадим долг спасения утопающему...

Нина встретила гостей кривоватой улыбкой, однако расторопно выпроводила сына играть во двор и выставила по банке пива на опохмел. Благодарный и взволнованный, Дементьев суетливо открыл шпроты, нарезал ветчины и огурчиков. Вчера он успел проинформировать жену о приключении Елены.

– Нин, сейчас тебе Леля сама про летающую расскажет... это полный отвал башки!

Ненавидя себя лютой ненавистью, Елена краткими ответами удовлетворила Нинино любопытство. Чуткий Юрьев выполнил за жену заступническую миссию, подтвердив миротворческую роль Руслана в их отношениях.

– Можно подумать, до утра за руки вас держал, чтобы не разбежались, – вздохнула Нина.

– Так и держал! – залился счастливым смехом Дементьев. – За руки! А они дико визжали и сопротивлялись!

Одеваясь в прихожей, Елена услышала, как он сказал жене в кухне:

– Ты лучшая, Нин, ты у меня самая лучшая...

Вчерашний снегопад превратился в грязное месиво. Слякоть, казалось Елене, хлюпает у нее душе.

В подходе к дому растаяла и разлилась огромная лужа с бугорком в центре. Прыгнув на него, Юрьев тихо спросил:

– Соседка, а не сочинила ли ты свою ночную историю?

– Сочинила, – Елена пренебрегла протянутой к ней рукой. – Апрель же! Весь апрель никому не верь, – и, перескочив на бугорок, едва не оступилась. Юрьев успел схватить жену за капюшон и удержал равновесие.

Они стояли посреди дворового моря на крохотном острове, обитаемом только ими.

– Ты за луну или за солнце? – шепнул Юрьев, щекоча бородкой ее ухо.

– Не знаю.

– Не помнишь, как надо отвечать?

– Нет, – завредничала она.

– Если за солнце, то за пузатого японца, а если за луну – то за советскую страну. Когда я задал тебе этот вопрос, ты заплакала, потому что сказала «За солнце». В первом классе, помнишь? Ты ходила в розовой шубке и шапке с помпоном. А я уже тогда был в тебя влюблен.

– Был?

Юрьев запрокинул голову и закричал:

– Был, есть, буду!

– Будешь есть? – засмеялась Елена. – Какой же ты глупый, Юрьев.

– От глупой Юрьевой слышу!

...Чей-то неисправный автомобиль испускал радужные бензиновые круги. Вокруг плескалась хлопотливая синева, полная крылатого трепета и прозрачного капельного звона. Шалый весенний ветер носился между небом и лужами. Солнце румянило кору тополей, лопались почки, а на крышах колыхался сухой камыш антенн. В пятом классе мальчишки забирались наверх по пожарной лестнице, отламывали полые антенные трубки и пулялись гороховой дробью...

Створка окна открылась на третьем этаже. Молодая женщина с волосами цвета скошенного сена оперлась подбородком о скрещенные руки. Она задумчиво смотрела в колодец двора. Внизу, стоя в промокшей обуви на персональном острове, целовалась совсем не юная пара.

За две недели чувство вины у Елены утихло. Она завела новый блокнот и, если звонили необходимые знакомые, сразу вписывала номера телефонов. Морозов, начальник ЖКХ района, к которому относился ее дом, не был ей необходим, но пришлось и у него номер спросить. Потому что Елена, оказывается, еще осенью пообещала написать материал о работе хозяйства, о чем напрочь забыла. Расстроенная, она крепко потерла виски (здравствуй, склероз).

– Много работы, всего не упомнишь, я понимаю, – вздохнул он. – Кстати, я стал кандидатом в депутаты нашего округа.

– Встретимся, как освобожусь, – снова пообещала Елена кандидату Морозову.

Заглянул секретарь Роман Афанасьевич:

– Чей пожар в магазине?

– Мой, – оторвалась от компьютера Аня Сафонова.

– А драка чья в клубе с жертвами?

– Драк тоже мой.

– Подписывать забываете, – строго произнес Роман Афанасьевич и посторонился: – Нелечка, здравствуй.

В кабинет вошла корректор Нелли Сергеевна.

Нежно подрагивая бровями, редактор Николай Иванович пропел:

– Неле, я твой Уленшпи-игель...

В поросшее мхом время старшие коллеги были однокурсниками. Поговаривали, что Роман Афанасьевич в молодости безуспешно ухаживал за Нелли Сергеевной. Та, влюбленная в женатого Николая Ивановича, предпочла остаться старой девой. Друзья по старой памяти часто засиживались в кабинете «у Коли».

Все на работе у Елены было как всегда, и было бы как всегда, если б не Владимир Ильич. Нет, не Козлов Владимир Ильич, а почти настоящий Ленин.

Гений революции очень хорошо сохранился. Сняв с лысой головы знаменитую кепку, он с легкой картавостью поприветствовал журналистов:

– Здравствуйте, товарищи! – и с характерно лукавым прищуром оглядел изумленные лица. – Вы, разумеется, хотите сказать: «Так вот ты какой, дедушка Ленин!», хе-хе... Правильно, это я и есть.

Актера поощрили смехом. Владимир Ильич вынул из портфеля пухлую книжищу домашнего изготовления, взгромоздил на стол перед Николаем Ивановичем и присвистнул:

– СПСС-с-с!

– Что, простите?

– Мое Самое Полное Собрание Сочинений, – пояснил забавный двойник.

– Очень интересно, – Николай Иванович полистал великий труд, и левая бровь его изогнулась вопросом.

Расхаживая по кабинету, Ленин сообщил:

— Грядет новая мировая революция.

— Ура-ура, — обрадовалась Аня Сафонова, — вы собираетесь возродить советскую власть?

— Да. Надеюсь, вы поддержите меня, работница идеологического фронта?

— Обязательно!

Лучистые глаза обратились к Елене:

— А вы?

— Я — нет, — засмеялась она.

— Почему?

— Потому что я за солнце. Значит, за пузатого японца.

— Вы шпионка?! — попятился Ленин. — Вы шпионка, и открыто заявляете нам об этом? Вас надо расстрелять!

Аня захохотала. Актер повернулся к ней, очень правдоподобно багровея:

— Вас тоже расстрелять!

— Простите, пожалуйста, Владимир Ильич, девушки шутят, — Николай Иванович вручил возмущенному гостю его книжищу, учтиво взял под руку и куда-то повел.

— Это что, не розыгрыш? — растерялась Елена.

— Видимо, шиз, — круглые глаза Ани округлились еще больше. — А я-то думаю — вот классный прикол, и ведь похож!

Вернувшись через полчаса, Николай Иванович устало подтвердил:

— Шиз. Еле избавились.

— А что было в его гроссбухе?

— Факсимиле. «Ленин, Ленин» — все девятнадцать авторских листов...

— Психдиспансер до сих пор на ремонте, а скоро еще бичи-грачи прилетят, — проворчал Роман Афанасьевич.

— «Вечерку» читали? — спросила Аня.

— Читали, — усмехнулся Николай Иванович.

— Какие-то сногсшибательные новости? — поинтересовалась Нелли Сергеевна.

— Скандал, — тряхнула Аня рыжей челкой. — В субботу бывшие товарищи-комсомольцы мощно отметили юбилей Ленина в Театре танца.

— Сколько стукнуло Ильичу? — озадачился Николай Иванович. — Подсчитай-ка, Рома, ты у нас, помню, был не двоечник.

— Сто сорок.

— Ну и что за скандал? — напомнила Нелли Сергеевна.

— Из-за него, прикиньте, открылась тайна, что наши мэр-зкие учредители — сплошь бывший горком комсомола! А конспиративный юбилейный вечер, то есть вечеринку, организовал один из замов главы.

— Козлов, — кивнул Николай Иванович. — Экс-первый комсомольский секретарь, тезка Ленина, между прочим. На место мэра метит. Я должен интервью у него взять.

— Там случился курьез. Кто-то из театральных слух об этом распустил, и наши «желтые» конкуренты, конечно, не могли не отреагировать. Фельетон называется «Пиар во время Ч». Если хотите, я зачитаю, номер у меня как раз в компе открыт.

Аня читала, а перед Еленой на темной волне поднимались шеренги красных кресел конференц-зала. Белые рубашки, спящий с открытыми глазами президиум, сбитая на века трибуна, докладчик, бубнящий колыбельную речь...

– «...доклад, какого здешние стены давно... славные социалистические времена... и женщина на глазах у изумленной публики... сорвала с себя одежду!» – согнулась от смеха Аня.

– Не может быть! – вскрикнула Елена, заливаясь жгучей краской.

– Еще как может! – довольная Аня снова уткнулась в монитор. Молодая, она не знала о пассаже из прошлого Елены Даниловны...

– «...танцевала недолго, но прекрасно. Форс-мажорные обстоятельства не помешали доблестной компании вспомнить о главной причине торжества. Поздним вечером граждане на площади Ленина стали свидетелями и соучастниками массовых ленинских гуляний. Вот так незапланированное балетное выступление в праздничной программе, посвященной юбилею вождя мирового пролетариата, повлияло на раскрытие секретов пиара предстоящих выборов городской администрации».

– Не может быть, – повторила Елена шепотом.

Аня засмеялась:

– Случись мне там быть, и я бы что-нибудь такое отмочила!

– Зачем? – скривился Роман Афанасьевич.

– Из стеба!

Мотнув затуманенной головой, Елена поймала красноречивый взгляд Романа Афанасьевича. Николай Иванович мягко затарабанил пальцами по столу. Знают, они-то все знают... Бывшие комсомольцы на своей тайной вечере, конечно, тоже вспомнили трибунную румбу. Но не могло же время повернуть вспять?..

Коллеги принялись обсуждать веселое происшествие.

– Материал заказной. «Вечеркин» намек ясен, кто девушку танцевал.

– Чтобы Козлова «опустить»?

– Теперь противники его блока без проблем толкнут своего кандидата.

– А может, девушка просто решила радикально изменить собственную жизнь?

– Или напилась.

– Не, когда человек напивается, он не взлетает...

– Танцовщица взлетела? – охрипшим голосом перебила Елена. – Вы говорите – взлетела?!

...Бедный человеческий словарь оказался неспособным передать чудо. Елена тщетно старалась подобрать верные слова для описания странной ночи, странной девушки, летающего существа и магических звуков. Страдая от словесной мишуры, помогала себе жестами. И внутри наконец будто лопнула резина – компьютерный мир Антонины проявился в рассказе как переводная картинка. Елену мутило от ощущения Иудина поцелуя, и в то же время она чувствовала облегчение.

– Материал пропадает! – воскликнула впечатлительная Аня. – Напишите, Елена Даниловна!

– Не о чем тут писать, – сказал Роман Афанасьевич. – Событие частное, и девица ненормальная. Вы же, Аня, не стали бы писать о сегодняшнем Ленине? Все психи разные, по-своему, может быть, интересные, но в газете им не место. Вот если бы Елена Даниловна убедилась, что она летает – тогда да! Тогда б я упал перед ней на колени и умолял бы ее свозить к этой Антонине фотокора.

Нелли Сергеевна положила теплую ладонь на запястье Елены:

– Не переживайте. Пусть вы не видели, что она летает, – она наверняка летает. Летали же святые Василий Блаженный и Серафим Саровский. Люди без всяких психических отклонений подвержены сезонным влияниям. Осенью человек хандрит, весной воскресает вместе с природой... Солнце, воздух, простор. Я, как балкон открою, кажется, вот тоже сейчас прыгну и полечу. Только хочется взять кого-то за руку. Вдвоем не так страшно, – она покосилась на руку Николая Ивановича, все еще отбивающую какой-то музыкальный ритм.

– Чепуха, – желчно обронил Роман Афанасьевич. – Весеннее обострение женской глупости.

Нелли Сергеевна посидела, опустив голову, и вышла из кабинета. Кинувшись за ней, Аня скорчила рожицу за спиной секретаря.

– Хами-ишь, парниша, – протянул Николай Иванович. – У тебя, Рома, что, не бывает причуд? Ты не человек – папка ходячая?

– «Не учите меня жить» – читай там же!

Брови заведующего отделом сошлись в одну длинную «чернобыльскую» снежинку.

– Не знаю, как тебе, Рома, а мне утром на редколлегии тоже хотелось отколоть какой-нибудь кандебобер. Сильно хотелось. Тут не то что тиражи – тут последних читателей теряем, лучшие журналисты к частникам бегут, а нам велят учредителя облизывать. И мы лижем, самозабвенно, как весенний кот яйца. В результате наше издание банкрот во всех смыслах.

– На газету кощунствуешь?! – взвизгнул секретарь.

Они встали друг против друга словно два старых всклокоченных петуха. Забыли, что не одни в кабинете.

– Кощунство, Рома, это когда на цветочной выставке ругаются матом. Когда гостиничным полотенцем вытирают свои ботинки. Я тебе сотни таких кощунств могу вспомнить. А в прошлую пятницу я целый час сидел на стуле в приемной Козлова и думал, что кощунство – когда по моей спине вверх карабкаются и плюют на меня же. Я интервью ждал, которое, сам понимаешь, не мне было нужно. Позвонить нельзя, секретарша сказала – занят. А Козлов, оказывается, забыл. Кричит ей: «Галя, что за тупень торчит у тебя, как мой член утром?» И я ушел. Пусть теперь сам явится и ждет моего внимания, как соловей лета. Лично мне, Рома, наша поддержка тех, кто по головам на вертикаль лезет, вот уже где, – Николай Иванович резанул по горлу ребром ладони. – Мне от всего этого отчаянно весело, Рома. Так весело, что я, знаешь, готов прыгнуть на редакторский стол и джигу сплясать. Да эх, не умею, и спина болит. Поэтому, когда учредители снова пожалуют к нам на планерку и по новой начнут нас учить, как надо и не надо писать, я, Рома, не ручаюсь, что штаны при всех не спущу. Давно хочется зад им свой показать во всей его тощей красе, как ответ Чемберлену. И ты не представляешь, как я себя презираю за кукиш в кармане и как жалею, что из-за психической устойчивости могу подавить души моей прекрасные порывы. Хотя иногда думаю: не патология ли это – молча терпеть? Честно признаюсь: завидую я Елениной летающей девушке. Хоть она и ненормальная, а человек не подневольный, независимый и трудится не ради копейки. Пусть даже напрасно. Зато – счастливая. Вот мы с тобой, Рома, безнадежно нормальные, благоразумные до мозга костей, но почему-то не заметили, как целую жизнь профукали ни за грош. То строили светлое будущее, то рынок с человеческим лицом, то демократию с волчьей пастью. Сами теперь удивляемся, куда девалось и счастье наше, и ремесло, и честь, и ум, и совесть нашей эпохи...

– Расплакался, – процедил Роман Афанасьевич. – Разверзлись хляби небесные... Ему, видите ли, мучительно больно и стыдно за бесцельно прожитые... Демагог!

– Стыдно, – согласился Николай Иванович. – И больно, Рома, за себя и за тебя. А если тебе не стыдно, так мне тебя еще и жалко.

– Больше я с тобой, Колька, не разговариваю, – прошипел Роман Афанасьевич и, шумно вздыхая, шагнул к двери. Открыв ее, снова захлопнул и склонился над Еленой с перекошенным от злости лицом:

– А вы... вы! Летаете в эмпиреях! Спуститесь на землю, уважаемая! Где заметка о конференции в Комитете по делам семьи и детства?! Вы на ней не были, что ли? В новостной полосе голяк, ставить нечего, на последней валяются драка, пожар и суицид в десять строк!

За все время работы это был первый нагоняй от Романа Афанасьевича, но Елена не обиделась. Понимала, что подвернулась под горячую руку.

– Стой, Ромка, где стоишь, – встрепенулся вдруг Николай Иванович.

– Чего? – глянул секретарь исподлобья. – Сыт я, Коля, твоими тертыми истинами...

– Погоди, не гунди, – махнул рукой Николай Иванович. – Ты про какой суицид говоришь? Который давеча у тебя на столе лежал?

– Ну да, ты же смотрел, – буркнул Роман Афанасьевич. Краснота понемногу спадала с его лица.

– Елена! Где эта девушка живет, не в Черемушках случайно? Где дома под больничный комплекс сносят?

– В Черемушках... Номер дома не помню, тридцать какой-то с дробью, пятый этаж... Блокнот с адресом у нее забыла...

Тихо охнув, Роман Афанасьевич прижал ладонь ко рту.

— Дела-а, — вздохнул Николай Иванович. — Там одна девушка на днях с балкона улетела. Такая новость в десять строк.

— Как улет-тела? — спросила Елена, заикаясь.

— С-спрыгнула, — тоже заикаясь, сказал секретарь.

Он сам позвонил в пресс-службу ГУВД, откуда ему прислали заметку, и уточнил адрес.

Елена оставила деньги дома, что выяснилось уже на улице. Хорошо, хоть копейки на автобус в кармане завалялись. Склероз грозил вырасти в мегапроблему, но пока не это ее заботило. Сердце заходилось от гадливого ощущения предательства и страшной догадки. Чудились осуждающие взгляды, словно люди знали, чей журналистский цинизм подтолкнул душевнобольного человека к самоубийству.

Облик города становился старше, пасмурнее и монотоннее. Обветшавшее время молодости родителей наложило здесь свой архитектурно-политический отпечаток: следы дум тогдашнего правителя о вечно актуальном квартирном вопросе, в чем страна преуспела. И догнала, и перегнала. Теперь в сотнях тысяч каменных камор по всей стране доживала убогую старость пришибленная новыми временами романтика шестидесятых с убитой верой в высокое и светлое. Не небо.

С двух сторон встречными рядами шагал на обед рабочий народ и пенсионеры с кошелками. Все с озабоченными лицами — прерывистые, беспорядочные шеренги, мрачные в своей безысходности. Или так мерещилось Елене. Она допускала — мерещится. Наверное, в проекции ее вины затенялось все, что попадало в поле зрения. Обычно легкое в ходьбе, тело казалось незнакомо слабым, тонкие мысли возникали и рвались, как после суток напряженной работы. Хотелось спать. Долго, бесцветно, без снов...

Дом был тот и не тот — пятиэтажный, серый, безликий. Клон домов-близнецов в лабиринте одинаковых улиц. Елена неуверенно взошла по скособоченным ступеням крыльца. Не вспомнила, было ли оно подперто бетонной сваей, как это. И тут в сумке запел телефон. Звонила Наташа.

— Привет, ты в редакции? — заговорила она трескучим, искаженным волнами голосом и, не дожидаясь ответа, выпалила: — Экстренное сообщение: я уезжаю!

Заторможенная, Елена прислонилась к перилам крыльца:

— А твоя студия... а Настенька?

— Студия не распадется, передала деток хорошему человеку, он из моих ансамблевых. А Настенька... что — Настенька? У нее дед с бабкой — той, не по крови, зато Славиной законной. Бодрые еще.

— Значит, все-таки надумала? К китайцу?..

— К нему. Может, последнее предложение в жизни, а китайцы отказа не принимают, сразу пускают в расход, — засмеялась Наташа. — Их много, нас много, никто не заметит. Даже если Ваня окажется импотентом, останусь с ним, ничего другого не придумала. Я, Лелька, таких дел натворила, что мне больше в театре не работать и в городе этом не жить... Хочешь, вместе уедем? Квартиру продать не проблема, а там такая, как ваша, даже меньше стоит. Валерка всегда работу найдет, да и ты не промах...

— Что случилось-то, скажи толком!

Наташа захохотала:

— Ты, журналистка, чужих газет не читаешь? Про ленинский юбилей в Театре танца не слышала?

— Так это... ты... ты?!

— Я! — с веселым напором закричала Наташа. — Да, я! Прости за плагиат! Как увидела трибуну на сцене... Живее всех живых трибуна, не знаю, откуда притаранили... Вот, говорю, как увидела ее, так прямо затряслась вся! Театральные наши не знали про оргию, только начальство знало, а мне сам Вова сказал по секрету. Сам пригласил! В качестве не знаю кого. Я сначала не хотела идти, но интересно стало глянуть, как нынче слуги народа резвятся... И давай эти сливки общества подъезжать к театру на «бентлях» и «хаммерах», многие с девочками... Радуюсь, что шикарную прическу сделала в парикмахерской и ноги побрила для новых колготок. Блеск — не поленилась! Вот и все, что мне было нужно. Нам же с тобой, Лелька, фигур своих никогда не приходилось стыдиться — спасибо Калерии Альбертовне! Как Вова начал поздравительную часть — одна ты у меня в голове. Твой танец на трибуне! Пусть я его не видела, а всегда представляла. И вот я вертелась-вертелась — и не сумела себя сдержать. Ах, видела бы ты, как я танцевала!

– Румбу? – тупо спросила Елена.

– Нет, не румбу, я же латиноамериканские не очень, будто не знаешь! Я свое танцевала – просто свое... Кайф получила неописуемый! А главное – Вове за все отомстила! Фиг теперь эта скотина на выборах пройдет!

– За что отомстила?

– ...ты думаешь, если Наташка такая открытая, значит, у Наташки никаких тайн нет? – в голосе Наташи слышались слезы. – Вова всю жизнь мне испоганил, Леля!.. Не физкультурник был у меня первым, а он, Вова-козел, да не один!.. По кругу пускал меня, девочку глупую, всюду с собой таскал, бил, издевался... Он же, Леля, садист, извращенец, я избавиться от него не могла! Если б ты знала, как он в шкафу сидел, подглядывал, когда я с другими... И Танечку... А! Что говорить, позади все!

– Танечку?! – похолодела Елена.

Наташа помолчала, соображая, и вздохнула:

– Дура ты, Лелька. Козлов сволочь, конечно, но не педофил. Танечку я от него родила. Разве не замечала? Вова же красавчик – для тех, кто близко с ним не знаком, а дочь на него похожа.

– Он... знает? – ахнула Елена.

– А как же! Потому и отстал. Спасибо Танечке, а то до веревки довел бы...

– Почему ты не рассказывала мне этого раньше?

– Чем бы ты помогла? Я боялась, как бы он еще тебя в свои сети... Я же люблю тебя, зануда, и Юрьева твоего люблю, – нежно сказала Наташа. – Вы самые классные мои человеки и одноклассники человеческие... В общем, пиши, Лелища, попрощаться не успеем – через три часа вылет. Пока!

Позже Аня нашла в Интернете и показала Елене Даниловне ролик со скандального вечера. Кто-то снял на телефон Наташин прощальный бенефис. «Оператор» прошелся по лицам, Елена увидела обрюзгшую, окаменевшую физиономию Вовы – рот полуоткрыт, глаза стеклянные...

Было с чего окаменеть – Наташа танцевала, как падший ангел, и в танце жила. В каждом изломанном ее движении, во всей пластике прозревшая Елена угадывала отдельный сюжет. Танцовщица шокировала, и очаровывала, и освобождалась – понял ли Вова?

Наташа всегда любила бетховенские симфонии. Особенно те, где, не находя себе места, мечется в музыке душа оглохшего тела.

Колени дрожали, словно Елена только что остановилась посреди бешеных танцевальных оборотов. Покурила на крыльце. Из подъезда вышел какой-то мужчина и галантно придержал тяжелую дверь. Елена очутилась в остро пахнущей мочой темноте.

Почему окна в старых домах непременно заколочены и лампочки разбиты? Рука нащупала торец липких перил и, брезгливо обернутая носовым платком, повела по ступеням вверх, в квартиру с незастекленным балконом и стертыми файлами крылатой страны.

Только достигнув пятого этажа, Елена догадалась, что могла использовать телефон вместо фонарика, как, наверное, и поступают жильцы здешних хрущоб. Споткнулась о пустую ячейку выложенного плиткой пола и загремела об угол какого-то ящика. В глаза ударил свет – распахнулся дверной проем с четко прорисованной крупноголовой фигурой посередине.

– Вы к кому? – голос был женским.

Локальный свет дружелюбно расширился и показал полную женщину, увенчанную роскошной «химией». Елена оглянулась в ту сторону, где предположительно находилась дверь Антонины, и, узрев белую полосу с печатью, поняла, что попала куда надо.

Пышная голова вопросительно качнулась.

– Я к девушке, которая тут живет... жила.

– А-а. Не здесь похороны. Вчера брат ее увез гроб на самолете, они не отсюда родом. Вы кто ей будете?

– Так, приятельница...

В квартире открылась межкомнатная дверь, и о широкую спину женщины взорвался ребячий гомон.

– Ремня дам! – крикнула она без энтузиазма, но

дети зашумели громче. Трагичная тема продолжилась в высоких тонах:

– Раньше я вас чё-то не видала тут!

– Я приходила однажды! Ночью!

– А-а! – время посещения соседку Антонины не удивило.

– Как это случилось?!

– С балкона прыгнула! Разбилась насмерть! Самоубийство, типа того! Я сейчас, подождите!

Она гаркнула где-то в глубине и, вернувшись, предложила:

– А то давайте помянем?

Елена уже было приготовилась к спуску, но вдруг сказала:

– Давайте.

– Я хотела ее со своим неженатым племянником познакомить, – тараторила соседка, скидывая со стола в мойку грязную посуду. – А она говорит – ой, тетя Оксана, мне замуж без надобности. А я такая: как это без надобности? Что, у тебя даже в плане секса нет никого? Она смеется...

– Одинокая была, – кивнула Елена.

Соседка достала из холодильника бутылку «Гжелки», с уважением погладила пальцем акцизную марку:

– Мяконькая водка. Ну, вздрогнем, как говорится, чтоб земля пухом... Вас как зовут?

– Елена.

– А я Оксана. Ты закусывай, Елена, не стесняйся, – перешла хозяйка на свойское местоимение, –

вот сыр, вот колбаску бери. Лук, видишь, свежий нарезала... Знала-то ты ее давно?

– Нет, недавно познакомились.

– А-а. Она долго эту квартиру снимала, хозяева в другой город переехали, здесь сдают, типа того. Брат стиралку с телевизором, мелочь-посуду нам отдал, зачем, говорит, барахло повезу. Добра-то у нее мало было. Странная была, но умная, грамотная юридически. Наш околоток аварийный, самый старый из здешних, сносят помаленьку, вот она мне заявления во всякие инстанции помогала писать, чтоб побольше жилплощадь дали. Слышь, сколько спиногрызов у меня? Нескучно живу.

Детские голоса звонкими ручейками просачивались сквозь двери и трещины.

После второй рюмки Елена ткнула вилкой в кусочек сыра, попала в луковое кольцо, им и закусила. Навернулись слезы и потекли, не останавливаясь, а салфеток на столе не было. И носовой платок извозюкался о перила. Вытерла лицо рукавом.

– Ядреный, – похвалила лук Оксана. – Узбекский. Хорошо пошло. Значит, зла на нас не держит.

– Правда? – обрадовалась Елена.

– Я такая, бывало, пирожков настряпаю, тарелку ей занесу, она – ой, тетя Оксана, зачем? Сама, гляжу, рада – спасибо, спасибо! Тощая, доходяжечка. В аптеке обедала и ужин, поди, отдавала врагу.

– Почему в аптеке?

– Так она ж медичка.

– А я думала – художница...

– Не, не художница. Фармацевт, типа того.

Елена вспомнила микроскоп на журнальном столике, какие-то медицинские инструменты, сложенные у стен. Может, и фармацевт... А говорила, что зарабатывает фрилансом.

– Компьютер у нее был?

– Не присматривалась. Видать, брат забрал.

Третью выпили дуэтом. Елена тоже почувствовала, что пошло хорошо. Душевно. Хмель благостно развинтил горестные мысли. Оксана говорила просто, улыбалась открыто, на круглых щеках поигрывали ласковые ямочки.

– Я, Елена, передачу смотрела, будто человек после смерти еще долго боль чувствует. То есть не человек, а тело, пока душа совсем не отлетит. Как думаешь, правду сказали или опять врут?

Елена не успела ответить. Раздался дверной звонок, и громче прежнего загалдели дети. Хозяйка грузно встала. Через минуту вернулась раскрасневшаяся, прикрыла дверь:

– Следователь пришел, или дознаватель – короче, мент. В тот день полиция все у меня вроде выспросила, я понятой была. Зачем этот явился – не знаю. Наливай скорей, дернем для храбрости. Царство ей небесное... уф-ф. На конфетку «дюшес», от нее запах меньше... Пойдем.

Молодой человек в форме, сидевший на стуле в прихожей, с осуждением поглядел на двух поддатых женщин. Держа тетрадь на колене, нацарапал данные Елены.

– Вы хорошо были знакомы с гражданкой Веденяпиной?

– С какой Веденяпиной? – удивилась Елена, прежде чем до нее дошло, что это фамилия Антонины. – Да... недавно.

– Часто к ней приходили?

– Один раз.

Он что-то пометил в тетради:

– Оксана Савельевна, а вы не замечали, кто к ней чаще всего наведывался? Мужчины бывали?

Соседка мотнула кудлатой головой категорично и гордо:

– Мужчины – никогда!

– А женщины?

– Не присматривалась.

– Не рассказывала ли она о каких-нибудь недоброжелателях, неприятностях на работе?

– Какие недоброжелатели? У нее и друзей-то не было. Я да вон она, Елена.

– Веденяпина курила?

– Да вы что?! – Оксана возмущенно задышала «Гжелкой» и узбекским луком. – Она даже не пила!

– Странно, – сказал следователь.

– А почему вы э-э... спрашиваете? – Елена с ужасом обнаружила, что трудно ворочает языком.

– Рядом с телом Веденяпиной были найдены осколки стеклянной пепельницы. Очевидно, Веденяпина держала ее в руке. Откуда она эту пепельницу взяла, если не курила? – Мент задумчиво вздохнул. – Или швырнул кто? И зачем прыгнула далеко? Это усугубило летальный исход.

— Летательны-ый, — икнула Елена.

— Ага, — согласился разговорчивый следователь. — Будто не выпала с балкона, а катапультировалась. Такое впечатление, что кто-то раскачал и выбросил, поэтому упала не прямо — вкось... Значит, на недоброжелателей Веденяпина не жаловалась? А сама куда в тот день ходила?

— Кажись, никуда не ходила, — наморщила лоб Оксана. — Не присматривалась я.

— Плащ накинула, значит, на улицу собиралась на ночь глядя... Странно...

Заперев за следователем дверь, Оксана подмигнула:

— Добьем?

Они «добили» «Гжелку». Пошарив за холодильником, хозяйка нашла бутылку с остатками какого-то портвейна.

С непривычки Елену стало подташнивать, в носу щипало. Хотелось блевать, курить, плакать, петь. «Умру ли я-а-а, ты над могилою гори, сия-а-ай, моя звезда»... Типа того...

— Ты где, Елена, работаешь-то?

— В редакции.

— Журналисткой, что ли? — прищурилась Оксана.

— Корректором, — быстро соврала Елена. — Ошибки исправляю в текстах.

— А-а, — кивнула Оксана. — А я — газооператором. Сутки через двое стою, двенадцатый год уже. Работа не тяжелая, не пыльная, и платят нормально. До того в мебельном цехе вкалывала. Вот там пылища и начальство грубое. Получка с гулькин нос, из долгов не вылазила... Бедняжка наша тоже пшик получала в своей аптеке. Только когда влюбилась, начала приличные вещи себе покупать. Шубку нутриевую к зиме взяла...

– Влюбилась?

– Типа того. Он, видать, женатый, ну я так думаю. Разок обмолвилась – люблю, мол, одного человека. А он ни разу не приходил. Я не видала, по крайней мере. Вот и бросилась с балкона от неразделенной любви... Ну, давай по последней.

В прихожей обнялись как родные.

– Я дверь открытой подержу, а то свалишься, у нас тут лампочек сроду нету. Давай, Елена, пока-пока. Заглядывай, я ж сутки через двое...

Елена не забыла обернуть руку платком, понимая, что, несмотря на свет из двери, перила ей все равно пригодятся. Спустилась почти на дно, когда сверху донеслось:

– Елена, погоди! Погоди!

По ступеням запрыгал световой мяч фонарика, и наконец пухлые пальцы, схватив ее руку, вложили в ладонь кусок твердой лощеной бумаги:

– Вот фотка тебе! Вспоминать Жанночку будешь.

Елена непонимающе уставилась на матовое пятно Оксаниного лица с высвеченными под глазами и подбородком мешочками:

– Жанночку? Какую... Жанночку?

– Ну ты даешь! – ахнуло мешочное лицо. – А кого мы с тобой сейчас поминали-то?!

Обе женщины соображали медленно. Постояли, напряженно всматриваясь друг в друга в неверном свете. Сквозь трубные всхлипы за стеной журчала вода. Наконец Оксана что-то смекнула, издала непонятный звук и, подбоченившись, дохнула громко и грозно:

– Журналистка!

Елена попятилась, нашаривая ногами нижние ступени. Вот, кажется, и пол. Только бы не споткнуться.

– Ты чего вынюхивала, а? – с присвистом и шипением наступало на нее туманное облако волос и водочно-лукового перегара. – Ты какого фига такая сюда приперлась? Интересно стало, как люди от несчастных любвей мрут? Статью напишешь, журналюга противная?!

Елена повернулась и, запинаясь, побежала из подъезда мимо красных глазков сигарет, прыгающих в чьих-то невидимых губах. Вслед ей несся негодующий визг, приправленный забористыми словечками. Увесистая дверь захлопнулась за спиной с глухим похоронным стуком. Воздух стал чище.

Накрапывал реденький дождь, обычный для этого времени, когда большая река болеет после ледоходных потуг. Двор не держал равновесия и, покачиваясь, кружился в темпе не очень быстрой милонги. Неудивительно, ведь Калерия Альбертовна рассказывала, что этот аргентинский танец произошел от песенно-танцевальных развлечений городских окраин. Ноги Елены из-за дворовой милонги норовили подсечь одна другую, в животе плескалось горюче-смазочное вещество. Зайдя за подпирающую кривое крыльцо сваю, Елена уперлась в нее лбом и освободилась от желудочного безобразия. Телу сделалось легче. Шаткие ноги немного окрепли и, борясь с танцем, ступали носками внутрь.

Параллельно многолюдным берегам текла темная дорога, полная брызжущих машин. Елена плелась по незнакомой улице в поисках автобусной остановки, а та играла в прятки. Коварно скрывалась где-то за полем суженного моросью зрения. Прохожие, как брошенный в воду мусор, плыли туда-сюда или заворачивали в порожистые переулки. Многие лица казались добрыми, но Елена не решалась спросить, где прячется остановка. Кто-нибудь мог узнать журналистку Юрьеву по фотографии в ее авторской рубрике. Оксана и Антонина, или Жанночка Веденяпина, которые здесь живут, ясно дали Елене понять, что местные люди неприязненно относятся к журналистам. Впрочем, Жанночка-Антонина уже нигде не живет...

Елена очень удачно набрела на скамью. Сунула под голову сумку, легла и уснула. Ухнула было в небытие, но тотчас камера сна выхватила из сумерек край котлована. Световой кружок поскакал по ступеням крыльца, уходящего в мрак. Кто-то надежный крепко взял Елену за руку, поэтому она сошла вниз без страха упасть. На дне ямы лежало черное озеро с масляными крапинами звезд. Кружок света переместился. Глянув в мерцающую гладь, Елена увидела вместо своего отражения лицо ребенка – девочки лет шести, со смешно вздернутыми косицами. «Кто ты?» – спросили одновременно Елена и девочка, и свет погас.

Теплый ветер принес в себе два разных запаха – темный и светлый. Темный был духом взломавшей лед воды, светлый – цветущей вербы. Закатное солнце заключило перемирие с дождем. Старик и кошка примостились на незанятом краю скамьи.

Из-под лыжной шапки старика выбивались кольца седых кудрей. Черная кошка – сгусток глянцевой ночи – была без единого пятнышка. Только глаза зеленые, как огоньки такси. Елена осторожно приподняла голову и села.

Поглаживая спинку кошки, старик ласково проговорил:

– Пришла. Меня проведать пришла?

Елена не ответила. Люди в этих местах странные, лучше ни с кем не разговаривать. Встать она не смогла. Колени решительно отказывались выпрямиться, пока ноги проводят сеанс иглоукалывания. Со зрением дело обстояло не лучше – двор и дома все еще кружились. Правда, в медленном, почти черепашьем танго. Скорей бы протрезветь.

– Не худая. Уже не бродяжка? – спросил дед.

– С чего вы так решили? – обиделась Елена и заметила, что ее плащ измызган до потери цвета.

Старик шевельнулся к ней увядшим лицом:

– Я не вам. Я Шаганэ.

– Очень приятно, – с автоматической вежливостью пробормотала она и поежилась. Надо бежать. Кругом полно сумасшедших.

– Так зовут кошку, – пояснил старик. – До прошлой осени я был ее хозяином.

Кошка с красивым «есенинским» именем замурлыкала, будто подтверждая его слова.

– Должно быть, моя Шаганэ нашла новых хозяев. Шерстка гладкая, ухоженная. Пришла ко мне в гости и уйдет. А вы не из нашего дома, я не знаю вашего голоса.

– Да... Я не отсюда.

Его лицо тронула рябь улыбки:

– Был повод? – глаза в коричневых веках блеснули тусклым отраженным светом. Своего огня в глазах не было.

«Слепой, – сообразила Елена. – А от меня идет запах алкоголя».

– Поговорите со мной, пожалуйста, – сказал старик. – Не бойтесь. У незрячих людей есть одно неплохое свойство – мы чутки. Я чувствую: с вами что-то случилось.

– Я видела сон наяву, – помедлив, отозвалась Елена. – Сон о крыльях, он повторяется. Кажется, я еще сплю. Но спать всю весну нереально и страшно. Наверное, время перевернулось.

Старик снова улыбнулся:

– Представьте, что время – игральная колода, а дни – карты. Ваши карты легли необычно, и вы увидели время иначе. Вам открылась изнанка фигур. Вы испугались, потому что привыкли к одной стороне и пытаетесь все объяснить с точки зрения этой стороны. Только и всего.

– Я поняла, что мы живем в Стране крыс.

– Может быть, может быть... Я давно не видел лиц людей и своего лица в зеркале.

– На днях я предала летающую девушку. Она попросила, чтобы я не рассказывала о ней, а я всем рассказала.

– Девушка действительно летала?

– Нет, но представила доказательства.

– Вы ее не предали. Вы просто ей не поверили.

– Не знаю... В последнее время я ничего не понимаю в себе.

– Перетекать из внутреннего мира во внешний всегда сложно.

– Синдром отторжения, – кивнула Елена.

Кошка облизала лапку.

Язычок на фоне черной шерсти был интенсивно розовым.

– У меня сейчас тоже такой синдром, – вздохнул старик. – Пришел жених внучки, в субботу у них помолвка. Жених крутой, и невестка с сыном ходят перед ним на цырлах. Знаете, что такое цырлы? Это такие движения ног, когда пальцы завернуты внутрь. Ногти при этом впиваются в мясо стопы, и в словах появляется привкус рахат-лукума. Я не поклонник восточных сластей, поэтому тихонько удрал из дома. Люблю посидеть во дворе. Сегодня первый теплый день. Даже дождь был теплый... Вы далеко живете?

– Далеко, у Красной горы. Ой, меня дома ждут, – спохватилась Елена.

– Я рад, что познакомился с вами.

Старик поднял кошку и поцеловал в нос. Мяукнув, она окатила Елену зеленым сиянием.

– Шаганэ ты моя, Шаганэ! Не шастай сюда больше. Заберите, пожалуйста, ее к себе. Она хорошая. Боюсь, что потеряется. Я не могу взять, запретили. Шаганэ – дитя ночи, а невестка суеверна.

Лоснящееся кошачье тело мягко перелилось из рук в руки.

– Спасибо вам. Надеюсь, все у вас будет хорошо.

– Я тоже надеюсь.

Нетрезвая женщина и черная кошка отправились искать остановку.

За стеклом автобуса искрился и струился лужами город. В них отражались и вспыхивали живые краски перевернутого мира: обрывки меченного стрижами неба, осколки заходящего солнца и зеркальных витрин в пятнах разноцветных курток. Когда Елена подходила к дому, во дворе уже зажглись фонари. В большой луже на полосе атласного света плавала флотилия пластмассовых корабликов.

– Багира! – крикнул кто-то, и к Елене подбежали взрослые девочка и мальчик. Вернее, девушка с парнем. Девушке очень шел зеленый пуховый свитер, она была в нем как юная весна. Лицо парня чем-то напоминало улыбающийся портрет Бельмондо.

Кошка вдруг громко замяукала, вырвалась из Елениных рук и прыгнула на руки девушки.

– Где вы ее нашли?! – воскликнула она.

– У хозяина.

– Но она моя! Мы искали ее весь день...

– Бывший хозяин не может взять кошку к себе, – успокоила девушку Елена. – Шаганэ, так он ее называет, ходила к нему в гости. Если опять убежит, скажете мне, я знаю где искать.

– Вы живете здесь?

– Да, в этом доме, девятая квартира. Или позвоните, – Елена назвала номер телефона. – Спросите Елену Даниловну Юрьеву.

– Вы работаете в газете? – девушка как-то испуганно сжалась и опустила голову. – Я виновата перед вами... Осенью я звонила начальнику нашего ЖКХ Морозову и назвалась Юрьевой из газеты... Дома было ужасно холодно... А потом Морозов велел включить тепло. Если бы я говорила с Морозовым от себя, он бы не стал слушать. Простите, пожалуйста...

Елена засмеялась:

– Ах, вот в чем дело! Он как раз сегодня звонил мне. Я вас прощаю, но прошу больше никому ничего не обещать от моего имени, хорошо?

– Хорошо. Спасибо, до свидания...

– До свидания, – эхом повторил юноша.

Девушка помолчала и решилась сказать:

– Извините, у вас на щеках тушь размазалась.

Охнув, Елена вспомнила о своем измочаленном плаще и поспешила в подъезд. Журналистка называется! Вынула под лампочкой зеркальце из сумки. Кошмар! Предстать перед Юрьевым в таком диком виде ей не улыбалось. Хоть из лужи иди мойся... Где-то был носовой платок...

Вместо платка Елена обнаружила в кармане скомканный снимок. Расправила, поднесла ближе к свету. С фотографии на нее глянула яркая блондинка в очках. «Жанночка», – подумала Елена, сползая по стене на пол.

Жанночка Веденяпина. Девушка из аптеки, у которой случилась несчастная любовь. Жанночка. Не Антонина... Не Антонина! Боже, что за мучительное совпадение подсунула сегодня шулер-судьба!

Не помня себя, не понимая, Елена бросилась обратно на остановку.

Она бежала, оскальзываясь, сквозь насыщенный озоном воздух и полутемные очертания улиц. Затем ехала в полупустом автобусе, снова бежала наперерез мелким стежкам нового дождя и наконец побрела против вертикального течения ливня.

Вокруг пузырчатыми бурунами вскипало глинистое месиво. Грязь хватала за ноги, издавая сочные звуки, хлюпала в сапогах. Будто сотни неряшливых едоков пожирали кашу, шлепали ложками, чавкали и чмокали мокрыми губами. Среди домов-клонов запросто можно заблудиться навеки. Это не дома, это какое-то бесконечное стадо мамонтов... Елена казалась себе мартышкой, скачущей между лужами на мамонтовых тропах. Куда девался котлован, возле которого стоял дом Антонины?

Яма нашлась, едва ливень пошел на спад. Но дома не было. Рядом с первым котлованом, полным черной воды, темнел второй. Судя по взорванной земле, не успевшей осесть и обкататься дождем, он был свежим.

Елена оперлась о какую-то железяку в груде исковерканных труб и беспомощно оглянулась. Ближний двор плавал в ореоле призрачного света. Влажный отблеск фонарей желтыми кляксами расплывался на шоколадном асфальте. У подъездов тусовалась молодежь.

Лучи автомобильных фар отчеканили в сумраке мужской силуэт. Он направлялся в ее сторону. Елена забеспокоилась: наверное, ее белый плащ виден издалека и выделяется в потемках. Неужели человек с дурными намерениями приметил в дожде женщину, бредущую к котлованам? Она присела за кучей мусора.

Ясно доносились звуки отдираемой от липкой глины обуви. Преследователь приближался. Коченея от страха, Елена затаила дыхание и увидела отсвет фонарика. Услышала затрудненное дыхание мужчины... близкое хлюпанье подошв... Едва не потеряла сознание, когда он возник перед ней.

* * *

– Она улетела! Улетела! – вскрикивала Елена в полубеспамятстве, плача на плече Юрьева.

– Ну что с тобой, Леля, что с тобой делается? – прижимал он губы к ее мокрым волосам и лбу. – Ты пила водку? С кем, почему?

Елена уперла ладони ему в грудь. Он хотел удержать, но она отстранилась:

– Как ты меня нашел?

Юрьев вытащил из кармана куртки блокнот:

– Твой?

– Где ты взял его?..

– В почтовом ящике. Но сначала обзвонил твоих коллег, кого знаю. Роман Афанасьевич вспомнил адрес, который ему дали в прес-службе полиции. Я поехал, это за три улицы отсюда, а там квартира опечатанная, я подумал, что мы разминулись...

– Мы разминулись.

– Я вернулся и увидел в ящике пакет. В пакете оказался блокнот, я нашел в нем адрес Антонины. Вот еще записка, в ней несколько слов.

«Не ищите меня», – прочла Елена на клочке бумаги.

Подошла к котловану. Сбоку край ямы был словно обкромсан, из него торчали засыпанные землей, проваленные ступени крыльца с остатком гнутых перил. В черной воде плавали звезды.

– Я не знаю, кто она и где, – сказала Елена сипло. – Я спрашивала ветер. Он тоже не знает. Посвети мне, пожалуйста, я хочу посмотреть на свое отражение.

Юрьев не стал спрашивать – зачем, просто крепко сжал ее руку.

В темном зеркале воды отразились женщина и мужчина. Больше ничего в отражении не было.

– Ялетаюночьюнаулице.

– Мы оба летаем, – поправил Юрьев.

– Ялетаюно...

– Универсальная фраза. Можно убирать одно слово, а она все равно остается законченной. Вот послушай:

Тыиялетаемночьюнаулице.

Тыиялетаемночью.

Тыиялетаем.

Тыия.

Вкус груши

Непонятно, где я нахожусь. Окно в палате незарешеченное, вид из него неплохой: море зелени с пестрыми крышами, голубые горы сливаются вдали с небом. Ни вышек с автоматчиками, ни колючей проволоки. Вероятно, это какая-нибудь научная лаборатория, где с такими, как я, проводят психологические опыты.

Сначала меня долго и нудно допрашивали следователи. Рядом сидел психолог и следил, чтобы вопросы не были сильно въедливыми. Я ничего лишнего не ответил. Потом привезли сюда. Обычные врачи осмотрели мой организм и никаких таблеток не выписали. Значит, я здоров, просто они предполагают, что псих. После всех пришла Валентина Александровна (вчера и рано с утра сегодня). Имя у нее длинное, а волосы короткие. Главное определение для них – слово «очень»: очень густые, очень черные. И очень торчком. Дома я чищу похожей щеткой школьные ботинки, поэтому и Валентину Александровну зову Щеткой. Не вслух, конечно. Стараюсь не смотреть ей в глаза – чего доброго, догадается о смешном нике. Сказала, что психотерапевт, а сама, похоже, гипнотизер.

Болтает о всяком-разном, будто знакома со мной сто лет: бла-бла-бла. Половину ее трепа я пропускаю мимо ушей. Прекрасно знаю – это отвлекающий маневр для расслабления психов. Сижу начеку. Щетка произносит с десяток незначительных фраз и вдруг задает хитрый вопрос. Думает, от неожиданности я проговорюсь. Всматривается внимательно, кожей чувствую и краснею. Явно читает в эту минуту мысли. Интересно, как они выглядят в ее глазах? Как бегущая на моем лбу строка? Или как разноцветные пазлы, которые нужно собрать и сложить в картину? Мелькают ли в них части Мысонка? Я думаю о нем каждый день.

Ну, пусть попробует сложить картину. После обследования меня все равно отправят либо в сумасшедший дом, либо в тюрьму для неисправимых малолетних преступников. Исправить уже ничего нельзя. Я ни в чем не виноват, но психов побаиваюсь, поэтому решил – в тюрьму.

Щетка принесла пакет с фруктами, две коробки цветных карандашей, чинилку и пачку листов для рисования. Ужасно надоела, но без нее я взвыл бы со скуки. Компьютера и телика в палате нет, книжки на полке детские – прочел их еще в первом классе. Телефона, кажется, не положено, да и нет у меня мобильника. На даче оставил... Обнаруживаю в руке карандаш. Взял его почти бессознательно. Карандаш серый.

Серого котенка подарила мне на мой четвертый день рождения мама Вари.

Малыш отчаянно пищал и царапал руки. Меня спросили, как я хочу его назвать. Я сказал – он как мышонок. Получилось «мысонок», я не выговаривал букву «ш». Кот вырос большим, а кличка осталась. С той же не выговариваемой в четыре года буквой.

Вот кто знал обо мне все. Наш Мысонок. Наш веселый, красивый, самый умный кот. У него были рыжие глаза с огоньком, мягкая светло-серая шерсть и рокочущий голос, который поднимался к горлу откуда-то из глубины. Сидя на подоконнике, со спины кот походил на покрытую махровой пылью матрешку.

Я разговаривал с ним. Он легко вспрыгивал мне на колени. Слушал, время от времени окатывая мое лицо огневым сиянием, и тарахтел, как мотор далекого трактора: «Мм-Ар-ртем-мм»... Мысонок любил мое имя.

Теперь он живет у меня в груди. Ворочается, царапает сердце. И я «выпускаю» Мысонка. Кот медленно возникает на бумаге – бархатистый и серый, правая передняя лапка в белом носочке, как будто на три остальные не хватило белых ниток. Нос мой щемит от слез, смахиваю с рисунка каплю. Щетка, кажется, не заметила, смотрит на голубые горы в окне. Не поворачивая головы, говорит:

– Роскошная кошка.

– Кот, – поправил я.

– Твой? – обернулась. – Извини, действительно кот. Как его зовут?

— Мысонок.

— Мысонок? Здо́рово! Скучаешь по нему?

Закрываю кота чистым листом. Рисунок сделал моему сердцу больнее, чем было. Сдуваю со щеки каплю.

— Он... умер?

Вот дотошная...

Киваю.

Быстро рисую что в голову взбрело (а то примется допытываться, отчего да почему). Щетку рисую. Не Валентину Александровну, а ту щетку, которой чищу школьные ботинки. Черный-черный ежик — так и хочется пририсовать снизу лицо. Щетка (Валентина Александровна) смотрит на рисунок. Переворачиваю его, щекам становится жарко. Догадалась о прозвище, чего доброго. Вот я дурак.

Рисую следы на зимней тропе, одуванчиковые пушинки в желтом свете фонарей. Себя в куртке и шапке, тетю Надю... Бэмби... папу...

— Отлично у тебя получается. Где научился изображать людей?

— На уроках.

Отчасти это правда. Не признаваться же, что постоянно приходилось рисовать по просьбе Бэмби. За все время, пока ее знаю, нарисовал целую армию фей, принцесс и принцев с королями-королевами. Поневоле научился.

— В художественной школе?

— В обыкновенной.

— Хороший у вас учитель рисования.

Киваю. У нас и учитель физкультуры неплохой (это я так думаю из-за шейного упражнения – сто кивков в день). Разговор не мешает руке проводить линии, штрихи, прокрашивать разными карандашами. Щетка наблюдает. Бэмби вот так же нравилось смотреть.

– Папа Игорь, Мариша, тетя Надя, – указывает пальцем.

Ого! Неужели сумела прочесть в моих мыслях их имена?!

Да ну... Так не бывает. Просто встречалась с тетей Надей и папой, Бэмби видела. Разумеется, беседовала с ними, задавала вопросы. Хотелось бы знать, о чем и что они рассказали... Спросить – не спросить? Нет, не спрошу.

Разглядывает меня рядом с тетей Надей:

– Кто этот мальчик?

– Я.

– Почему ты в рисунке маленький?

Молчу.

– А мама где?

Молчу, но настораживаюсь. Оказывается, Щетке известно больше, чем я полагал.

Молчание не ложь – молчание как раз-таки отказ врать. Словами я не вру. Только карандашами на листе. Впрочем, если я нарисую единорога, это же не значит, что он существует. Это фантазия...

По правде говоря, под снегопадом я шел из детского сада вдвоем с мамой. Мне было пять лет, как Бэмби сейчас, но я очень отчетливо запомнил тот снежный вечер под желтыми фонарями.

Мы шагали домой, и вокруг и на нас летел морозный пух, словно кто-то огромный взялся выдуть на землю целое поле облачных одуванчиков. Пушинки залепляли ресницы и таяли на щеках. Пахло газировкой, вынутой из холодильника. Шаг – хрусть, шаг – хрусть, – снег поскрипывал под ботинками вкусно, как яблоко на зубах. До этого ощущение «вкусно» казалось мне самым приятным, и вдруг появилось другое – «красиво». Папа потом сказал:

– Ты уже не просто улавливаешь красоту, ты впустил ее в себя.

Так и было: я чувствовал красоту глазами, ушами, всем телом. Я дышал мокрым теплом шарфа и пил газированный воздух до головокружения, до рези в носу, и весь наполнялся небесной свежестью. Прохладные струйки стекали под воротник...

– ...придут к тебе скоро.

– Кто?

– Папа, тетя Надя и Мариша.

Ура. Значит, папа приехал из командировки. Надеюсь, Щетка не врет. Не спрашиваю, когда придут, чтобы не расстраиваться. Это может быть завтра, а может, и через неделю. Понятие «скоро» у взрослых резиновое.

Она чинит затупившиеся карандаши. Попросила нарисовать маму. Я послушно взял чистый лист (иначе не отстанет), темно-коричневый карандаш для маминых глаз и волос. Черный для тени там, где волосы падают на плечи. Жаль, что у запаха нет цвета.

Мама сладко пахла цветочно-фруктовыми духами. Их аромат напоминал мне папину любимую песню про дивный сад. Не грушевый сад, нет! Другой, где среди трав и цветов гуляют животные невиданной красы.

В поясе мама была тонкая, в груди не широкая и не толстая, но одежда в этом месте сидела тесновато. В пять лет я приметил, что впереди у красивых женщин всегда так, точно они засунули под платье пару плюшевых игрушек.

Глаза у некоторых дядек огнем вспыхивали при виде мамы, как у Мысонка, следящего в окно за птицами. Кот хотел схватить птичку и помучить, а дядькам, думал я, хотелось проверить, действительно ли мамины «игрушки» такие мягкие и упругие, какими кажутся.

Я был глупый.

Щетка подала гроздь зеленого винограда:

– Ешь, он мытый.

– Спасибо.

В полупрозрачной мякоти просвечивают косточки. Тонкая кожица лопается на языке, и глаза невольно жмурятся от сладости и кислоты. Мысонок тоже жмурится, когда ест виноград. Оставлю кисть для Мысонка...

Я псих?! Кот умер. Кот умер. Кот умер. Запомни: твой кот умер. Его больше нет. Отдам рисунок папе, а пока куда-нибудь спрячу.

Щетка стелет на тумбочку бумагу, выкладывает фрукты из пакета и накрывает салфеткой. Думает – съем позже.

Бананы-то я съем. И яблоко с киви. Поколупаю ночью зерна граната. Однообразные движения и слова приманивают сон как заклинания. Правда, песенка про верблюдов помогла мне уснуть только под утро.

Груша крупная, желтая. Сочная даже на взгляд. «Груши как лампочки сияли в густой листве». Цитата. Ловлю себя на мысли, какой вкус у груши, и сразу сводит желудок. Выброшу плод в окно, когда уйдет Щетка.

Раньше я любил эти фрукты, но перестал есть их с тех пор, как услышал «грушевую» страшилку.

Я не просто не люблю вкус груши. Я его ненавижу.

Тогда на летние каникулы к матери толстого Лехи приехала погостить племянница, его двоюродная сестра Анфиса. Она была совсем взрослая (десятиклассница), умная и очень красивая. Мать поручила Лехе тихонько присматривать за родственницей, чтобы чужие парни к ней не подкатывали. Он чуть не лопнул от гордости. Едва сестра выходила из подъезда, Леха заполошно выскакивал следом и бежал за ней зигзагами на расстоянии четырех прыжков. Очкарик Мишка, Варя и я выступали группой поддержки. Из-за нас он, наверное, выглядел как разведчик из анекдота, который крадется по вражескому городу, забыв отстегнуть парашют. Мы перешли уже во второй класс и думали, что много знаем про любовь. Леха грозно смотрел на больших парней и пыжил грудь. Они ржали, Анфиса сердилась и гнала нас прочь.

В последние дни перед отъездом она нашла способ обезвредить «разведку»: пообещала рассказать нам страшилку с условием снятия опеки. Леха позвал еще кого-то, и весть полетела по двору. Вечером домик на детской площадке, где мы обычно собирались по разным поводам, набился под завязку. Всем хотелось послушать страшилку, ведь истории, рассказанные в темноте замогильным голосом, жутче киношных ужастиков. Тем более что Анфиса уверяла, будто все правда и ни фильма, ни романа такого нет. Ей в письме по Интернету прислала эту историю какая-то подруга, переехавшая с родителями в Лондон.

Ребята уселись тесным кружком. Быстро темнело. Анфиса не рассчитывала на большое скопление народа и возмущалась для виду. Придраться было не к чему, мы вели себя смирно и смотрели на нее с благоговением, как на Шахерезаду из сказок про тысячу и одну ночь.

Стас Москалев, старший среди нас (он в то время окончил седьмой), зажег фонарик на телефоне, и в глазах у всех замерцали огоньки. Эти искры и звездочки нисколько не сделали мою жизнь светлее. Я посматривал в окошко на дорогу, опасаясь проворонить маму. Она почему-то стала допоздна задерживаться у себя в рекламном цехе типографии, а папа, по своему обыкновению, был в командировке. Начальники по три-четыре раза в месяц заставляли папу ездить в командировки по делам строительства. Мы с мамой и Мысонком скучали...

Я отвлекся и вздрогнул: Анфиса начала рассказывать специальным «далеким» голосом, и вокруг воцарилась взволнованная сдержанным дыханием тишина.

– Два мальчика, Томас и Питер, жили в одном из английских предместий. Отец Питера умер, он остался с мачехой...

– Один? – не выдержал я.

– С мачехой, – повторила Анфиса. – И с ее братом.

Леха сердито пихнул меня локтем – не перебивай! – и никто не решился спросить, что такое «предместий». Я-то сразу представил себе зловещий замок на краю скалы и успел порадоваться, что страшный случай произошел не у нас. Позже выяснилось: предместье не замок, а всего лишь деревня поблизости от старинной городской стены.

Анфиса рассказывала, и я видел нарядные улицы с высокими башнями и флагами, полуразрушенную кладку кирпичной стены – стена спасала город от врагов в древние времена; видел пестрые крыши деревни, редеющие к околице, пшеничное поле и сад, увешанный гирляндами спелых плодов...

Папа считает, что у меня богатое воображение и что я слишком впечатлительный, поэтому и память кинематографическая. Ребята потом говорили, будто у всех в глазах разворачивались цветные картинки, а я видел самое настоящее кино. Я всегда его вижу, когда читаю интересную книжку или кто-то рассказывает истории. Откуда берется и как раскручивается в моей голове этот экран, я не знаю. Может, гипнотизер Щетка тоже видит чужие мысли вроде движущейся ленты с кадрами?

Вот было бы классно — зарисовывать на бумаге всякие происшествия в кадрах и, если хочешь их забыть, стирать резинкой! Я бы сразу так сделал.

Историю о грушевом саде я потом пересказал папе. Почему-то получилось не страшно, не то что у Анфисы. У нее хороший тезаурус, объяснил очкарик Мишка, а в моем тезаурусе, наверное, не хватает красивых слов.

...В общем, мачеха Питера миссис Хэйвуд торговала на рынке грушами. Свой товар она ценила очень дорого, но покупатели у нее не переводились, потому что слаще и сочнее груш не было нигде на свете. По слухам, они росли такими вкусными из-за секретного удобрения.

Ящики с фруктами возил на рынок в фургоне мрачный верзила мистер Флинт. Он приходился братом миссис Хэйвуд и слыл самым неприятным человеком в городе. Люди звали его за спиной Огром (огры — это большие злобные существа вроде троллей). Питера ребята тоже сторонились. В классе он не водился ни с кем, кроме Томаса, да и то потому, что в школу они ходили одной дорогой.

Однажды садовый фургон затормозил перед Томасом. Мистер Флинт высунулся из кабины, приветливо поздоровался и сказал, что Питер ушибся, начаянно свалившись с дерева. Больших повреждений нет, но доктор выписал справку на целую неделю и Питер скучает. Дружелюбным голосом мистер Флинт предложил Томасу на часок доставить его к приятелю и обратно. Томас согласился. Он всю дорогу думал, как несправедливы люди к мистеру Флинту, он же на самом деле добрый!

Владения миссис Хэйвуд окружал бетонный забор с колючей проволокой, дальше начинался лес. За воротами мистер Флинт придержал свирепых собак. Томас прошел мимо сторожки, и ему открылся сад со знаменитыми плодами. Груши как лампочки сияли в густой листве. Тропа долго петляла между деревьями, но вот в глубине сада показался большой каменный дом. Мистер Флинт отворил дверь... и в лицо Томасу бросилась темнота.

Очнулся он на соломенной подстилке в подвальной камере. Рот его был заклеен скотчем, руки раскинуты и прикреплены наручниками к полу. В узком окне под потолком появился Питер, крикнул в форточку, что освободит Томаса при первом же удобном случае, и убежал. Вокруг спали люди с кляпами во ртах. Рядом застонала девушка, но не проснулась. Томас всмотрелся в нее и узнал мисс Эстер, продавщицу из школьного магазина, у которой часто покупал шоколадки на переменах. Она сильно исхудала и стала такой бледной, будто ее слепили из воска. Тут же нашлась бабушка мисс Эстер. Старушка дышала со страшным хрипом и тоже спала... А ведь они пропали летом в лесу!

В газетах писали, что бабушка с внучкой ушли в лес за лекарственными травами и не вернулись. Сборщиц долго искали и не нашли...

В железной двери вдруг заскрежетал ключ, она распахнулась, и вошел мистер Флинт с плеткой в руке. Его прозвище оказалось точнее имени – первым делом Огр несколько раз прошелся плеткой по груди Томаса, только затем содрал скотч с его лица и отомкнул наручники. Томас не заплакал. Молча поднялся и встал в очередь к углу за клеенчатой занавеской, где были оборудованы кран и туалет.

Питер вкатил тележку с большой кастрюлей и флягой. Люди начали обедать, сидя на полу. Если Огру что-то не нравилось, он пускал в ход плетку. Томас заставил себя проглотить ком каши и выпил кружку сладкого чая. После кормежки Огр снова заковал пленников и, как всем, закрыл рот Томасу не скотчем, а твердым кляпом.

Бабушка мисс Эстер перестала хрипеть и дышать. Огр пнул ее и выругался. Запихнув тело в тележку, он забросал его соломой и велел Питеру увезти. Томаса поразило, что люди, включая мисс Эстер, никак на это не отреагировали. Некоторые уже задремали. Наверное, смерть была здесь частой гостьей, но он не понимал, почему люди так безучастны. А скоро все уснули, и Томас тоже.

Неизвестно, сколько времени он проспал. Проснулся от укола в руку и чуть не потерял сознание: над ним склонился Огр... в женском платье и с бигуди в волосах! «Не дергайся», – сказал Огр измененным голосом.

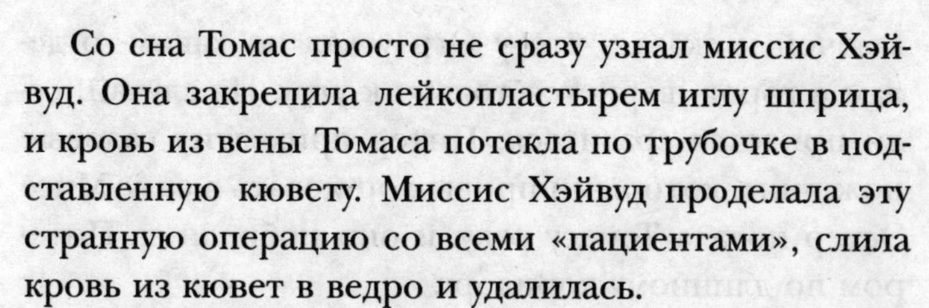

Со сна Томас просто не сразу узнал миссис Хэйвуд. Она закрепила лейкопластырем иглу шприца, и кровь из вены Томаса потекла по трубочке в подставленную кювету. Миссис Хэйвуд проделала эту странную операцию со всеми «пациентами», слила кровь из кювет в ведро и удалилась.

Томас продолжал надеяться, что родители спасут его. Но прошли еще одни сутки, потом еще... и время спуталось. Теперь он не мог определить, сколько дней назад сел в кабину фруктового фургона. Общение с Питером было для Томаса единственной радостью. Они научились разговаривать глазами – водили ими, моргали, щурились: «Не падай духом». – «Постараюсь».

Питер сумел предупредить Томаса, что мачеха добавляет в чай сонное вещество. Оно притупляло боль и затуманивало мозги. Люди с жадностью пили опасный чай и протягивали кружки за добавкой. Томас утолял жажду водой из-под крана. Как-то во время кормежки он ухитрился шепнуть мисс Эстер, что чай отравлен. Услышав свое имя, она удивилась и стала рассматривать гущу на дне. На следующий день чай остался недопитым.

Чтобы разбудить разум мисс Эстер, Томас постоянно беспокоил ее – дотягивался ногой, пытался расшевелить и подавал знаки глазами. Радовался, даже если выводил ее из себя, ведь гнев – это чувство. Любое чувство лучше безразличия. Но память возвращалась к мисс Эстер так медленно!

Томас терял надежду. Он сам уже был готов сдаться, когда Питер прибежал ночью со связкой ключей и сказал, что у Огр уехал по каким-то делам в город, вернется только к утру. На случай, если придется сразиться, Питер прихватил садовые ножницы, которыми привык орудовать в саду. Мисс Эстер подала Томасу руку, и они побрели за Питером по длинному коридору.

Собаки не лаяли – Питер полил их еду сонным веществом. Беглецам было необходимо добраться хотя бы до первых домов проселочной дороги. Но они достигли только сторожки, когда дорогу внезапно осветили фары фургона.

Огр заметил скрывшиеся в домике тени. Его огромный силуэт в дверях был так ужасен, что мисс Эстер закричала. Яростно вопя, Огр бросился к ней и...

Я не умею рассказывать как Анфиса, но помню ее историю в красках, звуках и даже запахах. Живые картинки воображения сохраняются в моей памяти не хуже реальных. Я помню все, что чем-то потрясло меня. Питера я не смогу забыть.

Полицейские освободили пленников и взяли под стражу миссис Хэйвуд. Томас и Питер дали подробные свидетельские показания.

Делом занялся опытный детектив и выяснил, что отец Питера был очень богатым человеком. Мать умерла рано, вокруг вдовца крутилось много молодых красоток, а он взял и влюбился в некрасивую и немолодую женщину. Она работала в аптеке поблизости от дома мистера Хэйвуда, была выше его ростом и шире в плечах, но казалась ему очень милой. («Потому что любовь зла», — сказала Анфиса.)

Аптекарша не любила никого, кроме своего брата, и ничего, кроме денег. Она, конечно, сразу согласилась стать женой богача. Алчность и довела ее до первого из преступлений. В течение нескольких лет новая миссис Хэйвуд потихоньку подсыпала какой-то хитрый яд мужу в пищу. Он страдал невыносимыми болями, она «заботливо» ухаживала за ним. Отравительнице почти удалось добиться, чтобы умирающий муж завещал ей бóльшую часть наследства, но перед смертью он успел переписать завещание в пользу сына. Миссис Хэйвуд досталась небольшая доля денег, которых едва хватило на покупку участка с садом. А Питер не знал ни о размерах отцовского имущества, ни о том, что получит право на него в день совершеннолетия.

Миссис Хэйвуд смирилась с присутствием пасынка в доме и вынашивала планы, как завладеть всем наследством. Преданный ей Флинт-Огр вынуждал Питера помогать во всяких злодействах, до времени не перегибая в побоях.

Люди не любили хозяев грушевого сада, но ни у кого и в мыслях не возникало, что преступники держали в подвале пленников. Для лучшего плодоношения деревьям нужна была свежая кровь. «Донорским» сбором миссис Хэйвуд поливала землю у корней. Самые вкусные в мире груши росли на человеческой крови.

С портретом мамы я возился гораздо дольше, чем обычно рисую принцесс. Осталось подчернить волосы, где закругляются коричневые прядки.

Щетка повернула к себе лист с готовым рисунком:

– Мама у тебя красивая.

Киваю.

Я решил не жениться, но, может быть, передумаю. Вот повзрослею в тюрьме, выйду и женюсь на Варе. Она некрасивая, у нее руки в цыпках. Зато Варя не вруша и храбрая. Не побоялась укусить Стаса Москалева.

Родители ребят начали звонить им и гнать по домам. На улице давно зажглись фонари и было светло. Мне никто не звонил, но мама оказалась дома. Не одна, с дядей Димой. Он привез ее с работы, потому что, во-первых, поздно, во-вторых, по пути. Так-то дядя Дима был не маминым другом, а папиным. В молодости он, папа, дядя Ваня и дядя Григорий учились вместе в политехническом институте.

Друзья папы нравились мне с самого детства. Высокий светловолосый дядя Дима считался самым крутым и приезжал к нам в гости на белом «Лексусе».

– Привет, Артемон! – дядя Дима весело надвинул бейсболку мне на лоб. – Ты почему так долго бегал на улице?

– Я не бегал, я сидел в домике, – сказал я, но он уже не смотрел на меня. Кивнул маме – «до свидания» и ушел.

Артемон, Артемон... Что я ему – пудель? Я подумал, что запрещу дяде Диме называть меня так.

Мама включила телевизор и прилегла на диван. Она была пьяная. Немножко. Я ждал, пока кончится очередной фильм ее любимого сериала, и пытался разговаривать сам с собой на языке глаз перед зеркалом в прихожей.

Некоторые слова были мне не совсем понятны. Вот, например, по обращениям «мисс» и «миссис» сразу становится ясно, у кого из английских женщин есть муж, а у кого нет. А почему ко всем мужчинам англичане обращаются одинаковым словом «мистер»? Даже к мальчикам, хотя они не женаты. А чем отличается алчность от жадности? Алчность жаднее? А что означает выражение «любовь зла»? Это если человек знает, какая некрасивая у него невеста, но все равно женится?

Я радовался, что папа женился на моей красивой маме и что его любовь не зла. (Я был все еще глупый.) Ужиная, я размышлял о ядах, кляпах и наручниках. Где миссис Хэйвуд их столько взяла? Разве их запросто продают в английских магазинах (аптеках)?

Мама отказалась послушать историю:

– Терпеть не могу страшные байки. Папа приедет, ему и расскажешь. Иди ложись спать.

Забыла поцеловать меня на ночь.

Я перебирал в уме Анфисины фразы типа «его душили слезы» и «кровь заледенела в жилах», и кровь у меня правда леденела. Притаившийся в темноте Огр, со скотчем и плеткой в волосатых руках, так и ждал, что я покажусь из-под одеяла. Обливаясь потом, я быстро-быстро высовывал ногу и втягивал обратно, чтобы проверить – схватит, или я выдумщик и трус? Потом Мысонок налег мне на грудь всей тяжестью и закрыл собой. Спас от хватающих за ноги призраков.

– Вампирский сад? И ты испугался? – усмехнулся папа, когда приехал и выслушал историю.

Мы просмотрели в Интернете фотографии хищных растений. Такие растения питаются насекомыми, и лишь единицы – птицами и грызунами. А плотоядных грушевых деревьев, оказывается, нет в природе.

– Забудь этот бред, – сказал папа. – Триллер о садоводах-маньяках мог прийти только в чью-то больную голову.

Днем ночные страхи кажутся смешными. Двор заливало солнце, на небе паслись пухлые облака. Я сгонял на велике за хлебом, вымыл после обеда посуду и отпросился гулять. Ребята собрались играть в войнушку.

Два войска выстроились друг перед другом и обсудили боевые действия. Командир нашей армии Стас Москалев неожиданно предложил ввести пытки пойманных лазутчиков. Вытащил из кармана два кружка скотча и помахал ими:

– Для связывания рук.

Я переглянулся с друзьями. Хорошо, что в наших магазинах не продаются наручники! Москалев заметил и ухмыльнулся:

– Ничего, пленники немножко потерпят. Зато приближение к исторической правде придаст игре остроту.

Мы вчетвером не стали голосовать за пытки и скотч даже ради исторической правды. А большинство проголосовали. И как назло, нас выбрали разведчиками.

Конечно, мы боялись, что попадемся, но скоро сами выловили лазутчицу в тени крыльца. Она была всего на класс младше Москалева и классно дралась. Нам кое-как удалось взять ее числом и весом (Лехиным в основном). Мы замотали ей руки за спиной скотчем и доставили к командиру. Его интересовало место дислокации противника.

Шпионка изображала из себя героиню, не отвечала на вопросы и обидно потешалась над нашим штабом. Москалев разозлился. Это он придумал разместить штаб все в том же домике на детской площадке. Днем здесь, вроде прикрытия, шумит и возится малышня.

Командир прекратил допросы, велел нам сгонять домой за рукавицами и нарвать у забора крапиву. Я имел печальный опыт с крапивными волдырями и неприятно удивился: значит, пытки планировались не понарошку?..

– Огр, – сказала лазутчица, и мы замешкались.

– Что-о?! А ну-ка повтори! – не поверил своим ушам командир.

– Ты Огр! – крикнула она (тоже слышала рассказ).

Москалев крепко обхватил рукой ее шею. Девчонка выгнулась в попытке освободиться от скотча, пуговицы натянутой рубашки не выдержали... расстегнулись... Обнажился тощий живот, и на груди встопорщились две волны. Две маленькие и беззащитные.

Глаза у Москалева сделались наглыми и заблестели, будто в них капнули жиром. (Вот так же противно они блестели, когда он рассказывал нам, что делают мужчины с голыми женщинами, оставшись с ними наедине.) Мерзко хихикая, Москалев заелозил по телу девчонки пальцами.

Мы с Лехой и Мишкой замерли, открыв рты. Я моргнуть не успел, как Варя сорвалась с места и вонзила зубы в командирскую руку! Сильно укусила. Москалев взревел на всю площадку. Мы опомнились, накинулись на него, и другие прибежали на помощь, а то бы он отлупил Варю, эту языкастую лазутчицу, за обзывалки.

...Я на эту шестиклассницу потом смотреть не мог. Я же знал теперь, что на теле у нее круглятся игрушечные волны, не доросшие еще до взрослого размера. Как увижу ее – перед глазами начинали рябить белые холмики и в голове звучал гнусный смех Москалева. Становилось стыдно до одури, и жар бросался в лицо.

Щетка рассматривает нарисованный «штаб» у песочницы:

– Симпатичный домик. В таком же домике у песочницы я играла в детстве.

Странно, когда очень немолодая женщина с морщинками под глазами и у рта говорит: «Я играла в детстве». Сколько ей лет? Маме тридцать один год, тете Наде – двадцать шесть. Щетка выгля-

дит старше обеих. Сорок ей? Пятьдесят? Я не силен в определении женского возраста.

Улыбается:

– Тридцать четыре. Старушенция.

Опять прочла мои мысли. Ну не удается мне молчать глазами! И разговаривать ими я не научился. Мы все тренировались, ни у кого не получилось. Леха сказал: «Разговаривать – это ерунда. Вот лгать глазами – высший класс! Только разведчики умеют».

Он ошибался.

К нам пожаловал дядя Дима. Папа был в ванной и крикнул оттуда:

– Минутку, сейчас добреюсь!

Я открыл дверь своей комнаты, шагнул в коридор... и отпрянул обратно. Хватило двух секунд, чтобы в моей памяти четко запечатлелось отражение в зеркале прихожей – словно живописная картина в раме. В этой картине папин друг целовал мою маму.

Одной рукой он прижимал к себе маму за пояс так, что ее волосы свесились ниже спины, а другой шарил по маминой груди. Он не хихикал, как Стас Москалев, его губы были заняты, но глаза поверх запрокинутой головы мамы блестели так же противно и жирно.

Папа добрился. Дядя Дима как ни в чем не бывало отправился с ним в зал. Мама позвала меня из кухни, где разрезала торт и разливала чай. Торт привез дядя Дима. Он всегда привозил вино и что-нибудь сладкое. Пирожные, конфеты... Я уставился в мамины сияющие глаза, она улыбнулась и попросила отнести в зал поднос с тортом.

Папа болтал о командировочных делах и смеялся. Дядя Дима тоже смеялся и весело смотрел на папу. Теперь его глаза блестели не жирно – по-другому, как обычно блестят в хорошей беседе у верных друзей. Никто б не поверил, что это глаза лгуна.

Я сказал маме – не хочу пить чай с тортом, голова болит. Мама потрогала мой лоб:

– Вроде не горячий... Носишься весь день как савраска!

Дала какое-то лекарство.

В ожидании ухода гостя я прочел пятнадцать страниц маминой книги «Любовница французского лейтенанта» – и ничего не запомнил. Не вышел попрощаться с дядей Димой. Притворился, что уснул.

Мне было плохо весь следующий день. Не хотелось ни есть, ни гулять. Я лежал, обняв Мысонка, смотрел мультики и терзался трудными мыслями. Мама забеспокоилась, поставила градусник. Поцеловала в щеку, не успел отвернуться...

– Ну-ка, признавайся, что случилось, – сказал за ужином папа. – Надеюсь, ты не из-за «грушевой» чепухи маешься?

И я не вытерпел. Я спросил, позволяется ли чужому человеку целовать чужую маму, если ее муж этого не видит.

Папины брови подскочили вверх. Мама поперхнулась салатом и закашлялась. Папа попросил меня выйти из кухни, хотя я не доел свой салат.

Я сильно пожалел, что нечаянно вмешался в путаную жизнь взрослых. Я считал тогда, что от друзей ничего не скрывают. Раз дядя Дима, глядя невинными глазами, скрыл от папы поцелуи с мамой, выходит, он лгун и предатель. Но ведь и мама скрыла! Значит, и она – лгунья и предательница.

А я? Я не лгун? Не предатель? Мог бы не прятаться в комнате, подойти к ним в прихожей и честно сказать, что друзья (и мамы) так не поступают. А я предпочел соврать про больную голову и только назавтра... Только назавтра задал папе вопрос как бы не совсем о маме и дяде Диме. Но этим хитрым вопросом я, кажется, предал маму?..

Кто бы объяснил мне, перед кем я виноват больше?

Прежде я думал: сказать правду нетрудно. Моя правда была незначительной – посеял перчатки, подрался с Лехой и тому подобное. Папа требовал честности, я признавался и получал за свою маленькую правду маленькое же и наказание – мыл полы или три дня не подходил к компьютеру. В исключительных случаях папа мог дать мне подзатыльник. Не больно и почти не обидно.

Оказалось, что детская правда легка как пух, а взрослая ложится на сердце камнем. Она хуже отравы – жжет нёбо, грызет изнутри и подначивает соврать. А ложь способна смягчить жесткую правду, отодвинуть ее и даже совсем заглушить. Вероятно, поэтому взрослые врут. Большинство взрослых.

Я стал подсматривать за дядей Ваней и дядей Григорием, опасаясь застукать их с мамой. Но у дяди Вани есть своя жена и маленькая дочка, а у дяди Григория – невеста (они потом поженились). Честные люди, преданные друзья не пытались подкрасться к маме с поцелуями. Я пристыдил себя за подозрения и прекратил слежку.

Дядя Дима больше не приходил к нам. Позже я подслушал из разговора папы с дядей Григорием, что дядя Дима покинул наш город, живет где-то у моря, открыл бизнес и процветает.

Моя б воля – я бы выслал отсюда еще всех маминых приятельниц. Пользуясь папиным отсутствием, они собирались у нас, курили и пили дорогое вино джин. Их болтовня сбивала меня с толку. Они постоянно говорили о шикарных покупках и знакомых, которые оказывались то в шоке, то в шоколаде. Я чувствовал себя дома неловко, как нежеланный гость, а спустя час – как невидимый. Ел сидя у подоконника. Спокойно делился с Мысонком роллами и котлетами, давал ему слизывать с тарелки соус. Мама не обращала внимания.

Однажды папа застал подвыпившую компанию, разогнал всех и повздорил с мамой.

– Я не для того мотаюсь по командировкам, – холодно сказал он, – чтобы ты устраивала в квартире шалман и вертеп.

Мама закричала:

– Ты мотаешься?! А я не пашу, да? Я – не пашу?! Я тоже не по шопингам шляюсь, Игорь, не по «зарубежам»!

Они начали ссориться громко, я ушел в комнату, но все слышал за плотно притворенной дверью.

– Путешествуй на свою зарплату, кто запрещает? Сама знаешь, что мои деньги уходят в ипотеку!

– А мои, сам знаешь, на такси! Умру – не сяду в твою «Ниву»!

– На общественном транспорте не пробовала ездить?

Про себя я разделял мамино возмущение. Наша древняя машина принадлежала еще дедушке, а папа все никак не мог купить новую.

– Ты живешь не по средствам, Тася!

– Как ты смеешь?! – взвизгнула мама. – Да ты просто жмот!

– А кто не жмот? Кто?! Не тот ли, с кем ты раскатывала на «Лексусе»?!

Мама зарыдала. Папа стукнул кулаком о стену и ушел в бар. С папами Лехи и Вари.

Вернулись они почти к ночи. Лифт не работал, и папе пришлось волоком тащить Вариного отца на пятый этаж. Лехин тоже наклюкался, но с ним легче – живет на первом. Слава богу, мой папа не имеет привычки надираться в дупель.

Папа у меня вообще классный. Его большие плечи даже зимой вкусно пахнут загаром и солнцем. Папа умеет строить многоэтажные дома и объекты, прыгать с парашютом, играть на гитаре, петь у костра с друзьями красивые песни; он любит ловить рыбу спиннингом, стрелять в тире, гулять со мной по городу, собирать грибы, играть в шахматы и футбол... всего не перечислишь.

Вообще-то все папы у нас хорошие. Они на спор устроили чемпионат по футболу с дядьками из соседнего дома – чья команда проиграет, та посадит деревья в общем дворе.

Не одни мы наблюдали за игрой с Лехиного балкона – все нижние балконы были заняты болельщиками. На воротах «папиной» команды стоял отец очкарика Мишки, тоже очкарик, что не мешало ему классно ловить мячи. Наш дом победил! То есть победила дружба: на посадку папы пообещали выйти вместе.

А в нашей отдельной квартире дружба заканчивалась. Родители ссорились-ссорились, потом мама ушла ночевать к подруге и попала в полицию. Папа говорил по телефону с дядей Григорием о каком-то пьяном дебоше, устроенном мамой в ресторане, я слышал.

Родственник дяди Григория, полицейский начальник, вызволил ее из обезьянника (сначала я думал – из зоопарка, но Леха сказал, что это такая клетка в «ментовке» для задержанных людей), и мама уехала.

В первый раз ненадолго.

– По туристической путевке, – пояснил папа. – Кажется, в Египет.

Мне тоже хотелось в Египет, но не одному, а втроем. Обидевшись на маму, я сгоряча выложил папе, что она жаловалась на него подругам. Говорила – нет сил, как хочется съездить куда-нибудь в Италию или хотя бы в Египет, но пока она живет с таким скупым человеком, это нереально. И одна особенно отталкивающе накрашенная подруга сказала: «Капец, однозначно».

Папа выслушал с пасмурным лицом и вдруг ни с того ни с сего наорал на меня из-за двоек по математике, которые я нахватал в начале учебного года.

Ночью я страдал от своего предательства. Мало того что я подслушивал мамины разговоры с подругами, так еще и наябедничал. А на папу я не обижался. Я понимал: он срывает на мне плохое настроение. Пока мама дебоширила в ресторане и путешествовала в Египте, папа все время нервничал. Забывал бриться – и к ее приезду успел обрасти бородкой.

Мама почему-то не привезла нам подарков. Я чувствовал себя виноватым и сказал ей, что опять выдал папе ее секрет.

– Это не секрет, – сказала она резко. – Твой отец действительно скупой человек.

Сколько я ни приставал к маме, она так и не рассказала о пирамидах и фараоновых гробницах. Разговаривала со мной меньше обычного, а с папой общалась через меня: «Артем, скажи папе, что...», «Передай папе...» Каждый день убегала куда-то. Я звонил ей, она отвечала:

– Не мешай, я на работе.

– В типографии? – уточнял я.

– Да.

Она лгала. В типографском рекламном цехе мне сказали:

– Таисия Владимировна давно у нас не работает.

Мама изменилась, словно кто-то держал ее в плену и травил колдовским чаем. Она превратилась в чужую женщину, которая только притворялась моей мамой. В голосе этой новой мамы сквозили нотки досадливого нетерпения, в словах не было тепла. Она перестала играть с Мысонком по вечерам и целовать меня на ночь. Не проверяла домашние задания, не гладила рубашки, готовила наспех и вообще забывала о нас. Я думал – пусть бы она сердилась. Пусть бы плакала, но не была такой равнодушной. «Любое чувство лучше безразличия» (цитата).

Вернуть настоящую маму оказалось ни в папиных силах, ни в моих.

Придя раз из школы, я увидел, как светловолосый мужчина в пушистом свитере загружает в багажник серебристого джипа знакомые чемоданы и мамину соболью шубку в прозрачном чехле. В первую секунду я решил, что нас ограбили, а во вторую узнал в мужчине дядю Диму. Он сменил белый «Лексус» на серебристый джип, но я бы узнал этого друга-предателя возле тысячи разных машин. Захлопнув багажник, дядя Дима обнял за талию спустившуюся с крыльца женщину.

Мама, – это была, конечно, она – увернулась со смехом. Взгляд ее скользнул в мою сторону, и лицо с быстротой молнии помрачнело. Будто на него опустилась пыльная паутина. Мама толкнула дядю Диму за машину и засеменила ко мне на тонких каблуках. Пятясь, я отступал по ледяному тротуару. Почудилось, мама сейчас схватит меня и потащит в джип, но она остановилась.

– Мой мальчик, мой, мой мальчик, – лихорадочно зашептала она мне в висок и прижала к себе так сильно, что я чуть не задохнулся. – Я за тобой приеду, заберу тебя, обещаю, мой мальчик, слышишь?

От ее взбитых волос чудно пахло цветочно-фруктовыми духами. Их аромат вызывал в памяти песню о золотом городе и дивном саде, где травы и... гуляют... невиданной...

Мама бормотала:

– Заберу тебя, заберу, жди, – и целовала в макушку.

Я уклонялся от душистых объятий, от напомаженных губ и пытался рассмотреть из-за маминого плеча водителя, сидящего в машине. Он наблюдал за нашим прощанием из-под руки. Взгляд под козырьком ладони был острым, как папина бритва. Левую щеку с угла скулы наискосок бороздил, комкая кожу, розовый шрам, похожий на заползающего в рот червя.

Я где-то встречал этого человека... Нет, не встречал. Но абсолютно точно – видел. Только без шрама.

Прежде чем отстраниться, мама все-таки испачкала мои щеки помадой. Полы распахнутого пальто взвеялись на ветру крыльями, в машине предупредительно открылась дверь...

– Ты вернешься? – крикнул я вслед, но джип ринулся вперед с львиным рыком и полностью заглушил брошенную в ответ фразу.

Я поднимался к квартире, наполненный водой до краев. Дышал открытым ртом и еле сдерживался, чтобы не расплескать себя; я думал, как много механических движений мы делаем и как они усложняются, когда приходится спешить. И почему вода рвется вон из человека, если ему хочется плакать?

Добравшись до туалета, я едва успел спустить штаны и буквально взорвался фонтаном слез, соплей и прочей жидкости. Я стоял над унитазом, держась за стенки, и рыдал от жалости к маме, несмотря на ее измену. А еще — от облегчения. Не в смысле, что облегчился, а что остался с папой.

Блокнот и карандаш — все, что нужно для общения в любой чужой стране. Слова можно заменить рисунками.

— Тебе нравится такая машина? — всплывает голос Щетки.

— Нет.

— Но ты ведь ее нарисовал. Это джип? Он чей — ваш?

— У нас нет машины.

Папина «Нива» сломалась, новую машину мы так и не купили.

— А пирамиды позади почему?

Глаза у Щетки изучающие. Сейчас спросит, ездил ли я в Египет.

— Ты бывал в Египте?

— Нет.

Иногда у меня получается предугадывать ее вопросы.

Она говорит:

– Знаешь...

– Не знаю.

Нечаянно вылетело. Так же нечаянно нарисовались джип и пирамиды.

Щетка смеется, и я невольно улыбаюсь.

– Знаешь, и я там не была. Мечтаю съездить.

...Папа врал про Египет. Мне не известно, где пропадала мама в первый раз. Может, ее заставили посидеть в тюрьме за дебош. А может, мама ездила к дяде Диме в его морской город. Как бы на репетицию – проверить, сумеет ли уйти от нас насовсем. Проверила и убедилась: сумеет.

– Она выбрала дядю Диму, – сказал папа, раз уж я все узнал и врать бесполезно. – Что поделаешь, мама разлюбила меня, так у взрослых бывает.

Меня оглушала мысль, что мама отказалась от нас ради чужого человека, даже в ушах звенело от невозможности в это поверить.

– А как же мы?

– Ну... выходит, по нему она скучает сильнее.

– Мама приедет за мной. Сказала, что заберет к себе.

– Посмотрим, как заберет. – На папиных бритых скулах выступили желваки. Он повернулся ко мне: – Ты хочешь к маме?

Я хотел к маме. Никогда не видел вживую моря. Но...

– Только с тобой.

– Увы, Артем, тебе тоже придется сделать свой выбор.

– Я сделал.

– И?

– Выбрал тебя.

– Твердо решил? Не маму?

– Я не вру. Даже тем, кто мне врет.

Он покраснел:

– Прости... Бывает, взрослые не могут сказать детям правду, чтобы не ранить...

– Папа, я уже не маленький, – вздохнул я. – Если б ты не соврал про Египет... То есть сказал бы, что мама не была ни в каком Египте, я бы огорчился, но гораздо меньше, чем когда узнал, что ты врешь.

– Ладно, – произнес он, помедлив. – Я больше не буду врать тебе.

Мы ударили ладонь о ладонь.

– Ты абсолютно точно хочешь остаться со мной?

Он сомневался. Он мне не верил!

– С тобой. Я не предатель.

Папа как-то странно посмотрел на меня. И засмеялся:

– Что ж, прекрасно! Будем жить вдвоем.

Мы снова ударили по рукам, и он встал:

– Тебе пора спать.

– Подожди. – Я достал фотографию из приготовленного альбома. – Кто этот человек?

– Этот человек? – замешкался папа. – Молодой мужчина, как видишь...

– Тут и мама рядом с ним молодая. Кто он?

Папа снова опустился на диван, но ответил не сразу:

– Это мамин брат.

– Мамин брат? – удивился я. – Мой дядя?!

– Дядя Семен.

– Почему я никогда не слышал о нем?

– Потому что твой дядя... в тюрьме, – трудно проговорил папа.

– Он вор?

– Нет.

– Бандит?

– Уф-ф... Кажется, я зря пообещал тебе не врать.

– Мамин брат вышел из тюрьмы, папа. Он был в машине.

– Вот как?..

Папа поднялся и зашагал кругами по комнате. Мысонок поскакал за ним, подумал – игра.

– Значит, вышел, – пробормотал папа. – Значит, Тася позволила этому мерзавцу приехать к ней... Зачем?! Не завидую Димке...

Он ходил, взлохмачивая пальцами волосы, глаза перебегали с предмета на предмет и сквозь меня. Я испугался, как бы папа нечаянно не задавил кота, и взял его на руки.

– Папа.

– Да? – взглянул он туманно. – Иди спать, Артем, скоро двенадцать.

– На фотографии у дяди Семена нет шрама на лице, а я видел. Это от удара ножом? Он выжил?

– Раз ты видел его, значит, выжил.

– Нет, я о другом человеке... Который ударил.

Папа рассердился:

– Все! Даже правде есть какой-то предел! Спать!

...Ночью я бежал по тропе под высокими деревьями, полными желтых плодов. Кровь сочилась из них и капала на листья. Красные листья шумели, в их шелесте различались два слова, повторяемые бесконечно: «Убийство! Убийство! Убийство!»

Впереди показалась мама, за ней гнался бандит, настигал ее и хихикал точь-в-точь как Стас Москалев. В руках у бандита звенели наручники, изо рта лез толстый червяк, на лаковой розовой головке червяка бешеным хула-хупом вертелся кружок скотча... И в мою голову рухнула страшная догадка: это мистер Флинт!

Огр собирался убить маму, а я ничем не мог ей помочь. Ноги приросли к тропе, я только кричал. Далеко над колосьями пшеничного поля мелькали лица Томаса, Питера... мисс Эстер... Ни мама, ни Огр, никто из беглецов почему-то не видели меня и не слышали моего крика.

Но услышал папа.

– Проснись, Артем, – сказал он откуда-то снаружи. И добавил тихо: – Боже, какой я дурак...

Щетка сама принесла с раздачи поднос с двумя тарелками, полными борща. Неплохо! (Готовят ли борщ в тюрьме?)

– Не возражаешь, если я пообедаю с тобой?

Взрослые всегда так: сначала сделают, потом спрашивают.

– Вам разве домой не надо?

– Я одна дома.

Киваю.

У нее нет детей и мужа? Значит, по-английски она – мисс.

– На второе тефтели с гречкой, – сообщает Щетка. Держит ломтик хлеба под ложкой (у папы такая же привычка). – Вообще-то на обед я езжу к отцу. Но сегодня у него сестра с мужем. Впервые тут обедаю. Хозяйка из меня никудышная, а борщ люблю. Вкусный, правда?

Киваю.

Вполне съедобный борщ, хоть и с тушенкой. А тетя Надя готовит из овощей с мясом и каких-то хитростей. Хитрости в этом деле – самый необходимый ингредиент. Щетка, наверное, такого борща не пробовала. Мы с папой до тети Нади тоже варили борщ с тушенкой. Консервированный.

Мы привыкали жить без мамы – и понемногу привыкли. Папа перевелся на другую работу. Ближе к дому, с меньшей зарплатой, зато без командировок. На завтрак мы растворяли в чашках «Кнорр» суповой концентрат, а обедали в кафе. Брали домой сэндвичи, пару салатов в пластиковых контейнерах и что-нибудь для Мысонка вдобавок к кошачьему корму. Потом папа стал кухарить сам и снял с обеденного стола матерчатую скатерть – бесполезную вещь (заколеблешься стирать). Мне доверял разогревать к его приходу бутерброды в микроволновке: белый хлеб с оливками и сыром. Или с колбасой, вареным яйцом и помидорами. Мазнуть майонезом, соленый огурчик сверху – получается не хуже пиццы.

Папа аккуратно посещал родительские собрания. Проверял дневник и выполненные задания. Недопонятые темы объяснял после учительницы легко, но редко. Говорил, что я должен преодолевать трудности собственным умом.

Я мучился с задачами по три часа. В итоге подтянулся и вышел в хорошисты. Папина борьба с моей ленью понемногу воспитала во мне самостоятельность.

– Смотри на жизнь с оптимизмом, – велел папа, и я смотрел с оптимизмом. Если вдруг нападало плохое настроение, мы прогуливались по городу, шли смотреть какие-нибудь соревнования, или в кино, или навещали папиных друзей. В мае несколько раз выезжали с ними в лес на шашлыки.

К лету выяснилось, что я сильно подрос. Папа кучу денег истратил на покупку одежды. Оказывается, хотел во всем новом отправить меня на каникулы в какой-то детский лагерь. Я взбунтовался. Мишка уехал с родителями на курорт, но Леха с Варей оставались дома.

Полторы недели я до вечера сидел взаперти дома с риском погибнуть при случайном пожаре в обнимку с Мысонком. Еще неделю умирал от безделья у папы на работе. В конце концов мы поговорили как разумные мужчины, и он разметил территорию моих прогулок. Она включала четверть нашего небольшого квартала с заходом в детский игровой зал Железнодорожного клуба. Это вполне меня устраивало. Раз в два часа я был обязан рапортовать папе по телефону, что делаю и где нахожусь. Я посещал игровой зал, если были деньги, играл с ребятами во дворе, а в дождь смотрел мультики и «зависал» у компьютера с Лехой. В выходные дни мы с папой ездили на рыбалку. Лето не было скучным. Если рядом с тобой друзья и папа, оно не может быть скучным.

Несколько раз мне снился один и тот же сон — про маму и Огра. Я больше не кричал, научился просыпаться до появления червя. А после ворочался, потея под одеялом, — призрак с наручниками таился в углах. Я подзывал Мысонка, но даже его колыбельная не могла меня усыпить. Признаться папе в бессоннице я стыдился. К тому же пришлось бы рассказать о сне. Я предпочел молчать о нем.

Лекарство от бессонницы нашлось в ящике стола. В один из худших дней положил я в стол книгу «Любовница французского лейтенанта», а теперь она мне помогла. Ее написал английский писатель Джон Фаулз, речь в ней идет о мистере Чарльзе и странной женщине, которая ходила смотреть на море. Это все, что я понял из описанного на пятнадцати страницах. До шестнадцатой я так и не добрался. Засыпал на девятой-десятой крепко, без снов.

Осенью я стал нормально спать без «Любовницы...», но однажды проснулся на рассвете и обнаружил, что папина спальня пуста. Папа скоро пришел и сделал бутерброды к завтраку. На мой вопрос, куда он ходил, отвечать отказался (из-за обещания не врать).

Участившиеся отлучки и недомолвки укрепили меня в подозрении, что папа решил войти в одну реку дважды. Взрослые любят с умным видом произносить всякие поучительные изречения, если это не касается их самих. Я понял, что у папы появилась женщина.

Я не доверяю женщинам (Варя исключение, она не блондинка и не задавака). В старшей группе детского сада мне нравилась одна девочка с очень светлыми волосами. Не зная, чем привлечь к себе внимание девочки, я щипал ее и дергал за косички. Но недаром говорят, что блондинки дуры. На прогулке она позвала подружек, когда воспитательница отдалилась, и они меня поколотили. Я сказал маме, будто прокатился по горке лицом.

Из-за маминых приятельниц я совсем разочаровался в женщинах. Они бурно тискали меня при встрече и тотчас обо мне забывали. Да и мама с ее лживым обещанием... Я желал дяде Диме, чтобы она нашла себе мужчину богаче его и устроила разнос во всех ресторанах морского города. Пусть бы дядя Дима тоже помучился!

И все-таки до осени во мне теплилась надежда на возвращение мамы. Я был уверен: папа любит ее, несмотря ни на что. Иначе зачем существует любовь? Даже если она зла...

Мысль, что придется делить папу с чужой тетенькой, была невыносима и тикала в моей голове точно бомба.

Я ждал объявления о женитьбе, как взрыва и краха всего, чем осталось мне дорожить. Боялся стать ненужным папе в его новой жизни с новой женой. У них же родятся *свои* дети. Папа пошлет лишнего ребенка к матери, а там человек с «червячным» ртом! Я холодел, вспоминая, что этот бандит – мой родной дядя.

А разве дядя Дима сумеет заменить мне родного отца? Лживый друг, называющий меня Артемоном, как пуделя?! А мачеха?.. Ни в одной книге не читал я о добрых мачехах. В сказках эти злобные женщины только и делали, что заставляли трудиться неродных детей. Мужья верили подлым обманщицам. Отец Питера, мистер Хэйвуд, даже отравительнице поверил!

Я не ощущал себя сиротой, оба моих родителя были живы, но их разрыв поймал меня в капкан. Ни туда, ни сюда...

Березы облетели и стали как веники после бани. В воздухе запахло газировкой близкого снега.

Выпал снег.

Отсалютовал петардами Новый год.

Папа помалкивал.

Я начал подозревать, что он просто опасается одиночества в старости. Если это так, думал я, ему не обязательно жениться. Не факт, что я и сам женюсь. Мой выбор между ним и Варей был предрешен (у Вари кроме меня есть Леха с Мишкой). В любом случае я буду с папой до скончания дней. Так я ему и сказал.

– До скончания чьих дней? – спросил он весело.

– Наших, – уточнил я. – Мы с тобой вместе постареем, и нас похоронят в одной могиле.

— Рано ты заговорил о смерти, — засмеялся папа. — До твоей старости жить да жить, и у меня масса планов... Да, кстати, Артем, в субботу к нам придут гости.

— Дядя Ваня и дядя Григорий? — дрогнул я в нехорошем предчувствии.

Он загадочно улыбнулся:

— И еще кое-кто.

Неотвратимо приближался взрыв тикающей бомбы. Как бы я ни заталкивал миссис Хэйвуд в глубину памяти, в моем мозгу сформировался отчетливый образ мачехи — габаритной и широкоплечей тетки с грубо размалеванным лицом и словами «капец, однозначно». Я подготовился дать отпор, когда она предложит папе пожениться.

Он тоже готовился к предложению... Выгладил и расстелил на столе белую скатерть. Расставил тарелки и приборы — вилки, ножи, ложки-ложечки, в которых я всегда путаюсь. Из кафе принесли заказанную еду в судках...

И вот прихожую с привычным гомоном заполонили папины друзья с женами, конфетами и фруктами в пакетах. Я слегка воспрянул духом: может, «еще кое-кто» касалось дружеских жен, а вовсе не...

Но тут следующий звонок в дверь заставил меня подобраться.

...Эту девушку трудно было назвать теткой. Ничего не оказалось в ней ни от жуткой внешности миссис Хэйвуд, ни от маминой яркой красоты. Худенькая, невысокая. Незаметная, как человек из очереди.

Девушка держала за руку маленькую девочку. Глаза у обеих темнели на светлых лицах как крупные ягоды черной смородины. В них застыло одинаково вопросительное выражение, словно гостьи не поняли, куда явились, а спросить стесняются.

Я был разочарован.

Папа помог им раздеться, повесил в шкаф курточку и пальто. Обернулся ко мне:

– Артем, познакомься, это Надежда Антоновна. Это Мариша, дочка Надежды Антоновны.

– Очень приятно, – вежливо солгал я (большинство вежливых слов – препротивная, но обязательная ложь).

Они прошли с папой в гостиную напряженно, как по шатким мосткам. Я двинулся следом и встал у стены.

Похоже, все гости чувствовали некоторое смущение. Смущенный папа суетился со стульями, друзья смущенно шутили, их жены украдкой разглядывали смущенную девушку со строгим взрослым именем. Папа наконец поборол замешательство и бодрым тренерским голосом пригласил всех к столу. Разлил по бокалам вино. Гости оживленно забрякали тарелками и ложками в салатах.

Общая еда объединяет людей, неловкость быстро исчезла. После тоста «за знакомство» начали задавать вопросы. Надежда Антоновна отвечала правильными фразами, без единого «капец» и «однозначно». И даже без «блин». Вела себя как примерная школьница. Ни малейшего сходства с жизнерадостными манерами мамы.

...Мама была разной – доброй и не очень, отзывчивой и неприступной. Плавной, резкой, молчаливой, разговорчивой. Дошколенком я всерьез подозревал, что в ней живут и не всегда ладят друг с другом два человека – хороший и плохой. Хороший мамин человек любил меня и папу, плохой подзуживал ее лгать, пить джин и скандалить. Но с гостями она умела быть веселой и лучистой, все любовались ею, а эта тетя Надежда Антоновна, наоборот, старалась уйти в тень. Улыбалась натужно, будто давно исчерпала свое веселье и улыбку выдавливает с трудом.

Работает Надежда Антоновна, как выяснилось, в бухгалтерии папиного нынешнего предприятия.

Я совсем расстроился. Видимо, папа не удосужился подыскать себе женщину с более интересной профессией в дальних местах. Хотя бы на своей старой работе. Там много было красивых тетенек-инженеров. Что бухгалтерия? Ведомости и отчеты, скука. К тому же бухгалтеры, мама говорила, люди скупые. Они всегда старались начислить ей меньше денег...

Из-за суматохи мы не позавтракали. Я проголодался с утра, но пожевал крабовый кусочек из салата и не ощутил вкуса от стыда за папу. Он не отрывал от Надежды Антоновны восторженных глаз, словно только что прилетел с планеты, где особи противоположного пола вымерли в прошлых веках. Друзья и жены пили вино, резали мясо, подцепляли, жевали, глотали... А мне изменил аппетит. Я отставил недоеденный салат. Не попробовал блюдо с диковатым названием «цыпленок табака».

«Его душили слезы» (цитата). То есть меня душили.

Девочка потихоньку начала сползать под стол.

– Артем, если ты поел, поиграй, пожалуйста, с Маришей, – попросил папа.

Еще чего!.. Я хотел встать и уйти, но девочка вдруг ухватилась за мои пальцы и взглянула снизу вверх. Вблизи ее черносмородиновые глаза были доверчивыми, как у олененка из старого диснеевского мультика, и ждали моих слов. Я сам не понял, как сказал:

– Пойдем, Бэмби.

Она не была виновата, что ее мама собралась завладеть моим отцом.

Я включил «Черепашек ниндзя». Потом рисовал фей, запускал самолетики, изображал дракона. Бэмби и Мысонку понравилось. Из гостиной доносились песни. Друзья и жены развлекали мою будущую мачеху.

После ухода гостей папа перемывал посуду два часа. Я вытирал и складывал. Папа напевал под нос «Lasciatemi cantare» и о чем-то думал.

– Артем, ты не против, чтобы Надежда Антоновна с дочкой пожили с нами?

Вот о чем он думал. Не против ли я. Странные люди эти взрослые. Зачем спрашивать, если мое «против» никакой роли не играет? Он все равно поступил бы по-своему.

– Мы с Надеждой Антоновной хотим поэкспериментировать. – Папа словно оправдывался. – Видишь ли... у каждого мужчины должна быть женщина, которой он мог бы полностью доверять.

В досаде от своей плаксивости я с силой втянул носом воздух, и слезы в холодном голосе не отразились:

– Наверно, ты не полностью доверял маме, если она уехала от тебя.

– Она уехала и от тебя, – напомнил багровый папа (у его лица удивительная способность с космической скоростью менять цвет).

– Мама когда-нибудь разлюбит дядю Диму.

Он вытер вспотевший лоб:

– Мы с Тасей полярные люди, Артем. Твоя мама ко мне не вернется.

Я отметил, что папа сказал «ко мне», а не «к нам», будто уже отделил меня от себя.

– А вдруг ты опять ошибешься?

– Поглядим. Разве тебе не понравилась Мариша? Ты назвал ее Бэмби, я слышал.

– Она маленькая. С ней неинтересно.

– Зато ей интересно с тобой, и ты почувствуешь ответственность за другого человека.

Меня озарило:

– А! Вы с Надеждой Антоновной хотите, чтобы я присматривал за Маришей? Вам нужна нянька?

Папа опять побагровел:

– Марише скоро пять лет, она вполне самостоятельная девочка. Ты мог бы стать ей старшим братом.

Пусть бы он, черт с ним, проводил опыты со своей бухгалтершей, но не слишком ли это – навязывать сыну экспериментальную сестру?!.

– Значит, ты не согласен, – вздохнул папа.

Я дернул плечом, что при желании можно было посчитать знаком согласия.

Мы убрали посуду и сели доедать остатки угощений.

– Папа, скажи честно: ты отправишь меня к маме?

– А ты передумал и хочешь уехать к ней?

– Я боюсь дядю Семена.

– Дядя Семен живет в том же городе, что и мама, но отдельно.

– Откуда ты знаешь?

– Иногда она звонит мне.

– Зачем?

– Грозится забрать тебя.

– Я не хочу! Там дядя Семен все равно рядом, и дядя Дима с мамой, и я буду скучать по тебе, я сбегу сюда, а если стану не нужен, то сбегу дальше.

– Куда «дальше»? – усмехнулся папа и обнял меня за плечи. – Я никому не собираюсь тебя отдавать. Да и мама вряд ли скоро решится отнять тебя через суд.

– Через суд? Судьи могут скрутить меня и отдать ей?..

– Судебные приставы, – поправил он. – Но до этого не дойдет.

– Конечно, не дойдет! Я сбегу!

– Пусть угрожает, ничего у нее не получится... Ты уже совсем большой мальчик... ты должен понять... – Папа забормотал как-то сбивчиво: – Я не стану молчать на суде о пьянстве Таси. Дядя Григорий сказал, что у Димки... то есть у дяди Димы, возникли с Тасей те же проблемы, и мне очень жаль, мне действительно жаль их обоих... но я постараюсь добыть доказательства, что она алкоголичка, я подниму шум... Такой матери ребенка не отдадут.

– Мама хоть не в обезьяннике сейчас? – спросил я хриплым почему-то голосом.

– Нет, – сказал папа устало. – С дядей Димой ей повезло больше, чем со мной.

Соус несвежий. Щетка тоже отставляет тарелку с недоеденным вторым.

В дверь заглядывает раздатчица в белом халате.

– Спасибо, – говорим мы со Щеткой хором.

– Ой, какие дружные, – улыбается она. Убирает на поднос тарелки, тряпкой смахивает в него со стола невидимые крошки.

Мы люди опрятные. Стол, вытертый бумажным полотенцем, снова превратился в письменный. Вернее, в рисовальный. А скоро тихий час.

– Ты не любишь спать днем?

На такой вопрос можно ответить и «нет», и «да», смысл ответа «не люблю» не поменяется.

– Нет.

– Будешь рисовать?

– Да.

Я не люблю спать днем, а ночью – не могу. Бессонница вернулась ко мне. Тяжелые мысли наваливаются скопом, как стая летучих мышей. Запускают в мозг острые зубки. Я воюю с ними. Читаю стихи, пою песни – военные, эстрадные, после них – бесконечную песенку о верблюдах.

Сегодня попробую припугнуть мышей Мысонком. Он же кот. Не буду прятать рисунок, положу под подушку.

Папина девушка с дочкой переехали к нам. Причем Бэмби – в мою комнату. Все мои вещи сместились к правой стене, с девчачьей стороны встали маленькая кровать и журнальный столик с кукольным домом. Там же остались на полках мои игрушки и книги. Папа пояснил, что тесниться придется максимум два года, а тем временем он подкопит деньги на размен квартиры:

– Семья у нас теперь большая.

Я в очередной раз убедился в бесповоротности прошлого.

К Надежде Антоновне я обращался на «вы», без имени, ограничиваясь местоимениями. Она вела себя все так же тихо, но я ей не верил. Где они с Бэмби жили до нас, я так и не понял, но узнал, что собственной квартиры у них не было. По телевизору показывали, на какие ужасные преступления способны люди ради присвоения чужого жилья. Возможно, Надежда Антоновна усыпляла нашу бдительность и напускала на себя скромный вид с далекоидущими намерениями. В уме я стал называть эту хитрюгу Скупой Бухгалтершей, потом просто Бухгалтершей.

Она скребла нашу с папой квартиру так, будто мы бездельничали со дня маминого отъезда. Окна, зеркала и посуда заблестели. Выстиранная и выглаженная одежда убралась в шкафы. Обедать мы снова начали в гостиной за столом с матерчатой скатертью. Папа бессовестно изображал поборника столового этикета и надзирал за мной. Не дай бог капнуть соусом на скатерть. Не пытаться сунуть пирожок в карман джинсов. Не вытирать жирные руки и рот рушником. И многое другое. А между прочим, совсем недавно мы покупали вместо салфеток пачку кухонных полотенец и выкидывали их по мере загрязнения. Из одной тарелки ели первое и второе, собирали соус с тарелки корочкой хлеба. Вкусно, и мыть легче...

Я удивлялся странной потребности взрослых мужчин в ущемлении своей свободы. Наверное, так полагается в мире, и папа ощущал себя в неволе, как сытый лев в зоопарке, но я возражал против новых правил. То есть возражал бы, не вторгнись они в нашу жизнь с безудержной силой. В моем тайном списке под заглавием «Что мне не нравится» утвердились четыре основных пункта:

1. Мне не нравится, что папа из-за большей зарплаты перешел обратно на работу с командировками.

2. Мне не нравится, что в папино отсутствие я чаще думаю о маме.

3. Мне не нравится, что папины выходные я делю с «экспериментальными» людьми.

4. Мне не нравится, что они нравятся Мысонку.

Умный кот быстро сообразил, от кого зависит вкусное наполнение его миски. Он постоянно ошивался в кухне у ног Бухгалтерши, посверкивая плутовскими рыжими глазищами и выпрашивая лакомые кусочки. Пекла она, честно признаться, здорово. Дух по дому стоял умопомрачительный, лучше всяких духов. Пироги, пирожки, кулебяки, шарлотки, блинчики не сходили со стола. Папа блаженствовал, кошачья морда лоснилась (в смысле Мысонкина). При этом сама Бухгалтерша ела меньше кота, а Бэмби еще меньше.

Кот, который в плохом настроении кого угодно мог оцарапать или укусить, покорно сносил девчачью тиранию. Бэмби тормошила его, тискала, трепала за щеки – он терпел. Мысонок пал так низко, что позволял ей наряжать себя в кукольные наряды. Перед сном, торопливо потершись для приличия о мои руки, ускользал к Бэмби и усыплял ее колыбельными песнями. А мне петь перестал.

Она вилась вокруг папы как юла, лезла к нему на колени, когда он смотрел кино. Я редко мог подступиться. Приметив мою обиду, он легонько щелкнул меня по носу и шепнул:

– Ты что – жадина? Стаж нашего с тобой общения десять лет! (Хотя десять мне исполнится только в сентябре.)

Я решил добиться папиного уважения. Пока он был в командировке, получал по математике сплошные пятерки. Починил протекший кран в ванной. Друзья бегали на каток – я катался на детской горке с Бэмби. Стыдно сказать – играл с ней в куклы. Проведай об этом Леха с Мишкой, померли бы со смеху. Я говорил папе мысленно: видишь, как стараюсь? Это все для тебя.

Он вернулся. Схватил Бэмби в охапку, похлопал меня по плечу. Бухгалтерша похвасталась моими достижениями.

– Артем обязан следить за техническими неполадками, – проговорил папа буднично. – Ведь он мужчина.

Ни слова похвалы за пятерки. Я не мог понять: это суровое мужское воспитание, или он больше не любит меня?..

Ночью я фантазировал о том, как стану ученым и изобрету сильнодействующие таблетки от алкоголизма и компьютерную флешку для человеческого мозга. С нее можно будет скачивать картинки, сохраненные в памяти. Я бы скачал день снегопада и смотрел по вечерам на маму.

На маму. Пушистую от одуванчиковых снежинок в свете желтых фонарей.

Одно из моих главных желаний теперь – чтобы снегопад замел за собой все мамины следы. Жаль, что память не блокируется. Непогасшие желтые фонари вспыхивают вновь и вновь. Неотключаемая опция.

Мне необходимо забыть маму. Когда меня выпустят из тюрьмы, я хочу жить с папой, тетей Надей и Бэмби. Только с ними, до конца своих дней.

Не помню, когда вопросы Бэмби переметнулись от папы ко мне.

Почему тень бегает только лежа? Почему говорят «сток сена», он же не течет? Почему у фей крылья, а у людей нет? Она начала повторять мои слова и повадки. Ходила за мной во дворе как привязанный к ноге щенок. Я сгорал от стыда.

...И я потерял Бэмби на детской площадке. Вернее, оставил там и заигрался с ребятами. А она потеряла меня. К ночи мы с папой чудом нашли ее под лестницей чужого подъезда.

Папа качал Бэмби на руках. Ресницы у нее слипались, лицо осунулось. Поднялась температура. Бэмби разматывала шаль, в которую ее завернул папа, и спрашивала, где я.

Вот я, вот. Ты меня нашла...

Бухгалтерша позвонила врачу. Он приехал, и пока осматривал Бэмби, папа в кухне дал мне болючий подзатыльник. Я стерпел молча. Если бы он взялся за ремень, я б и тогда смолчал. Безответственный человек, бросил мне папа и вышел. Я был уверен: теперь-то безответственного человека точно отправят к безответственной матери. Как я буду с ней жить? Как вообще буду жить, если Бэмби умрет? Я вдруг подумал, что живу без мамы – и ничего, а без папы и Бэмби – не смогу. И даже без Надежды Антоновны. Но умолять папу оставить меня дома я бы не стал.

Папа на время перенес Бэмби в другую спальню и зашел ко мне. Лицо у него было виноватым, он прятал глаза.

– Извини, Артем, я погорячился.

Мы долго сидели рядом просто так и смотрели в ночное окно. За стеклом первыми сосульками на ветках стыл март. Наконец папа кашлянул. Он всегда покашливает, когда собирается сказать что-то серьезное.

– Мне бы хотелось, чтоб ты понял: я люблю тебя и никогда не перестану любить. Ты мой сын. А с сыновей, Артем, у отцов больший спрос. Не забывай тех, кому ты нужен. Ни во дворе, нигде. Люди, которым ты нужен, верят, что они тебе тоже нужны. Пожалуйста, помни – они тебе верят.

Я услышал совсем не то, что предполагал услышать.

Бэмби сильно простыла, но, к счастью, не умерла. За время ее болезни я нарисовал множество фей и принцесс – ими можно было оклеить всю нашу комнату. Мы бесконечное число раз играли в «кони-огони». Опасаясь отбить Бэмби ладошки, я приговаривал: «Кони, огони, побереги ладони...» и «отмирал» первым, чтобы не она получила шишку в лоб.

Своей старой зубной щеткой Бэмби чистила Мысонку зубы. Он «лечил» Бэмби своими теплыми боками и песнями. Я гордился, что у нас такой чуткий кот. Мой четвертый пункт из списка «Что мне не нравится» отпал сам собой. Затем отпали все, кроме первого. Так же, как мысленная «Бухгалтерша». Надежда Антоновна не напрашивалась мне в мамы, но была внимательна и добра. Она действительно оказалась такой, какой виделась, –

хорошей. Я случайно назвал ее тетей Надей и быстро привык. Бэмби к тому времени привыкла звать моего отца папой.

Я стал ловить себя на том, что мне нравятся спокойные отношения папы и тети Нади. Они еще ни разу не поругались и даже не говорили на повышенных тонах. Я думал – наверное, папа устал от мамы. От ее подруг, ее джина, криков и слез, потому и выбрал такую тихую вторую жену. А потом догадался – папа любит тетю Надю. Подтверждение этому я видел каждый день, и никакой эксперимент тут был ни при чем.

Я затемняю на рисунке мамины волосы. Глаза делаю больше и чернее, как у тети Нади. Пусть от мамы ничего не останется.

За спиной феи вырастают разноцветные крылья. Она должна получиться самой красивой. Бэмби будет в восторге.

Щетка села напротив и тоже рисует. Принцессу, что ли? Прямо как девочка.

Девочки любят рисовать фей и принцесс. Или чтобы им рисовали. Мальчишки рисуют машины, самолеты и танки. Всякую технику. А все маленькие дети, мальчики и девочки, рисуют дома.

– Дом хоть старый, но крепкий, – сказала папе тетя Надя. – Подремонтировать – и выйдет отличная дача. Мы бы пожили там втроем, пока у меня отпуск, а ты в разъездах.

В рабочем графике папы было на все лето запланировано строительство какого-то важного комбината в области.

– Не опасно без меня? – усомнился он.

Тетя Надя рассмеялась:

– Ну что ты, Игорь! Никакой опасности. Я же после того, как мамы не стало, у бабушки год жила, всех знаю. В деревне детям раздолье, скучать некогда. Лес рядом, за двором есть небольшое озеро. Овощи бы посадили, занялись садом, если сохранился.

Мне сделалось не по себе. Я почти забыл Анфисину страшилку, а тут она всплыла в памяти во всех красках, именах и событиях... Я сжал кулаки. Трус! Кого испугался – Огра? Его не существует, я его сам придумал из частей двух отвратительных типов, и пусть только он посмеет явиться! Я сумею за себя постоять.

В ту ночь я нарочно спал с высунутой из-под одеяла ногой, и никто ее не тронул.

...Вначале мы отправились в деревню с папой. Около часа ехали на электричке, потом минут двадцать шли по лесной дороге. По словам тети Нади, на опушках с краю просеки бабушка уже к середине лета набирала полную корзину рыжиков и маслят.

Дорога вывела к домам, окутанным зеленью. Изредка в них краешками взблескивали окна, будто подсматривали за нами. В руках у тети Нади были сумка и пакет, папа нес ящик с инструментами, топоры и пилу, завернутые в мешок, я – рюкзак за плечами, а Бэмби несла себя. Судя по вывескам, мы прошли школу, детский сад и Дом культуры. Подошли к магазину. Наверное, мы с Бэмби будем бегать сюда за хлебом.

У крыльца магазина на перевернутых ящиках сидели три старушки в платочках. Продавали молоко в пластиковых бутылках из-под газировки, огурцы, редиску и лук.

– Это чьи будете? – окликнула одна старушка и подслеповато прищурилась: – Ой, не Зинаиды ли Анатольевны внучка?

– Ее, ее внучка, – радостно закивала тетя Надя. – Добрый день!

– Частенько поминаем твою бабушку, хорошим человеком была Зинаида Анатольевна... А вы, поди, хату проведать приехали?

– Да, хотим лето здесь пожить.

Старушки с любопытством оглядывали нас всех, особенно папу.

– А то молочка деткам возьмите. Натуральное молочко, не порошковое. С коровки моей.

Мы купили у разговорчивой старушки бутылку молока, пару длинных огурцов и пучок зеленого лука.

– Видишь, помнят меня, – повернулась к папе довольная тетя Надя.

Ряд длинной улицы терялся где-то у леса. Бэмби отставала, я потащил ее за руку. Вдруг из-за чьей-то калитки высунулся веснушчатый мальчишка и проверещал тонким голосом:

– Говнюки городские!

Я сделал вид, что не услышал. Бэмби оглянулась и угодила ногой в коровью лепеху. На дороге полно было таких «мин», засохших и свежих. Мы свернули на обочину, и я вытер сандалию Бэмби травой.

– Не плачь, – сказал я ей. – Он трус. Дразнятся только трусы. Попробовал бы выйти, я б ему сразу по шее настучал.

Веснушчатый за калиткой заливался визгливым смехом. Я подумал, что в магазин буду ходить один, а то кто их знает, этих деревенских говнюков.

Дорога к последним, заброшенным домишкам в ряду заросла кустами и бурьяном. Мы до них не дошли, остановились у ворот низенького дома с волнистой серой крышей. Только она и выглядывала из густого палисадника.

Ставни на окнах были крест-накрест забиты досками. Штукатурка стен кое-где осыпалась. На ступенях крыльца валялись упавшие с козырька куски шифера. «Сад», по колено в траве, оказался четырьмя хилыми деревцами. Остальные засохли. С теплицы на задворках возле озера помахивали, шурша на ветру, остатки огородной пленки.

Не сумев отомкнуть замок, папа просто выдрал ржавые петли. Мы вошли в узкие сенцы, и тетя Надя открыла незапертую дверь.

В доме не было перегородок для спален и кухни. Он состоял из одной комнаты с печкой, не считая вещей. Слегка попахивало мышами. Сквозь мутные окна лился сказочный свет. Над щелястыми половицами танцевали пылинки. Пыль лежала на темной клеенке стола как пепел. Я написал по пыли пальцем: «Привет, это мы». Тетя Надя тоже здоровалась с бабушкиным домом. Обрывая паучьи сети, гладила буфетную полку, деревянные «локти» дивана, поверхность комода в чешуйках треснувшего лака. Радовалась, что целы стекла в окнах и печь. Папа сказал – в окна видно, что поживиться тут нечем, а бомжи поленились подселиться – далековато до деревенского центра.

Поручив мне наколоть дров, папа принес воды из озера и стал проверять печные ходы, тетя Надя с Бэмби вытирали пыль и труху. Я нашел несколько сухих поленьев. Боялся не смочь разрубить, никогда же еще этого не делал, но смог. Это было здорово – настоящий мужчинский труд. Вокруг на деревьях звонко щебетали птицы. В ветвях скрывались гнезда с птенцами. Я надеялся, что Мысонку хватит охоты на мышей...

Папа затопил печь «моими» дровами. Веселый огонь забился в печную дверцу, и вкусно запахло дымком. За обедом мы мечтали, что когда-нибудь папа перестроит старый дом, возведет мансарду и засыплет песком камышовый берег озера. Если удастся прочистить озеро, у нас будет собственный пляж. Но до этого папе надо купить не очень дорогую машину с вместительным багажником.

Тетя Надя пошла с Бэмби на могилку к бабушке, а мы с папой надели брезентовые рукавицы и принялись прореживать палисадник. Я вырвал все сорняки, папа срезал верхние побеги кустов и спилил ветки деревьев, которые загораживали вид на дорогу из окон. Мы так заработались, что едва не опоздали на последнюю электричку.

Позже папа в выходные несколько раз выбирался в деревню с дядей Ваней на его машине. Они подремонтировали дом, провели новое электричество и повесили над крыльцом фонарь. А когда папа уехал на строительство комбината, дядя Григорий перевез нас на подготовленную дачу в своей «Тойоте» с кое-какими вещами и продуктами.

Щетка, оказывается, рисовала не принцессу, а куклу. Кукла была красивая, но с недобрыми почему-то глазами. Ну, может, нечаянно так получилось.

Мы похвалили рисунки друг друга, как петух и кукушка, и посмеялись. Щетка сказала, что отец подарил дорогую фарфоровую куклу по имени Сильвия ее старшей сестре Юле. Давно-давно, еще до рождения самой Щетки. Отца она не помнит, он бросил семью... А говорила, что ходит к отцу обедать! Врунья.

Щетка поняла и усмехнулась:

— Настоящим отцом стал мне другой человек. Из-за этой Сильвии он к нам и пришел. Кукла... она была ужасом моего детства.

Я замер.

Ужас детства?.. Словно холодом повеяло, а руки почему-то вспотели.

— Мама много работала. — Щетка начала подрисовывать кукле бант. — Мы с сестрой сидели по вечерам одни. Юля была серьезной девочкой, счита-

ла себя взрослой, а меня маленькой. Мне тогда исполнилось пять лет, как вашей Марише. Юле шел двенадцатый год, она воспитывала меня без мамы и ходила со мной в магазин за хлебом и молоком. Но зимой я часто болела, и в морозы Юля оставляла меня дома. Усаживала Сильвию лицом ко мне и приказывала: «Сиди, Валюшка, и не двигайся! А ты, Сильвия, следи за этой шалуньей. Станет что-нибудь вытворять — пощекочи ее, я разрешаю». До этого я в ожидании сестры залезла раз на подоконник, замерзла и простыла, вот она и придумала, как обезопасить меня такой «игрой» от моих же проделок.

Щетка раскрашивает бант розовым карандашом.

— Вы боялись щекотки?

— Я боялась Сильвии. Боялась и ненавидела. Мечтала изрубить ее на куски, сжечь и рассеять пепел с балкона. А сама глаз с нее не спускала. И она таращила на меня свои стеклянные гляделки. На вид они были абсолютно живые и человечьи, но злобные, как у ведьмы, с «настоящими» волосяными ресницами. Красный рот сложен сердечком, в середине чуть-чуть приоткрывались мышиные зубки... Сильвия так и ждала, что я ослушаюсь приказа. Сколько времени ходила сестра в магазин, столько Сильвия и стрекотала мне одни и те же слова. Тр-р-р-р, тр-р-р-р, ж-ж-ж-ж — будто заведенная механическая игрушка.

Перевариваю услышанное. Мы поменялись ролями, теперь я задаю Щетке вопросы:

— Вы разобрали, что она вам стрекотала?

– О да! Она обещала, что когда-нибудь защекочет меня до смерти.

Этого не может быть. Я не верю:

– Правда?

– Нет, Артем, – улыбается Щетка, – конечно, нет. Кукла вовсе не стрекотала и не жужжала, в ней и механизма никакого не было. Мне чудилось так от страха. До прихода сестры я даже пальцем не смела шевельнуть. Однажды, когда Юля задержалась в очереди, я свалилась со стульчика без сознания. Сестра пришла и перепугалась. Я очнулась уже, но смотрела в одну точку и перестала разговаривать. Она поняла, что переборщила с «воспитанием», и сильно плакала. Рассказала все маме. Мама куда-то унесла Сильвию, больше я никогда ее не видела. Но запомнила на всю жизнь. Закрою глаза – и вот она, сидит передо мной. Смотрит. Бр-р!..

– Вы до сих пор ее боитесь?!

– Не боюсь, – опять улыбается она, но как-то загадочно. И, улыбаясь, рвет рисунок на части.

– Зачем?!

– Я всегда рисую Сильвию, когда мне становится трудно. Я рисую ее по памяти, потом рву лист, и сразу становится легче. Меня научил этому очень хороший врач.

– Разве вам сейчас трудно?

Щетка вздыхает:

– Есть такое. Я не могу разговорить тебя. Поэтому и помочь тебе не могу.

– Не надо меня «разговаривать», – бурчу я, – и помогать мне не надо. Все равно не сможете.

– Этот врач, кстати, и стал моим отцом, – совсем некстати сообщает она. – Лечил меня, лечил, и влюбился в мою маму. Они прожили вместе счастливую жизнь. Но мама ушла...

Я собирался заканчивать опасные тары-бары с опасными вопросами и не стерпел:

– Куда?

– Так, Артем, говорят, когда человек умирает, – говорит Щетка, сгребая со стола в пакетик бумажную кучку.

– Ваш врач... э-э, отец... он гипнотизер?

– Он психотерапевт. Я и сама выбрала эту профессию.

– Психотерапевты лечат психов?

– Психов, вернее душевнобольных людей, лечат психиатры.

– А вы кого лечите?

– Я пытаюсь помочь обычным людям, у которых случаются большие неприятности, связанные с разными психическими состояниями. Например, с состоянием аффекта.

– Состояние аффекта... это что?

Ее взгляд скользит мимо меня.

– Ну вот, допустим, человек внезапно столкнулся с чем-то, что ужасно его возмутило или испугало. В нем сейчас же собираются горячие чувства и эмоции. Они пока только искрят, но стоит ситуации усугубиться, эмоции вспыхивают сильнее. И психика человека может не выдержать, дать сбой. Это и есть состояние аффекта. Оно вызывает кратковременное помрачение рассудка. В таком состоянии человек ли-

бо почти не способен управлять собой, либо никак не способен.

– Он как будто видит кино?

Щетка взглядывает на меня, сдвинув брови, и задумывается:

– Человек с сильным воображением, возможно, и видит... Возможно, он начинает воспринимать окружающее фотографически. Но даже человек, наделенный способностью «кинохроники» собственных реактивных состояний, вряд ли осознает свои действия. Пленка памяти неизбежно засвечивается, и он забывает, что видел.

– А если человек видел, помнит и просто не хочет ничего рассказывать?

– Тогда очень жаль такого человека. Если он будет держать гнетущие мысли в себе и не освободится от них, его психика рано или поздно действительно расстроится.

– И он станет психом... то есть сойдет с ума?

– Скорее всего.

Щетка завязывает узелком пакетик с «трудными» бумажками и выбрасывает его в урну.

Я рисую рамку из цветов на портрете феи для Бэмби.

Хуже того, что со мной случилось, случиться уже не может. Слабое утешение, но другого у меня нет. Интересно, изобретены ли на свете такие лекарства, которые успокаивают гнетущие мысли и не дают человеку сойти с ума?

Я сомневаюсь, что психотерапевты выписывают лекарства. Кажется, они только разговаривают с пациентами. Какое-то странное говорильное лечение.

– Валентина Александровна, вы умеете разговаривать глазами?

– Не пробовала.

– А читать мысли?

– Очень редко.

Смотрю ей в глаза:

– А попробуйте угадать, какое я дал вам прозвище. Только, чур, не обижаться, если угадаете.

Она улыбается (немножко кривовато). Проводит ладонью по ёжиковой голове и вытягивает из вороха бумаг лист, на котором я нарисовал щетку для обуви:

– Это?

Глаза Мысонка горели охотничьим огнем. Кот обнюхивал углы и терся боками о ножки мебели. Дом пришелся ему по душе. Папа с дядей Ваней прямо-таки теремок из избушки сделали. Подштукатурили, подкрасили. С побеленной печкой стало светлее, на столе сияла новенькая скатерть в подсолнухах. Тете Наде осталось повесить занавески.

День выдался душный. Сильные запахи трав поднялись и стояли в дрожащем зное словно невидимый рой. Я снес к дровянику чурбаны, какие нашлись, и все их переколол. Натаскал воды из озера в железные бочки, вскопал грядки для укропа и лука. Пот катил с меня жарким дождем. Я раз двадцать ополаскивался с мостков.

На озеро было больно смотреть. Оно полыхало слепящим пламенем. На волнах переливались и вспыхивали огненные блики, будто солнце покрошило в воду свои лучи. Но блики горели сверху, а под ними темнела неизвестная глубина. Я подумал, что там, должно быть, плавают рыбы. Может, большие окуни и щуки водятся на самом дне. Я мечтал порыбачить с папой, когда он приедет.

Небо к вечеру стало сизым и красным по краю, как раскаленный металл. Тетя Надя сказала, что ночью будет гроза. На улице быстро сгустилась темень. Без привычных городских окон напротив и неоновых реклам было жутковато. Я зажег уличный фонарь. Во дворе повеселело, но свет упирался в ворота и таял во мгле. Чудилось, что мы остались на маленьком светлом островке одни во всем мире.

Мы поужинали сосисками, и сморенная жарой Бэмби уснула на диване. Нарядные занавески не шевелились в распахнутых окнах. Дремлющий воздух за ними был как парное молоко, ни намека на ветер. Птичий щебет затих. В сонной тишине Мысонок азартно постукивал хвостом, предвкушая ночную охоту.

Скоропортящиеся продукты могли скиснуть без холодильника, и тетя Надя вспомнила:

– Бабушка всегда в подполье еду хранила.

А я и не знал, что в доме есть подполье. На месте кольца виднелись затертые дырочки, папа почему-то не приколотил новое кольцо. Тетя Надя принесла топор из сенцев и, зацепив острием плотно прилегающую к полу крышку, открыла ее с трех попыток. В лицо мне дыхнул прохладный воздух погреба – немного затхлый, грибной и осенний. Вот как пахнет внутри земля.

В подполье вела лестница, сбитая из крепких плах, даже с перилами. Мысонок сунулся за мной, но тетя Надя его придержала:

– Ишь какой! Дома лови мышей.

Я смахнул упавшую на лоб паутину и огляделся, втянув голову в плечи: как бы на меня впрямь не посыпались мышата. Но мышьих гнезд я не увидел. Подполье было устлано досками, с левой стороны его делила надвое загородка для картошки, с правой стоял деревянный короб с крышкой. Туда я и сложил нашу провизию.

Рокот приближающегося автомобиля послышался из окон, когда я собирался вылезти из подполья. Мысонок выгнул спинку и заурчал. Дыхание его завелось, как будильник. Кот нервничал, будто чуя что-то недоброе.

– Это к нам, – прошептала тетя Надя, – дальше дороги нет.

Я подумал – может, снова приехал дядя Григорий или дядя Ваня решил проверить, как мы тут устроились.

Тетя Надя, видимо, думала иначе. Лицо ее побелело, глаза сверкнули тревогой:

– Стой здесь!

Я остановился на верхних ступенях. Столкнув топор на приступку, откуда начиналась лестница, тетя

Надя метнулась к дивану. Жаль, что папа не посчитал нужным завести собаку, поверив, что никакой опасности нет, ведь тетя Надя знала деревенских людей. Но они бы в крайнем случае пришли пешком. А машина ехала из города. Ночью. К нам.

Страх расплылся в воздухе точно кисель, стало трудно дышать. Казалось, кошмарные огры с наручниками и кляпами подкрадываются к дому.

Тетя Надя кинула вниз две подушки и передала мне завернутую в одеяло Бэмби:

– Уложи Маришу, постарайся не разбудить.

Я спустился с Бэмби на руках и поместил ее на коробе. Взмыл на лестницу. Вся суета не заняла и пятнадцати секунд.

Кто-то хлопнул дверцей машины.

– Сиди тихо, Артем, – свесилась надо мной тетя Надя. – Заткни уши и молчи. Молчи, что бы ни случилось!

Лязгнул железный засов калитки. Она скрипнула. Крышка подполья закрылась. Мы со спящей Бэмби очутились в темноте, как заживо погребенные в склепе. Правда, тонкие лучи электрического света все-таки проникали сюда сквозь щели и трещины в половицах.

Я поднялся по ступеням выше и прильнул ухом к расширенной щели крышки: как раз грохнула дверь сенцев.

– Кто там? – спросила тетя Надя.

– Дед пихто! – весело ответил хрипловатый мужской голос. – Открывай, хозяйка, дядя Сеня за пацаном пришел!

...и я понял, что это значит, когда говорят «Душа ушла в пятки». Дверь мягко отворилась на смазанных петлях...

Мои ступни вмиг окоченели, и на лбу выступил холодный пот. Сердце вспухло и затрепетало. Я почти не дышал, но, кроме громкого сердечного стука, слышал все. Далекий собачий лай, мыший писк в норке под досками картофельного закута, колебание листьев и комариный звон за окном, взволнованное тарахтение «моторчика» в груди Мысонка и множество-множество других звуков. А главное – тяжелые шаги переступившего порог мужчины и щелканье жевательной резинки на его зубах. Вслед за тем в моих глазах посветлело, словно в подполье загорелись свечи.

Такое бывает во сне. Я пытался проснуться и не просыпался. Потому что это был не сон. Мне снова сделалось жарко.

– Где Артем?

– Я увезла детей на лето к своей матери.

– Куда увезла?

– Мама живет в другом городе.

Спокойный голос тети Нади резанул меня по сердцу. Я же знал, что ее мать умерла.

– Ты его спрятала!

Человек протопал за печку. Шагнул дальше. Клацнули дверцы шкафа, громыхнула крышка сундука. Послышался шорох занавесок... шаг... два... еще два... Человек встал над моей головой! От силы два с половиной сантиметра отделяли мой затылок от подошв его обуви. Я совсем перестал дышать и впервые в жизни подумал о Боге. О Господи, думал я, спасибо, что папа не прибил кольцо к крышке подполья! Спасибо, Господи, что тетя Надя не успела расстелить мою раскладушку! Всей покрывшейся мурашками кожей я ощущал над собой присутствие человека, которого боялся как никого на свете.

Я оглянулся на Бэмби. Она спала. Безмятежно и бесшумно, без малейшего сапа. Наверное, видела хорошие сны. Она не знала о существовании на земле огров и приходе одного из них в наш дом... И тут к моему обостренному слуху и зрению добавилось обоняние.

Я унюхал запах жвачки.

Ее аромат.

Со вкусом груши.

И отдушкой омерзительной слюны.

С тошнотворным перегаром табачной слюны.

Несмотря на ужас и гадливость, мгновенно подключилось воображение. Перед глазами замаячил желтый, сочный, светящийся от спелости плод, напитанный человеческой жидкостью. Десятки плодов. Страшный сад страшных плодов... Разве так бывает? Разве с людьми случаются настолько невероятные совпадения? Так действительно бывает?!

Так и было.

Желудок дернулся и сжался от спазма. Видение исчезло. К горлу взлетела кашица недавнего ужина. Полупереваренные сосиски. Я сглотнул их. Я сумел беззвучно протолкнуть кислую кашицу обратно в живот. Усилие, равное, должно быть, поднятию гантелей весом в полста кило.

Никогда не буду есть сосиски.

В моей психике началось состояние аффекта. Щетка... вернее, Валентина Александровна правильно все объяснила.

Огр отошел и плюхнулся на табурет. Крепления табуретных ножек заскрежетали. Я вцепился в рукоять топора на приступке и еле выровнял вдохи и выдохи. Легкие чуть не лопнули от напряжения.

– В окно детей выкинула? Гляди, промокнут, гроза собирается.

– Я здесь одна. – Тетя Надя помешкала. – Но Игорь скоро приедет. Жду его с минуты на минуту.

Он рассмеялся:

– Электрички четыре часа назад отъездили. Неужто Игорек все еще колесит на своей развалюхе? Или новую машину купил? «Бугатти», «Феррари», калину-малину? – Голос его повысился. – Черта с два! Нет у него таких денег! И в городе его нет! Не ври мне, поняла?!

– Но я...

– Ты врешь, – проговорил он сдержаннее. – Игорек в длительной командировке. Таисия с подружками созванивалась, рассказали ей все. Несложно было разведать, что ее бывший зашибает нынче деньгу на строительстве комбинатов. А дачный адресок твои же коллеги по телефону подсказали... Чего вскинулась? Ай-ай, грешно думать о людях дурное! Люди кое-как название деревни вспомнили, чтоб хорошие знакомые навестили тебя по-приятельски. Вот я и приехал с визитом издалека. Решил сделать подарок Таисии – привезти ей ребенка на лето. Родная мать, имеет законное право пообщаться с сыном, а Игорек пусть вспомнит, как выступал против меня на суде... Я ничего не прощаю.

– А если бы... мальчик не захотел... с вами поехать? – с заминками спросила тетя Надя.

Под увесистым телом снова затрещали ножки табурета.

– Мал еще хотеть, не хотеть. И не твоего ума это дело. Артемка мне племяш, сын моей любимой сестры, а тебе никто. Он и своему, так сказать, папаше никто. Игорек Таисию с ребенком взял. Привычка у него такая – с детьми баб в жены брать, хе-хе. Со своими-то аут, ты в курсе?

Пауза наполнилась табачно-грушевым дыханием. Я закрыл глаза.

Я не верил. Ни одному слову. Этого лгуна. Самого Поганого Из Всех Поганых Огров и Лгунов.

– Ну, прекрати кукситься! Грозы боишься? Все женщины почему-то боятся грозы. – (Я так и представил розового червя, извивающегося в гнусной усмешке.) – А налей-ка кофейку. Найдется? Раз некуда торопиться, я, пожалуй, перекантуюсь здесь до утра. Полтысячи кэмэ гнать – это тебе не хухры. Да еще досюда из города.

Брякнул снятый с плитки чайник. Дзинькнула чашка, забулькала вода. Громко прошуршала бумага – Огр высыпал печенье из пачки на стол. Со смачным харканьем выплюнул на пол комочек жвачки. Она упала недалеко от крышки подполья. Запах слюны и груши умножился, терзая мой желудок. Я задышал ртом.

– Надеждой тебя зовут? Надеждой? Четкое имя. В общем, Надежда, не переживай. Как говорится, надейся и жди. Отдохнем, поболтаем... а-ха-ха-ха!

Сквозь щели по моей голове замолотил мерзкий хохот. Так хохотали гиены в программе «Animal Planet». Отсмеявшись, Огр зазвякал ложкой. Он в самом деле не торопился. Звуки его движений – шарканье подошв под столом, всплеск и хлюпающее всасывание кофе, клекот глотков – были несуетливы. Кажется, нам с Бэмби придется торчать в «склепе» до утра...

Я чуть не закричал от неожиданности! Тети-Надин телефон прозвенел словно над самым ухом. Звонил папа... конечно, папа! Кто еще мог позвонить, беспокоясь о нас? Ко мне на мгновение вернулась надежда. Надежда действительно прекрасное имя!

...Когда каменным каблуком плющат мобильный телефон, он хрустит так, будто кому-то разом сломали все пальцы на руках и ногах.

Щелкнула зажигалка. В щели втекли струйки сигаретного дыма, поплыли надо мной как призраки. Мысонок... Ему не нравился табачный дым! Кот протяжно мяукнул.

– Кошка! Кс-кс-кс. На печенюшку. Иди ко мне.

– Это кот, – пролепетала тетя Надя.

Под ворот моей рубашки скользнула липкая змея. Поползла, приклеивая рубашку к взмокшей спине. Как я, дурак, мог оставить кота! Цокотнули о пол коготки.

Человек погладит Мысонка. Погладит – и отпустит... Бывает, что даже очень плохие люди любят котов... Только бы Мысонок не распустил когти. Я хотел посмотреть, вертел голову под щелью так и этак, но видел над собой только беленый потолок и сидящую на нем муху. И всё.

– Ар-р-р-р-р-р-ртем! – позвал Мысонок.

В моих глазах полыхнули блики – те, что я видел днем на озере. Выскочить? Сказать – я согласен ехать с вами, я на все согласен, только не трогайте Мысонка?..

– Это кот Артема, – сдавленный голос тети Нади был еле слышен. – Мальчик любит его.

– Тогда возьмем кота с собой...

– Огр-р-р, – на низких тонах зарычал Мысонок. – Огр-р-р! Огр-р-р-р-р!

Я стиснул зубы. Хотелось набить рот чем угодно, хоть землей. Мне бы сейчас пригодился кляп. Я изо всех сил сдавил в горле крик, вздувшийся как пузырь...

И крик раздался! Визгливый, будто женский. Но кричала не тетя Надя. Не я. Орал и жутко матерился Огр. Мысонок укусил его. Наверное, не один раз, и больно оцарапал.

А потом заплакала тетя Надя.

– Убийца! – крикнула она, и что-то деревянное глухо стукнулось о стену. Следом с грохотом опрокинулся табурет. Легкую дробь тапочек заглушил треск раздираемой ткани. По полу градом застучали пуговицы... и дом содрогнулся в раскатах грома. Взвыл, засвистел ветер, загремели железные листы на дровянике. Задребезжали стекла окон. Грянула гроза.

Передо мной плясали осколки разбитых картинок. Как в калейдоскопе. Но они не складывались в узор. Им мешали блики. Тысячи озерных бликов вспыхивали вокруг. Я перестал различать, откуда доносится шум – рев, гром, обрывки рычащих слов, – из дома или извне. Я перестал понимать, кто я и что делаю в этом странном месте. Земляные стены ощутимо кренились. Лестница тряслась под ногами. Зыбкий мир сдвинулся и стал куда-то съезжать вместе с приступкой, на которой моя рука сжимала топорище.

Я пришел в себя от дикого вопля (не ручаюсь, что не сам завопил). Все чувства загорелись во мне живьем, и в глазах взорвался ослепительный свет.

Вот тогда-то и появился он.

Питер.

Для изображения бликов нужна акварель, а не карандаши. Люди увидят в картине озеро в солнечный день и больше ничего. Валентина Александровна тоже видит озеро в бликах.

Аффект нарисовать невозможно. Он как ослепительная молния в голове. Эта молния сожгла большую часть моей психики. Вряд ли такой ожог излечим.

...мисс Эстер закричала еще сильнее. Томас зажмурился. От ужаса он совсем онемел и не мог шевельнуться. Ему мерещилось, что все повторяется. Словно он лежит в наручниках и половина его лица залеплена скотчем. Мелькнула трусливая мысль: может быть, Огр не обнаружит их с Питером в сторожке? Они спрятались, а Огр видел перед собой одну мисс Эстер – девушку слабую, как хворостинка, и не знал о них...

Но какой бы слабой ни была мисс Эстер, она постаралась дать отпор. Она боролась за свою жизнь.

Я рисую.

Зачем я начал набрасывать кадр за кадром той страшной «кинохроники»? Когда? Не знаю, не помню.

– Этот мальчик – ты? – спрашивает Валентина Александровна.

Без ответа.

– Это ты? А второй?..

Без ответа.

Мои уши и щеки горят. Я рисую очень быстро. Я тороплюсь.

Сейчас чудовище переломит ее хрупкую шею... Томас не выдержал. Забыл о Питере, обо всем на свете и выскочил из своего укрытия. Казалось, что с рук упали невидимые наручники и липкая лента скотча содралась с лица. «Отпусти ее!» — закричал Томас.

Огр оглянулся, ошеломленный тем, что беглецов двое и что они посмели...

— Это тетя Надя? Ты нарисовал тетю Надю... и того человека, который... Артем... ты... слы... поче... Артем, ты слышишь меня?

Я не слушаю, я почти не слышу ее.

— ....! ... ?

Без ответа.

...сопротивляться. Он даже слегка растерялся. Но что мог сделать с мистером Флинтом Томас, сам едва стоящий на ногах?! Огр отбросил в сторону чуть живую мисс Эстер...

Питер возник перед ним как из-под земли! Томас поспешил убраться прочь. За спиной друга он увидел садовые ножницы и, прежде чем Питер вонзил их в черное сердце Огра, успел подумать, что они все-таки...

— .... ?!

Без ответа.

— Артем, ты весь дрожишь! Может, хватит?

Без ответа.

Я рисую.

...пригодились.

Черная кровь брызнула до потолка. Если бы миссис Хэйвуд поливала деревья такой кровью, на них, наверное, выросли бы червивые груши.

«Не будь как он», – сказала Питеру мисс Эстер, и Томас понял, что к ней вернулся разум.

Они обнялись втроем и пошли по дороге к людям.

Последний набросок. Я закончил его и разорвал.

– Все? – спросила Валентина Александровна.

– Все, – сказал я.

Пока тетя Надя доставала из подполья спящую Бэмби, потом переносила ее на улицу и укладывала на скамейку, потом бегала за Мысонком, потом переодевалась в рубашку и брюки, я рыдал и блевал за углом. Кишки скрутились в животе как в центрифуге и вывернулись наизнанку. Вместе с сосисками из меня чуть не вылетел кусок сердца.

Тетя Надя помогла мне умыться из бочки и подала чистую одежду. Воздух на улице был прохладным и свежим. Пахло сорванными листьями. Лампочка в уличном фонаре погасла. Дождь не пролился ни каплей, сухая гроза побушевала и умчалась. В разрыв туч выкатился шар луны. Вдалеке еще погромыхивало, и где-то в деревне выла собака. Собаки воют, если кто-то умер...

В моей голове ревел и тряссся танковый батальон, а Бэмби, трудно поверить, по-прежнему спокойно спала! За полтора безумных часа ее не разбудили ни гром, ни крики. Примерно полтора часа прошло с приезда нежданного гостя, сказала тетя Надя. Я поверить не мог. За это время я прожил огромную жизнь. К моим девяти годам и десяти месяцам прибавилось столько же, если не втрое.

Мы обошли серебристый джип, не глядя на него, и побрели к огонькам деревни. Мой телефон тетя Надя забыла в доме, и может, папа звонил, но она не смогла туда снова зайти. Мы в этот дом не вернемся.

Бэмби хныкала и терла кулачком глаза. Я нес завернутого в полотенце Мысонка. С одной стороны, я жалел, что не помешал преступлению, с другой – не жалел. Я боялся, что труп оживет и кинется вдогонку за нами. Может, он притворялся? Поскачет за нами, с вылезшим из шрама червяком и ножницами в спине...

Тетя Надя заверила: воскрешение мертвецов исключено абсолютно и бесповоротно (жаль по отношению к Мысонку). Бэмби мы сказали, будто кот спит. Ложь, конечно, но иногда я думаю – папа был прав, когда говорил: «Бывает, взрослые не могут сказать детям правду, чтобы не ранить».

Мы шли-шли, устали и спустились отдохнуть на травянистый склон. Бэмби приткнулась к моему плечу и сразу задремала. Тетя Надя захотела побеседовать со мной о чем-то важном.

– Артем, – начала она шепотом, – давай договоримся, что не ты, а я нечаянно уби... умертвила этого человека при сопротивлении.

Я удивился:

– А я его и не умертвлял.

Она вздохнула и сказала спустя какое-то время:

– Вот и правильно. Не ты, а я. Именно я. Так и говори всем, кто спросит. Не волнуйся, ведь я оставила и свои следы на рукоятке. Все у нас будет хорошо.

– Не вы его умертвили и не я, – возразил я. – Это Питер.

Теперь она удивилась:

– О ком ты? Какой Питер?

Я в нескольких словах рассказал о Питере Хэйвуде, и что он пришел нам на помощь. Это Питер зарубил Огра садовыми ножницами.

Тетя Надя уставилась непонимающе:

– Огра?.. Садовыми ножницами?.. Мне показалось, что... топором...

Странная, подумал я, и вспомнил: она не знает, как все на самом деле произошло!

Огр намотал на кулак волосы мисс Эстер... то есть тети Нади, и держал ее перед собой, а она невысокая, поэтому из-за плеч Огра не видела Питера. Но я-то видел! Я стоял поодаль и видел, что Огр клонит тетю Надю вниз и сам над ней клонится. Она дралась с ним и кричала, он бил ее и тоже кричал. Питер прыгнул рядом, размахнулся ножницами и ударил Огра острием в спину около шеи. Со всей силы.

Я пояснил:

– Тетя Надя, Огр же прямо на вас упал после ножниц, и вы просто не могли видеть умертвителя. А когда выбрались, он исчез, а я же не исчез, потому что это был не я. Это был Питер.

Она посмотрела на меня как-то диковато, и я понял, что снова попал в капкан: ни туда, ни сюда. Если мне не верит даже тетя Надя, то никто не поверит.

Мы посидели немного, и я повторил:

– Это был не я. Это был Питер.

Тетя Надя обняла меня и наконец-то согласилась:

– Да, Артем, так и есть. Это был Питер и садовые ножницы.

Сейчас я скажу Валентине Александровне вслух то же самое. А глазами попробую сказать, что не вру.

Благодарности

Благодарю племянницу Валю за разрешение использовать в одном из рассказов этого сборника ее сказку и стихи — она написала их в пятилетнем возрасте, а сейчас уже сама мама небольшого семейства.

Благодарю сестру Викторию за первые «рецензии» моих книг.

Благодарю родных и близких за то, что они понимают меня и дарят мне время заниматься любимым делом.

Благодарю редактора Екатерину Неволину за терпеливое ко мне отношение.

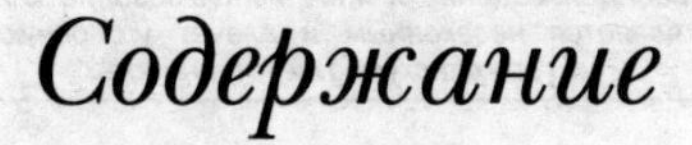

Содержание

Литературно-художественное издание

ЗА ЧУЖИМИ ОКНАМИ
Проза М. Метлицкой и А. Борисовой

Ариадна Борисова

ПОВТОРИТЕ, ПОЖАЛУЙСТА, МАРШ МЕНДЕЛЬСОНА

Ответственный редактор *Е. Неволина*
Литературный редактор *Е. Остроумова*
Младший редактор *М. Каменных*
Художественный редактор *П. Петров*
Технический редактор *Г. Романова*
Компьютерная верстка *Е. Кумшаева, Л. Панина*
Корректор *М. Козлова*

ООО «Издательство «Э»
123308, Москва, ул. Зорге, д. 1. Тел. 8 (495) 411-68-86.

Өндіруші: «Э» АҚБ Баспасы, 123308, Мәскеу, Ресей, Зорге көшесі, 1 үй.
Тел. 8 (495) 411-68-86.
Тауар белгісі: «Э»
Қазақстан Республикасында дистрибьютор және өнім бойынша арыз-талаптарды қабылдаушының өкілі «РДЦ-Алматы» ЖШС, Алматы қ., Домбровский көш., 3«а», литер Б, офис 1.
Тел.: 8 (727) 251-59-89/90/91/92, факс: 8 (727) 251 58 12 вн. 107.
Өнімнің жарамдылық мерзімі шектелмеген.
Сертификация туралы ақпарат сайтта Өндіруші «Э»

Сведения о подтверждении соответствия издания согласно законодательству РФ о техническом регулировании можно получить на сайте Издательства «Э»

Өндірген мемлекет: Ресей
Сертификация қарастырылмаған

Подписано в печать 07.07.2016. Формат 84x108 $^1/_{32}$.
Гарнитура «NewBaskerville». Печать офсетная. Усл. печ. л. 18,48.
Тираж 7000 экз. Заказ М-1725.

Отпечатано в полном соответствии с качеством предоставленного электронного оригинал-макета в типографии филиала АО «ТАТМЕДИА» «ПИК «Идел-Пресс».
420066, г. Казань, ул. Декабристов, 2.
E-mail: idelpress@mail.ru

В **электронном виде** книги издательства вы можете купить на **www.litres.ru**

Оптовая торговля книгами Издательства «Э»:
142700, Московская обл., Ленинский р-н, г. Видное,
Белокаменное ш., д. 1, многоканальный тел.: 411-50-74.

По вопросам приобретения книг Издательства «Э» зарубежными оптовыми покупателями обращаться в отдел зарубежных продаж
International Sales: International wholesale customers should contact Foreign Sales Department for their orders.

По вопросам заказа книг корпоративным клиентам, в том числе в специальном оформлении, *обращаться по тел.: +7 (495) 411-68-59, доб. 2261.*

Оптовая торговля бумажно-беловыми и канцелярскими товарами для школы и офиса:
142702, Московская обл., Ленинский р-н, г. Видное-2,
Белокаменное ш., д. 1, а/я 5. Тел./факс: +7 (495) 745-28-87 (многоканальный).

Полный ассортимент книг издательства для оптовых покупателей:
В Санкт-Петербурге: ООО СЗКО, пр-т Обуховской Обороны, д. 84Е.
Тел.: (812) 365-46-03/04.
В Нижнем Новгороде: 603094, г. Нижний Новгород, ул. Карпинского, д. 29,
бизнес-парк «Грин Плаза». Тел.: (831) 216-15-91 (92/93/94).
В Ростове-на-Дону: ООО «РДЦ-Ростов», 344023, г. Ростов-на-Дону,
ул. Страны Советов, 44 А. Тел.: (863) 303-62-10.
В Самаре: ООО «РДЦ-Самара», пр-т Кирова, д. 75/1, литера «Е».
Тел.: (846) 269-66-70.
В Екатеринбурге: ООО«РДЦ-Екатеринбург», ул. Прибалтийская, д. 24а.
Тел.: +7 (343) 272-72-01/02/03/04/05/06/07/08.
В Новосибирске: ООО «РДЦ-Новосибирск», Комбинатский пер., д. 3.
Тел.: +7 (383) 289-91-42.
В Киеве: ООО «Форс Украина», г. Киев,пр. Московский, 9 БЦ «Форум».
Тел.: +38-044-2909944.

Полный ассортимент продукции Издательства «Э» можно приобрести в магазинах «Новый книжный» и «Читай-город».
Телефон единой справочной: 8 (800) 444-8-444.
Звонок по России бесплатный.

В Санкт-Петербурге: в магазине «Парк Культуры и Чтения БУКВОЕД»,
Невский пр-т, д.46. Тел.: +7(812)601-0-601, www.bookvoed.ru

Розничная продажа книг с доставкой по всему миру.
Тел.: +7 (495) 745-89-14.

ISBN 978-5-699-90255-2